Almas gêmeas

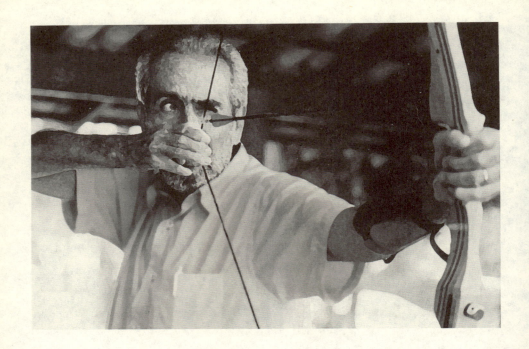

O Arqueiro

GERALDO JORDÃO PEREIRA (1938-2008) começou sua carreira aos 17 anos, quando foi trabalhar com seu pai, o célebre editor José Olympio, publicando obras marcantes como *O menino do dedo verde*, de Maurice Druon, e *Minha vida*, de Charles Chaplin.

Em 1976, fundou a Editora Salamandra com o propósito de formar uma nova geração de leitores e acabou criando um dos catálogos infantis mais premiados do Brasil. Em 1992, fugindo de sua linha editorial, lançou *Muitas vidas, muitos mestres*, de Brian Weiss, livro que deu origem à Editora Sextante.

Fã de histórias de suspense, Geraldo descobriu *O Código Da Vinci* antes mesmo de ele ser lançado nos Estados Unidos. A aposta em ficção, que não era o foco da Sextante, foi certeira: o título se transformou em um dos maiores fenômenos editoriais de todos os tempos.

Mas não foi só aos livros que se dedicou. Com seu desejo de ajudar o próximo, Geraldo desenvolveu diversos projetos sociais que se tornaram sua grande paixão.

Com a missão de publicar histórias empolgantes, tornar os livros cada vez mais acessíveis e despertar o amor pela leitura, a Editora Arqueiro é uma homenagem a esta figura extraordinária, capaz de enxergar mais além, mirar nas coisas verdadeiramente importantes e não perder o idealismo e a esperança diante dos desafios e contratempos da vida.

NICHOLAS SPARKS

Almas gêmeas

Título original: *Every Breath*

Copyright © 2018 por Willow Holdings, Inc.
Copyright da tradução © 2018 por Editora Arqueiro Ltda.
Todos os direitos reservados. Nenhuma parte deste livro pode ser utilizada ou
reproduzida sob quaisquer meios existentes sem autorização por escrito dos editores.

tradução: Fernanda Abreu

preparo de originais: Rafaella Lemos

revisão: Mariana Rimoli e Tereza da Rocha

diagramação: Abreu's System

capa: Flag/ Hachette Book Group, Inc.

adaptação de capa: Ana Paula Daudt Brandão

imagens de capa: Linda Pugliese (cartas), Pawel Kazmierczak/ Shutterstock
(paisagem), TADDEUS/ Shutterstock (papel da quarta capa)

impressão e acabamento: Bartira Gráfica

CIP-BRASIL. CATALOGAÇÃO NA PUBLICAÇÃO
SINDICATO NACIONAL DOS EDITORES DE LIVROS, RJ

S726a   Sparks, Nicholas
         Almas gêmeas/ Nicholas Sparks; tradução de Fernanda Abreu.
         São Paulo: Arqueiro, 2018.
         272 p.; 16 x 23 cm.

         Tradução de: Every breath
         ISBN 978-85-8041-863-7

         1. Ficção americana. I. Abreu, Fernanda. II. Título.

18-51852   CDD: 813
                                                      CDU: 82-3(73)

Todos os direitos reservados, no Brasil, por
Editora Arqueiro Ltda.
Rua Artur de Azevedo, 1.767 – Conj. 177 – Pinheiros
05404-014 – São Paulo – SP
Tel.: (11) 2894-4987
E-mail: atendimento@editoraarqueiro.com.br
www.editoraarqueiro.com.br

Para Victoria Vodar

ALMAS GÊMEAS

Há histórias que surgem de lugares misteriosos, desconhecidos, e outras que são descobertas, um presente de outra pessoa. Esta pertence ao segundo tipo. Num dia frio de ventania no final da primavera de 2016, peguei o carro e fui até Sunset Beach, na Carolina do Norte, uma das muitas ilhotas localizadas entre Wilmington e a divisa com a Carolina do Sul. Estacionei minha picape perto do píer e desci a pé até a praia, em direção a Bird Island, uma reserva costeira desabitada. Moradores da região disseram que havia lá algo que eu precisava ver; quem sabe, chegaram a sugerir, o lugar acabasse indo parar num dos meus romances. Eu deveria ficar atento a uma bandeira americana. Quando a visse a distância, saberia que estava chegando.

Pouco depois de avistar a bandeira, mantive os olhos alertas. Eu deveria procurar uma caixa de correio com o nome Almas Gêmeas. Essa caixa, espetada numa estaca de madeira velha perto de uma duna salpicada de capim-navalha, existe desde 1983 e pertence a todo mundo e a ninguém. Qualquer um pode ir até lá e deixar uma carta ou um postal; qualquer passante pode ler tudo que tiver sido colocado lá dentro. Milhares de pessoas fazem isso todos os anos. Com o tempo, Almas Gêmeas passou a ser um repositório de esperanças e sonhos na forma escrita... E é sempre possível encontrar histórias de amor ali.

A praia estava vazia. Quando me aproximei da caixa de correio isolada em seu trecho deserto de praia, pude distinguir um banco de madeira ao seu lado. Era o lugar de descanso perfeito, um posto avançado para reflexão.

Pus a mão dentro da caixa e encontrei dois postais, várias cartas já abertas, uma receita de ensopado de carne com feijão, um diário que parecia ter sido escrito em alemão e um envelope grosso de papel pardo. Havia canetas, um bloco de papel em branco e envelopes, provavelmente para quem ficasse inspirado a contribuir com a própria história. Sentei-me no banco e dei uma olhada nos postais e na receita antes de me debruçar sobre as cartas. Quase na mesma hora percebi que ninguém usava sobrenome. Algumas das cartas estavam assinadas com o primeiro nome, outras só com as iniciais e outras, ainda, eram inteiramente anônimas, o que só fazia aumentar a aura de mistério.

Mas o anonimato parecia incentivar as reflexões sinceras. Li sobre uma mulher que, após lutar contra o câncer, conheceu o homem dos seus sonhos numa livraria cristã, mas estava receosa de não ser boa o suficiente para ele. Li sobre uma criança que esperava um dia se tornar astronauta. Havia a carta de um rapaz que pretendia pedir a namorada em casamento a bordo de um balão e outra de um homem que desejava chamar a vizinha para sair, mas tinha medo de receber um não. Havia uma carta de alguém recém-saído da prisão cujo único desejo era recomeçar a vida. A última era de um homem cujo cão, Teddy, fora sacrificado havia pouco tempo. Ele ainda estava chorando a perda do animal e, ao terminar de ler a carta, examinei a fotografia de um labrador preto de olhar simpático e focinho grisalho que estava no mesmo envelope. O homem tinha assinado com as iniciais A.K., e eu me peguei torcendo para ele encontrar um jeito de preencher o vazio deixado pela ausência de Teddy.

A essa altura, a brisa já estava forte e as nuvens tinham começado a ficar mais escuras. Uma tempestade se aproximava. Tornei a pôr a receita, os postais e as cartas dentro da caixa de correio e hesitei antes de abrir o envelope pardo. A espessura indicava um número significativo de páginas, e a última coisa que eu queria era ser pego pela chuva na hora em que estivesse voltando para a picape. Enquanto tentava decidir, virei o envelope e vi que alguém havia escrito atrás, em letra de fôrma: A história mais incrível do mundo!

Um apelo por reconhecimento? Um desafio? Aquilo fora escrito pelo autor ou por alguém que havia examinado o conteúdo? Eu não sabia ao certo, mas como resistir?

Abri o fecho do envelope. Dentro dele havia mais ou menos uma dúzia de folhas, cópias xerox de três cartas e de alguns desenhos retratando um homem e uma mulher que pareciam claramente apaixonados um pelo outro. Pus as imagens de lado e peguei o texto. A primeira linha chamou minha atenção:

O destino que mais importa na vida de qualquer um é aquele relativo ao amor.

O tom, distinto das cartas anteriores, prometia algo grandioso. Acomodei-me para ler. Na segunda página, minha curiosidade se transformou em interesse; após outras tantas, não consegui mais largar a história. Durante a meia hora seguinte, ri e senti a garganta apertada; ignorei quando o vento aumentou e as nuvens foram ficando cor de chumbo. Trovoadas e raios já alcançavam a ponta mais distante da ilha quando li as últimas palavras com uma sensação de assombro.

Eu deveria ter ido embora nesse instante. Podia ver os lençóis de chuva avançando pelas ondas na minha direção, mas em vez disso li a história uma segunda vez. Nessa leitura, pude ouvir com total clareza as vozes dos personagens. Depois de ler as cartas e examinar os desenhos, senti uma ideia tomar forma, a de que eu de algum modo conseguiria encontrar o autor e aventar a possibilidade de transformar aquela história fascinante em livro.

Só que não seria fácil achar aquela pessoa. A maior parte dos acontecimentos tinha ocorrido num passado distante, mais de 25 anos antes, e os nomes tinham sido substituídos por iniciais. Mesmo nas cartas, os nomes originais tinham sido apagados antes de as páginas serem xerocadas. Não havia nada que indicasse quem poderia ter sido o autor ou o artista.

Entretanto, restavam algumas pistas. Na parte da história que remontava a 1990, havia a menção a um restaurante com um deque nos fundos e uma lareira na parte interna, em cuja cornija ficava uma bala de canhão *supostamente resgatada de um dos navios do Barbanegra. Havia também uma referência a um chalé numa ilha no litoral da Carolina do Norte, ao qual se podia chegar a pé do restaurante. E, nas páginas que pareciam ter sido escritas mais recentemente, o autor falava sobre uma obra em andamento numa casa de praia em outra ilha. Eu não tinha ideia se a obra já estava concluída, mas precisava começar por algum lugar. Embora anos tivessem se passado, torcia para os desenhos me ajudarem a identificar as pessoas. E havia também, é claro, a caixa de correio Almas Gêmeas na praia onde eu me encontrava, que tinha um papel decisivo na história.*

O céu agora estava decididamente ameaçador, e eu sabia que não dispunha de muito tempo. Guardei as páginas de volta no envelope pardo, coloquei-o outra vez na caixa de correio e retornei depressa para a picape. Escapei da chuva por pouco. Se tivesse demorado mais alguns minutos, teria ficado ensopado, e apesar de ter ligado os limpadores no máximo, mal conseguia ver através do para-brisa. Fui para casa, preparei um almoço tardio e fiquei olhando pela janela, sem parar de pensar no casal sobre o qual acabara de ler naquelas páginas. À noite, já sabia que queria revisitar a Almas Gêmeas e examinar novamente a história, mas a meteorologia e algumas viagens a trabalho me impediram de voltar por quase uma semana.

Quando finalmente consegui retornar, as outras cartas, a receita e o diário continuavam lá, mas o envelope pardo tinha desaparecido. Perguntei-me o que teria acontecido com ele. Fiquei curioso para saber se algum desconhecido havia ficado tão comovido com aquelas páginas quanto eu e as levara consigo; ou talvez tivesse sido alguém que cuidava da caixa e a esvaziava de vez em quando. Acima de tudo, perguntei-me se quem a escrevera teria mudado de ideia sobre revelar a história e ido buscá-la pessoalmente.

Aquilo me fez querer falar com essa pessoa mais ainda, mas a família e o trabalho me mantiveram ocupado por mais um mês, e só em junho arrumei tempo para começar minha jornada. Não vou entediar você com todos os detalhes da busca, que consumiu quase uma semana inteira, incontáveis telefonemas, visitas a várias câmaras de comércio e repartições de condado onde ficavam armazenados os alvarás de construção, e cen-

tenas de quilômetros ao volante da picape. Como a primeira parte da história aconteceu décadas atrás, alguns dos pontos de referência desapareceram há tempos. Consegui rastrear o endereço do restaurante, hoje um bistrô chique de frutos do mar com mesas de toalhas brancas, e usei-o como ponto de partida para minhas excursões exploratórias de modo a me familiarizar com a região. Depois disso, seguindo a trilha dos alvarás, fui visitando uma ilha após outra, e em uma das minhas muitas caminhadas pela praia acabei escutando o barulho de marteladas e de uma furadeira – nada incomuns nas casas castigadas pela maresia e pelo clima do litoral. Porém, ao ver um homem de certa idade trabalhando numa rampa que descia do alto da duna até a praia, senti um choque repentino. Lembrei-me dos desenhos, e mesmo de longe desconfiei ter encontrado um dos personagens sobre os quais tinha lido.

Fui até lá e me apresentei. De perto, tive ainda mais certeza de que era ele. Reparei na intensidade tranquila sobre a qual eu havia lido e nos mesmos olhos azuis observadores descritos em uma das cartas. Fiz as contas e calculei que ele devia ter quase 70 anos, a idade correta. Depois de jogarmos um pouco de conversa fora, perguntei-lhe à queima-roupa se ele tinha escrito a história que fora parar na Almas Gêmeas. Sua reação foi voltar os olhos para o oceano e passar talvez um minuto sem dizer nada. Ao se virar novamente para mim, ele disse que responderia às minhas perguntas na tarde seguinte, mas só se eu me dispusesse a lhe dar uma mãozinha na obra.

Na manhã seguinte, apareci com um cinto de ferramentas, mas elas se mostraram desnecessárias. Em vez disso, ele me fez carregar chapas de compensado, tábuas e peças de madeira tratada da frente da casa até os fundos, por sobre a duna até a praia. A pilha de madeira era imensa, e andar na areia fazia com que cada carga parecesse ter o dobro do peso. Levei a maior parte do dia nisso, e, a não ser para me dizer onde colocar as madeiras, ele não me dirigiu a palavra. Passou o dia furando, pregando e trabalhando sob um sol escaldante de início de verão, mais interessado na qualidade do próprio trabalho do que na minha presença.

Pouco depois de eu terminar de transportar o último carregamento, ele acenou para eu me sentar na duna e abriu um cooler. Após retirar lá de dentro uma garrafa térmica, encher dois copos de plástico com chá gelado e me passar um, falou, por fim:

– Sim. Fui eu que escrevi.

– É verdade?

Ele estreitou os olhos, como se estivesse me avaliando.

– Em parte – admitiu, com o sotaque cuja descrição eu lera nas páginas. – Algumas pessoas poderiam contestar os fatos, mas lembranças nem sempre têm a ver com fatos.

Eu disse a ele que, na minha opinião, aquilo poderia render um livro fascinante e dei início a uma série de argumentos apaixonados. Ele escutou sem dizer nada, com uma expressão inescrutável. Por algum motivo, constatei que eu estava nervoso, quase desesperado para convencê-lo. Após um silêncio desconfortável durante o qual pareceu estar considerando a minha proposta, ele finalmente falou: estava disposto a discutir aquela possibilidade, quem sabe até a concordar com o meu pedido, mas somente com a condição de ser o primeiro a ler a história. E, caso não gostasse, queria que eu enterrasse as páginas. Tentei negociar. Escrever um livro requer meses de esforço, anos até... Mas ele não cedeu. No fim, acabei aceitando. Verdade seja dita, eu entendia seu raciocínio. Se eu estivesse no lugar dele, teria lhe pedido a mesma coisa.

Fomos então para o chalé. Fiz perguntas e obtive respostas. Recebi uma nova cópia da história e pude ver os desenhos e as cartas originais que deram ainda mais vida ao passado.

A conversa foi se prolongando. Ele contou a história muito bem e guardou o melhor para o fim. Ao cair da noite, mostrou-me algo incrível – feito por puro e simples prazer – que me permitiu visualizar com detalhe e clareza os acontecimentos, como se eu houvesse testemunhado tudo que acontecera. Também comecei a ver como as palavras ficariam na página, como se a história estivesse escrevendo a si mesma e meu papel fosse apenas transcrevê-la.

Antes de eu ir embora, ele me pediu que nenhum nome real fosse usado. Não tinha desejo algum de fama, considerava-se uma pessoa discreta, mas, mais do que isso, sabia que a história tinha o potencial de abrir feridas antigas e novas. Havia pessoas vivas envolvidas, algumas das quais poderiam não gostar das revelações. Respeitei sua vontade porque acredito que a história tem um valor e um significado maiores: o poder de nos lembrar que há momentos em que o destino e o amor se chocam.

Comecei a trabalhar no romance logo depois dessa primeira noite em que conversamos. No ano que se seguiu, sempre que eu tinha perguntas, ligava para ele ou ia visitá-lo. Fui às locações, ou pelo menos àquelas que não tinham sido perdidas no tempo. Vasculhei arquivos de jornais e examinei fotos tiradas mais de 25 anos antes. Para descobrir ainda mais detalhes, passei uma semana numa pousada numa pequena cidade litorânea da Carolina do Norte e cheguei a viajar à África. Tive sorte com o fato de o tempo parecer passar mais devagar nesses dois lugares, e houve momentos em que tive a sensação de ter de fato viajado direto para o passado.

Minha viagem ao Zimbábue foi especialmente útil. Eu nunca tinha estado lá e fiquei deslumbrado com a vida selvagem espetacular. Por sua fartura nos campos, o país já fora conhecido como "o celeiro da África", mas na época da minha visita grande parte da infraestrutura agrícola tinha se deteriorado e a economia entrara em colapso por motivos em grande parte políticos. Percorri fazendas caindo aos pedaços e campos abandonados, e tive de confiar na imaginação para ver quão verdejante era aquela terra na época em que a história havia começado. Passei também três semanas fazendo vários safáris, assimilando tudo ao meu redor. Falei com guias e exploradores locais, conversei sobre seu treinamento e sua vida cotidiana; imaginei como devia ser difícil para eles sustentarem a família, uma vez que passavam a maior parte do tempo na mata. Achei a África extraordinariamente sedutora. Desde essas viagens, tive muitas vezes vontade de voltar, e sei que o farei em breve.

Apesar de todas as pesquisas, muita coisa permanece desconhecida. Vinte e sete anos são um longo tempo, e recriar ipsis litteris uma antiga conversa entre duas pessoas é impossível. Tampouco é possível relembrar com exatidão cada passo dado por alguém, a posição das nuvens no céu ou o ritmo das ondas ao baterem na praia. O que posso dizer é que o que vem a seguir é o melhor que pude fazer diante de tais limitações. Como também fiz alterações para manter a privacidade dos envolvidos, sinto-

-me à vontade para classificar este livro como um romance, e não como uma obra de não ficção.

A gênese, a pesquisa e a criação deste livro estão entre as experiências mais memoráveis da minha vida. Sob alguns aspectos, elas transformaram o modo como penso no amor. Desconfio que a maioria das pessoas carrega uma pergunta persistente: E se eu tivesse feito o que meu coração mandou? E não há como saber realmente a resposta. Afinal, uma vida não passa de uma série de pequenas vidas, vividas um dia por vez, e cada um desses dias invariavelmente envolve escolhas e consequências. Pedacinho por pedacinho, essas decisões ajudam a formar a pessoa que nos tornamos. Registrei alguns fragmentos da melhor maneira que consegui, mas quem pode dizer se o quadro que montei é um retrato verdadeiro de como o casal realmente era?

Em se tratando de amor, sempre haverá quem duvide. Apaixonar-se é a parte fácil; fazer esse amor durar em meio aos numerosos desafios da vida é, para muitos, um sonho inalcançável. Porém, se você ler esta história com a mesma sensação de assombro que senti ao escrevê-la, talvez sua fé na estranha força que o amor pode exercer na vida das pessoas seja renovada. Quem sabe um dia você encontre o caminho até a Almas Gêmeas com sua própria história para contar... Uma história que terá o poder de mudar a vida de outra pessoa de formas que você jamais imaginou serem possíveis.

Nicholas Sparks
2 de setembro de 2017

PARTE I

TRU

Na manhã do dia 9 de setembro de 1990, Tru Walls saiu de casa e correu os olhos pelo céu, que, junto ao horizonte, tinha a cor do fogo. A terra sob seus pés estava rachada, o ar, seco; fazia quase dois meses que não chovia nem uma gota. A poeira se agarrava às suas botas enquanto ele andava até a picape que era sua havia mais de vinte anos. Assim como os calçados, o veículo estava coberto de poeira, tanto por dentro quanto por fora. Para lá de uma cerca encimada por arame eletrificado, um elefante arrancava galhos de uma árvore que caíra mais cedo naquela manhã. Tru não prestou atenção. Aquilo fazia parte da paisagem desde o seu nascimento – seus antepassados tinham emigrado da Inglaterra mais de um século antes – e lhe causou tão pouco espanto quanto um pescador que encontra um tubarão ao puxar a rede do dia. Tru era magro, tinha cabelos escuros e rugas de expressão nos cantos dos olhos, adquiridas ao longo de uma vida passada debaixo do sol; aos 42 anos, às vezes se perguntava se tinha decidido morar na selva ou se fora a selva que o escolhera.

O acampamento estava silencioso; os outros guias, entre eles seu melhor amigo, Romy, tinham saído cedo com destino ao refúgio principal, de onde iriam conduzir hóspedes do mundo todo por um tour na selva. Tru trabalhava no refúgio do Parque Nacional Hwange havia uma década; antes disso tivera uma existência mais nômade, trocando de reserva a cada dois anos à medida que ia ganhando mais experiência. De modo geral, evitara apenas as que permitiam a caça, algo que seu avô não teria entendido. Esse avô – conhecido por todos como Coronel, embora nunca tivesse sido das forças armadas – alegava ter matado mais de trezentos leões e guepardos para proteger o gado da imensa fazenda da família perto de Harare, onde Tru fora criado. Seu padrasto e seus meios-irmãos avançavam progressivamente em direção a esse número. Além de criar gado, a família de Tru cultivava diversas lavouras, e colhia mais tabaco e tomates do que qualquer outra propriedade do país. Plantavam café também. Seu bisavô havia trabalhado com o lendário Cecil Rhodes – magnata da mineração, político e símbolo do imperialismo britânico – e acumulado terras, dinheiro e poder no século XIX, antes de passar o bastão para o avô de Tru.

O Coronel herdara do pai um negócio próspero, mas depois da Segunda Guerra Mundial uma expansão exponencial fez da família Walls uma das mais ricas do país. O Coronel jamais havia entendido o desejo de Tru de escapar do que na época era um verdadeiro império e uma vida de luxo considerável. Antes de morrer – quando Tru tinha 26 anos –, certa vez fora visitar uma reserva onde o neto estava trabalhando. Embora tenha dormido no refúgio principal, e não no acampamento dos guias, ver o lugar onde Tru vivia fora um choque para o velho homem. Ele se deparou com uma habitação que provavelmente considerava pouco melhor do que um casebre, sem isolamento térmico nem telefone. Um lampião a querosene fornecia a iluminação e um pequeno gerador coletivo alimentava um frigobar. Apesar de muito diferente da casa onde Tru fora criado, aquele ambiente austero era exatamente o que o jovem precisava, sobretudo quando a noite caía e um oceano de estrelas surgia no céu. Na verdade, estava um nível acima de alguns dos acampamentos nos quais ele já havia trabalhado; em dois deles, Tru dormira em barracas. Ali pelo menos havia água corrente e um chuveiro, o que ele considerava um luxo, ainda que num banheiro coletivo.

Nessa manhã, Tru carregou até o carro seu violão dentro do estojo surrado; uma marmita e uma garrafa térmica; um punhado de desenhos que tinha feito para o filho, Andrew; uma mochila com algumas mudas de roupa, artigos de higiene, blocos de desenho, lápis de cor e de grafite, e o seu passaporte. Embora fosse passar cerca de uma semana fora, calculou que isso era tudo de que precisava.

A picape estava estacionada debaixo de um baobá. Alguns de seus colegas gostavam do fruto seco e polpudo dessa árvore. Comiam de manhã, misturado no mingau, mas Tru nunca tinha tomado gosto por ele. Jogou a mochila no banco da frente e checou a caçamba para se certificar de que não houvesse lá atrás nada que pudesse ser roubado. Embora fosse deixar o carro na fazenda da família, mais de trezentos agricultores trabalhavam lá, e todos ganhavam muito pouco. Ferramentas de boa qualidade costumavam evaporar mesmo sob o olhar atento de seus parentes.

Sentou-se ao volante e pôs os óculos escuros. Antes de girar a chave, tentou se certificar de que não estava esquecendo nada. Não havia grande coisa para esquecer; além da mochila e do violão, estava levando a carta e a fotografia que recebera dos Estados Unidos, além das passagens de avião e da carteira. No suporte atrás dele havia uma espingarda carregada para o caso de o carro enguiçar e ele ter que percorrer a mata, que, mesmo para alguém com a sua experiência, continuava sendo um dos lugares mais perigosos do mundo, principalmente à noite. No porta-luvas havia uma bússola e uma lanterna. Ele se certificou de que a barraca estava debaixo do assento, também para o caso de uma emergência. Era compacta o suficiente para caber no chão da picape e, embora não adiantasse grande coisa para afastar os predadores, era melhor do que dormir no chão. *Certo, então*, pensou. Estava o mais preparado possível.

O dia já estava ficando quente, e dentro da picape fazia mais calor ainda. Ele iria usar o ar-condicionado "dois por trinta": duas janelas abertas a 30 quilômetros por hora. Não adiantaria grande coisa, mas ele já se acostumara com o calor havia tempo. Arregaçou as mangas da camisa de botão amarelo-mostarda. Estava usando sua calça de trilha de sempre, que ao longo dos anos havia se tornado macia e confortável. Os hóspedes em volta da piscina do refúgio principal provavelmente deviam estar de roupa de banho e chinelo, mas ele nunca se sentira à vontade vestido assim. As botas e a calça de lona já tinham salvado sua vida quando ele cruzara o caminho de uma mamba-negra; se ele não estivesse com as roupas certas, o veneno da cobra o teria matado em menos de meia hora.

Conferiu rapidamente o relógio. Passava um pouco das sete, e ele tinha dois longos dias pela frente. Ligou o motor, deu ré e então seguiu em direção ao portão. Saltou, abriu o portão, passou com a picape e depois tornou a fechá-lo. A última coisa que os outros guias precisavam era voltar e descobrir que uma alcateia de leões tinha se instalado lá dentro. Já tinha acontecido antes, não naquele acampamento específico, mas em outro em que ele havia trabalhado, na região sudeste do país. Fora um dia de caos. Ninguém soubera muito bem o que fazer, a não ser esperar os leões decidirem quanto tempo pretendiam ficar. Por sorte, os animais deixaram o acampamento para caçar no final da mesma tarde, mas desde então Tru sempre fazia questão de verificar os portões, mesmo quando não estava dirigindo. Alguns dos guias eram novatos, e ele não queria correr nenhum risco.

Engatou a marcha da picape e se acomodou, tentando tornar a viagem o mais confortável possível. Os primeiros 150 quilômetros eram por estradas de terra batida acidentadas, cheias de buracos, primeiro dentro da reserva, depois passando sinuosamente por vários pequenos povoados. Essa parte levaria até o início da tarde, mas ele estava acostumado com o trajeto, e deixou a mente divagar enquanto olhava para o mundo que chamava de lar.

O sol brilhava por entre nuvens esgarçadas que se moviam acima da linha das árvores, e iluminou um rolieiro-de-peito-lilás que levantou voo dos galhos de uma árvore à sua esquerda. Dois javalis atravessaram a estrada na sua frente e passaram por uma família de babuínos. Tru já tinha visto aqueles animais milhares de vezes, mas ainda se admirava com o modo como eles conseguiam sobreviver rodeados por tantos predadores. Sabia que a natureza tinha sua própria apólice de seguro. Os animais que estavam na parte mais baixa da cadeia alimentar tinham mais filhotes; as zebras fêmeas, por exemplo, passavam o tempo inteiro prenhes, com exceção de nove ou dez dias por ano. Estimava-se que as leoas, por sua vez, precisassem acasalar mais de mil vezes para cada filhote que completava um ano de idade. Era o equilíbrio evolutivo em sua forma mais perfeita, e, embora ele testemunhasse aquilo diariamente, ainda lhe parecia extraordinário.

Muitas vezes os hóspedes lhe perguntavam sobre as coisas mais emocionantes que ele já vira no seu trabalho de guia. Ele contava como era ser atacado por um rinoceronte-negro ou sobre a vez que tinha visto uma girafa dando pinotes frenéticos até finalmente dar à luz num jato explosivo cuja violência o havia surpreendido. Já tinha visto um filhote de leopardo arrastar um javali com quase o dobro do seu tamanho até o alto de uma árvore, escapando por um triz de um bando de hienas ferozes que haviam sentido o cheiro da presa. Certa vez, havia seguido um cão selvagem que, abandonado pela própria matilha, tinha se juntado a um bando de chacais – os mesmos que antes costumava caçar. As histórias não tinham fim.

Seria possível, pensou, vivenciar o mesmo safári duas vezes? A resposta era ao mesmo tempo sim e não. Era possível se hospedar na mesma reserva, sair com o mesmo guia, no mesmo horário, e percorrer as mesmas estradas exatamente com o mesmo clima e na mesma estação, mas os animais estavam sempre em lugares diferentes, fazendo coisas diferentes. Iam e vinham dos locais onde bebiam água, observavam e escutavam, comiam, dormiam e acasalavam, todos simplesmente tentando sobreviver a mais um dia.

Na beira da estrada, viu um bando de impalas. Os guias brincavam que aqueles antílopes eram o McDonald's da selva, uma farta reserva de fast-food. Eles faziam parte da dieta de qualquer predador, e os hóspedes em geral se cansavam de fotografá-los depois de um único safári. Tru, porém, diminuiu a velocidade da picape e ficou observando um animal após outro saltar graciosamente, de uma altura inimaginável, por cima de uma árvore caída, como numa coreografia. À sua própria maneira, pensou, aqueles animais eram tão especiais quanto os cinco grandes predadores – leão, leopardo, rinoceronte, elefante e búfalo – ou mesmo os sete grandes, que incluíam os guepardos e as hienas. Eram esses os animais que os hóspedes mais queriam ver, as caças que geravam mais entusiasmo. A questão era que avistar leões não era particularmente difícil, pelo menos quando havia sol. Esses animais dormem de dezoito a vinte horas por dia e em geral podem ser encontrados descansando na sombra. Ver um leão *em movimento*, por sua vez, era raro, a não ser à noite. Tru já havia trabalhado em reservas que ofereciam tours noturnos pela mata. Alguns tinham sido arrepiantes e, em muitos deles, a terra levantada pelo estouro de uma centena de búfalos, gnus ou zebras fugindo dos leões tornava impossível enxergar. Sem poder ver mais do que poucos centímetros em qualquer direção, Tru era forçado a parar o jipe. Em duas ocasiões, havia descoberto que o veículo ficara entre os leões e quaisquer que fossem os animais que eles estivessem caçando, o que levara sua adrenalina às alturas.

A estrada foi ficando cada vez mais acidentada e ele diminuiu mais ainda a velocidade conforme ia avançando em zigue-zague. Estava a caminho de Bulawayo, segunda maior cidade do Zimbábue, onde moravam sua ex-mulher, Kim, e o filho do casal, Andrew. Tru também tinha uma casa lá, comprada depois do divórcio. Em retrospecto, era óbvio que ele e Kim não dariam certo. Tinham se conhecido anos antes, num bar em Harare, quando Tru estava entre dois empregos. Mais tarde, Kim lhe diria que ele lhe parecera exótico, o que, somado ao seu nome, bastara para despertar o interesse dela. Ela era oito anos mais jovem que ele, linda, dona de um charme seguro e ao mesmo tempo descontraído. As coisas foram acontecendo, e eles acabaram passando grande parte das seis semanas seguintes juntos. A essa altura, Tru já estava louco para voltar para a selva e queria terminar o relacionamento, mas Kim lhe contou que estava grávida. Os dois se casaram, Tru arrumou um emprego em Hwange por causa da relativa proximidade de Bulawayo, e Andrew nasceu pouco depois.

Embora soubesse qual era a profissão de Tru, Kim supusera que, depois do nascimento do filho, ele arrumaria um emprego que não o obrigasse a passar semanas fora. O que aconteceu, porém, foi que ele continuou sendo guia, Kim acabou conhecendo outra pessoa e o casamento terminou menos de cinco anos depois de começar. Não houve mágoa de nenhum dos lados; pelo contrário, o relacionamento entre eles melhorou depois do divórcio. Sempre que Tru ia buscar Andrew, ele e Kim conversavam um pouco e colocavam as novidades em dia como velhos amigos que eram. Ela se casara outra vez e tivera uma filha com Ken, o segundo marido; na última vez em que eles se viram, havia contado a Tru que estava grávida outra vez. Ken trabalhava no escritório financeiro da Air Zimbabwe. Ia para o trabalho de terno e voltava para jantar em casa todas as noites. Era o que Kim queria, e Tru estava feliz por ela.

Quanto a Andrew...

Seu filho agora estava com 10 anos e era a única coisa maravilhosa que o casamento havia produzido. Por um capricho do destino, Tru tinha contraído sarampo quando Andrew estava com poucos meses e ficara estéril, mas nunca sentira necessidade de ter outro filho. Para ele, Andrew sempre fora mais do que suficiente, e esse era o motivo pelo qual estava fazendo um desvio por Bulawayo em vez de ir direto para a fazenda. Com cabelos louros e olhos castanhos, Andrew se parecia com a mãe, e Tru tinha dezenas de desenhos dele nas paredes de seu bangalô. Ao longo dos anos, ia acrescentando fotos – em quase todas as visitas, Kim lhe entregava um envelope cheio –, versões diferentes do filho que se misturavam entre si até produzir algo inteiramente novo. Pelo menos uma vez por semana, Tru desenhava algo que tinha visto na selva – em geral, algum bicho –, mas outras vezes desenhava Andrew e ele, tentando recuperar alguma lembrança do último encontro dos dois.

Equilibrar família e trabalho vinha sendo um desafio, sobretudo depois do divórcio. Durante seis semanas, enquanto Tru trabalhava no acampamento, a guarda era de Kim e ele ficava totalmente ausente da vida do filho: nada de telefonemas, visitas, partidas de futebol ou idas à sorveteria. Depois, durante duas semanas, Tru assumia a guarda e exercia o papel de pai em tempo integral. Andrew ficava com ele em sua casa de Bulawayo, ele o levava e buscava na escola, preparava a merenda e o jantar, ajudava no dever de casa. Nos fins de semana, faziam o que o garoto tivesse vontade, e em todos esses momentos, sem exceção, Tru pensava como era possível amar o filho tão profundamente, mesmo que nem sempre estivesse por perto para demonstrar.

À direita, viu dois abutres voando em círculos. Talvez estivessem à procura de algo que as hienas houvessem esquecido na noite anterior ou, quem sabe, algum animal morto mais cedo naquela manhã. Ultimamente, muitos dos animais enfrentavam dificuldades. O país estava no meio de mais uma seca, e os locais onde os animais bebiam água naquele trecho da reserva tinham secado. Isso não era nenhuma surpresa; não muito longe, a oeste dali, em Botsuana, ficava o vasto deserto de Kalahari, terra do lendário povo san. Seu idioma era considerado um dos mais antigos do mundo, cheio de cliques e estalos, e soava quase alienígena para os ouvidos de um forasteiro. Apesar de não possuírem praticamente nenhum bem material, eles brincavam e riam mais do que qualquer outro grupo humano que Tru já conhecera. Porém ele se perguntava por quanto tempo conseguiriam manter seu modo de vida. A modernidade vinha avançando, e havia boatos de que o governo de Botsuana começaria a exigir que todas as crianças do país frequentassem a escola, inclusive as dos sans. Ele imaginava que isso fosse acabar selando o fim de uma cultura milenar.

Mas a África vivia em constante mudança. Tru tinha nascido na Rodésia, uma colônia do Império Britânico; vira o país ser tomado por conflitos civis, e ainda era adolescente quando se dividiu, transformando-se nas nações do Zimbábue e da Zâmbia. Assim como na África do Sul – que grande parte do mundo via com péssimos olhos devido ao apartheid –, boa parte da riqueza do Zimbábue se concentrava numa porcentagem mínima da população, quase toda ela branca. Tru duvidava que isso fosse durar para sempre, mas política e desigualdade social eram assuntos sobre os quais não conversava mais com a família. Afinal, eles faziam parte desse grupo privilegiado e, como todos os grupos privilegiados, acreditavam merecer os bens e as vantagens que possuíam, pouco importando por quais meios brutais houvessem obtido a riqueza e o poder.

Tru chegou enfim ao limite da reserva e passou pelo primeiro dos pequenos povoados, onde viviam umas cem pessoas. Assim como o acampamento dos guias, o povoado era cercado, para proteção tanto das pessoas quanto dos animais. Tru pegou a garrafa térmica, tomou um gole e apoiou o cotovelo no peitoril da janela. Passou por uma mulher numa bicicleta lotada de caixas de legumes, depois por um homem a pé, muito provavelmente a caminho da aldeia seguinte, a cerca de 10 quilômetros dali. Diminuiu a velocidade e encostou o carro; o homem andou devagar até a picape e subiu. Tru falava o idioma do homem o suficiente para sustentar uma conversa; ao todo, era relativamente fluente em seis línguas, duas delas tribais. As outras quatro eram inglês, francês, alemão e espanhol. Essa era uma das qualidades que faziam dele um profissional requisitado pelas reservas.

Depois de algum tempo, deixou seu carona e seguiu viagem até finalmente chegar a uma estrada asfaltada. Logo em seguida parou para almoçar, simplesmente estacionando para comer na caçamba da picape, à sombra de uma acácia. O sol já estava a pino, e o mundo à sua volta era puro silêncio, sem qualquer animal à vista.

Depois do almoço, de volta à estrada, avançou mais depressa. Os povoados acabaram dando lugar a pequenas cidades, depois a cidades maiores e, no fim da tarde, ele chegou à periferia de Bulawayo. Tinha escrito uma carta para Kim avisando quando iria chegar, mas o correio no Zimbábue nem sempre era confiável. As cartas em geral chegavam ao destino, mas a pontualidade não era algo em que se pudesse confiar.

Entrou na rua de Kim e estacionou atrás do carro dela, em frente à casa. Foi até a porta e bateu; segundos depois, ela veio atender, claramente à sua espera. Enquanto eles se abraçavam, Tru ouviu a voz do filho. Andrew desceu a escada correndo e pulou no colo do pai. Sabendo que chegaria o dia em que o menino se consideraria velho demais para essas demonstrações de afeto, Tru o apertou com mais força, pensando se alguma alegria no mundo conseguiria superar aquela.

– Mamãe falou que você vai para os Estados Unidos – disse-lhe Andrew nessa mesma noite.

Eles estavam sentados em frente à casa de Kim, numa mureta baixa que servia de cerca entre a casa dela e a do vizinho.

– Vou, sim. Mas não vou ficar muito tempo. Volto semana que vem.

– Queria que você não precisasse ir.

Tru passou o braço em volta do filho.

– Eu sei. Também vou ficar com saudade.

– Então por que você vai?

Era essa a pergunta, não era? Por que, depois de tanto tempo, a carta tinha chegado? Junto com uma passagem de avião?

– Eu vou ver meu pai – respondeu Tru por fim.

Andrew estreitou os olhos, com os cabelos louros brilhando sob o luar.

– O vovô Rodney?

– Não – respondeu Tru. – Vou ver meu pai biológico. Eu nunca o conheci.

– Você quer conhecer ele?

Sim, pensou Tru, e logo em seguida *Não, na verdade não*.

– Não sei – admitiu.

– Então por que está indo?

– Porque na carta que me escreveu ele disse que está morrendo.

Após se despedir de Andrew, Tru pegou a picape e foi para casa. Lá, abriu as janelas para arejar o ambiente, tirou o violão do estojo e passou uma hora tocando e cantando antes de finalmente se recolher.

Na manhã seguinte, saiu cedo. Ao contrário das estradas do parque, as da capital eram razoavelmente bem conservadas, mas mesmo assim Tru levou quase o dia inteiro para completar a viagem. Chegou depois do anoitecer e viu luzes acesas na imponente casa que seu padrasto, Rodney, reconstruíra depois do incêndio. Perto dela ficavam três outras, uma para cada um de seus meios-irmãos, e a casa principal, ainda maior, onde antigamente morava o Coronel. Tecnicamente, Tru era o dono dessa casa principal, mas ele se encaminhou para uma estrutura menor, em estilo bangalô, perto da cerca da propriedade. Num passado distante, ali moravam o cozinheiro e a esposa; Tru tinha reformado o local no início da adolescência. Quando ainda era vivo, o Coronel mandava limpar o bangalô com certa regularidade, mas isso não acontecia mais. Havia poeira por toda parte, e Tru teve de espantar as aranhas e os besouros de cima dos lençóis antes de se deitar na cama. Não se importava com isso; tinha dormido em condições piores inúmeras vezes.

Pela manhã, evitou os parentes. Em vez disso, pediu a Tengwe, o capataz, que o levasse ao aeroporto. Tengwe era um homem grisalho, magro e musculoso, que sabia como fazer brotar vida do solo nas condições mais árduas que se poderia imaginar. Seus seis filhos trabalhavam na fazenda, e sua mulher, Anoona, preparava as refeições de Rodney. Depois da morte da mãe, Tru havia se tornado próximo de Tengwe e Anoona – até mais que do Coronel –, e os dois eram as únicas pessoas da fazenda de quem ele sentia falta.

As estradas de Harare estavam congestionadas por carros e caminhões, carroças, bicicletas e pedestres; no aeroporto, a confusão era ainda maior. Após fazer o check-in, Tru embarcou num voo que o levaria primeiro até Amsterdã, depois até Nova York e Charlotte, e por fim até Wilmington, na Carolina do Norte.

Com as escalas, passou quase 21 horas em trânsito antes de pisar em solo americano pela primeira vez na vida. Chegando à área de restituição de bagagem de Wilmington, viu um homem segurando uma placa com seu nome e, logo acima, o nome de uma empresa de limusines. O motorista ficou espantado ao ver que ele não tinha despachado bagagem e se ofereceu para carregar tanto o estojo do violão quanto a mochila. Tru fez que não com a cabeça. Ao sair, sentiu a camisa começar a colar nas costas com o ar espesso de umidade enquanto eles seguiam com esforço até o carro.

Nada digno de nota aconteceu durante o trajeto, mas o mundo do outro lado da janela era desconhecido para Tru. A paisagem plana, farta e verdejante parecia se estender em todas as direções; ele viu palmeiras entre carvalhos e pinheiros, grama cor de esmeralda. Wilmington era uma cidade pequena e tranquila, onde um misto de lojas conhecidas e comércio local logo dava lugar a um bairro histórico ocupado por casarões que pareciam ter no mínimo uns duzentos anos. O motorista lhe indicou o rio Cape Fear, cujas águas salobras estavam salpicadas de barcos de pesca. Na estrada, ele viu carros, utilitários e vans, nenhum deles invadindo a pista ao lado, como faziam em Bulawayo para desviar das carroças e dos animais. Não havia ninguém de bicicleta nem a pé, e quase todas as pessoas que ele viu nas calçadas da cidade eram brancas.

O mundo que Tru havia deixado para trás parecia tão distante quanto um sonho.

Uma hora mais tarde, Tru atravessou uma ponte pênsil e foi deixado em frente a uma casa de três andares encostada numa duna baixa, num lugar chamado Sunset Beach, uma ilha bem perto da costa, próxima à divisa com a Carolina do Sul. Levou alguns minutos para entender que todo o andar térreo era ocupado pela garagem. A estrutura inteira parecia quase grotesca em comparação com a casa vizinha, bem menor, que ostentava uma placa de vende-se na frente. Pensou que o motorista tinha errado o caminho, mas o homem tornou a verificar o endereço e lhe garantiu que ele estava no lugar certo. Na hora que o carro se afastou, Tru ouviu a pulsação grave e ritmada do mar, as ondas que batiam na praia. Tentou recordar a última vez que ouvira aquele som. Fazia uma década, no mínimo, calculou enquanto subia os degraus até o primeiro andar.

O motorista tinha lhe dado um envelope com a chave da porta da frente, e Tru atravessou o hall até chegar a um amplo salão com piso de tábuas corridas e teto de vigas aparentes. A decoração de casa de praia parecia algo montado para uma revista, cada manta, almofada e cesto posicionados com bom gosto e precisão. Grandes janelas proporcionavam uma vista para o deque dos fundos, depois para uma extensa área de grama marinha e dunas que se estendia até o mar. Contígua ao salão ficava uma área de jantar espaçosa, e a cozinha de designer tinha armários feitos sob medida, bancadas de mármore e eletrodomésticos de primeira linha.

Um bilhete em cima da bancada lhe informava que a geladeira e a despensa tinham sido abastecidas com alimentos e bebidas, e que, se ele precisasse ir a algum lugar, deveria chamar a empresa de limusines. Se estivesse interessado em atividades marítimas, havia uma prancha de surfe e equipamentos de pesca na garagem. Segundo o bilhete, o pai de Tru esperava chegar no sábado à tarde. Ele pedia desculpas por não ter conseguido ir mais cedo, embora não desse nenhuma explicação para o atraso. Ao pôr o bilhete de lado, Tru pensou que talvez o pai estivesse tão ambivalente em relação àquele encontro quanto ele... o que o fazia questionar o que o tinha levado a mandar a passagem de avião, para começo de conversa. Bem, ele logo iria descobrir.

Como era terça à noite, passaria alguns dias sozinho. Não tinha previsto isso, mas àquela altura não havia muito que pudesse fazer. Passou os minutos seguintes explorando a casa para aprender onde ficava o quê. O quarto principal ficava no final do corredor que saía da cozinha, e foi lá que ele deixou suas coisas. No andar de cima havia outros quartos e banheiros, todos com um aspecto impecável e sem uso. No banheiro principal, encontrou toalhas limpas, além de sabonete, xampu e condicionador, e deu-se ao luxo de tomar um longo banho, demorando-se sob a ducha.

Com os cabelos ainda úmidos, saiu para o deque dos fundos. O ar continuava quente, mas o sol já estava mais baixo e o céu havia se desdobrado num leque de milhares de tons de amarelo e laranja. Estreitando os olhos, distinguiu com dificuldade, ao longe, o que parecia um grupo de golfinhos brincando nas ondas depois da arrebentação. Um portão com um trinco dava para uma escada que descia até uma passarela de tábuas por cima da vegetação; ele desceu os degraus e foi andando até a última duna, onde descobriu outra escada que levava à praia.

Havia pouca gente por ali. Ao longe, ele viu uma mulher caminhando atrás de um pequeno cachorro; na direção oposta, alguns surfistas boiavam nas pranchas junto a um píer que se estendia mar adentro como um dedo apontado. Ele começou a andar em direção ao píer, pisando na areia compacta junto ao mar e filosofando que, até recentemente, nunca tinha ouvido falar em Sunset Beach, a "praia do pôr do sol". Não tinha certeza se algum dia chegara a pensar na Carolina do Norte. Tentou recordar se algum de seus hóspedes ao longo dos anos viera dali, mas não conseguiu. Imaginou que isso não fizesse diferença.

Subiu a escada que levava ao píer e caminhou até o final. Apoiou os braços no guarda-corpo e ficou fitando o mar que se estendia até o horizonte. Aquela visão, a imensidão daquilo eram quase inconcebíveis. Fizeram-no lembrar que havia um mundo inteiro a ser explorado, e ele se perguntou se algum dia chegaria a fazer isso. Quem sabe quando Andrew estivesse mais velho eles pudessem passar algum tempo viajando...

À medida que o vento foi aumentando, a lua iniciou sua lenta subida pelo céu anil. Tru considerou aquilo sua deixa para voltar. Imaginou que a casa pertencesse ao pai. Poderia ser alugada, mas a mobília era cara demais para ser deixada na mão de desconhecidos e, além do mais, se fosse esse o caso, por que não pôr Tru num hotel e pronto? Ele tornou a pensar na chegada do pai apenas no sábado. Por que o fizera chegar com tanta antecedência? Se estava mesmo morrendo, Tru supunha que pudesse ser por algum motivo de saúde, ou seja, não havia qualquer garantia de que estaria vivo no sábado.

O que iria acontecer na hora em que o pai aparecesse? Era um desconhecido; um único encontro não mudaria isso. Mesmo assim, Tru torcia para que pudesse responder a algumas perguntas, e era esse o único motivo que o fizera ir até lá.

Entrou na casa e pegou um bife na geladeira. Abriu alguns dos armários até encontrar uma frigideira de ferro fundido. O fogão, por mais chique que fosse, funcionava de modo parecido com os do Zimbábue. Havia também várias embalagens com comida de um lugar chamado Murray's Deli, e Tru acrescentou ao prato o que parecia ser uma espécie de salada de repolho e um pouco de salada de batata. Depois de comer, lavou o prato, o copo e os utensílios, pegou o violão e tornou a sair para o deque dos fundos. Passou uma hora tocando e cantando baixinho para si mesmo, enquanto uma eventual estrela cadente riscava o céu. Pensou em Andrew e Kim, em sua mãe e em seu avô, antes de finalmente ficar com sono suficiente para ir deitar.

Pela manhã, fez cem flexões e cem abdominais antes de tentar, sem sucesso, preparar um café. Não conseguiu entender como funcionava a cafeteira. Havia botões e opções em demasia, e ele não tinha ideia de onde colocar a água. Decidiu então ir até a praia, torcendo para topar com algum lugar onde pudesse comprar um café.

Como na véspera, a praia estava praticamente deserta. Tru pensou como era agradável poder sair despretensiosamente para um passeio. Não podia fazer isso em Hwange – pelo menos não sem uma espingarda. Inspirou fundo ao pisar na areia, inspirou a maresia e se sentiu como o forasteiro que de fato era.

Pôs as mãos nos bolsos e ficou curtindo a manhã. Estava andando havia quinze minutos quando viu um gato sentado no alto de uma duna, ao lado de um deque em obras, cujos degraus que desciam até a praia ainda estavam inacabados. Havia gatos na fazenda de sua família, mas aquele ali parecia passar a maior parte do tempo dentro de casa. Bem nessa hora, um cachorrinho branco passou zunindo por ele e partiu direto para cima de um bando de gaivotas, que levantaram voo feito uma pequena explosão. O cão então virou em direção à duna quando viu o gato e se lançou como um foguete. O gato pulou para cima do deque enquanto o cachorro subia a duna correndo em seu encalço, e os dois sumiram de vista. Um minuto depois, Tru pensou ter escutado o derrapar de pneus de um carro ao longe, seguido pelo som de um cachorro ganindo e chorando.

Olhou para trás. Quase lá embaixo, na praia, viu uma mulher em pé perto da água, sem dúvida a dona do cachorro. Estava com os olhos fixos no mar. Tru imaginou que fosse a mesma que vira na véspera, mas ela estava longe demais para ter visto ou escutado o que havia acontecido.

Após hesitar por um instante, Tru saiu atrás do cachorro, escorregando na areia ao escalar a duna. Ao pisar no deque, foi seguindo a passarela e acabou chegando a outra escadinha que conduzia, de um lado, ao deque da casa e, do outro, ao chão. Ele desceu e passou entre duas casas de estilo parecido com aquela onde estava hospedado. Pulou uma mureta baixa e continuou até a rua. Não viu nenhum carro. Tampouco viu pessoas histéricas ou um cão caído na pista. À primeira vista, era uma boa notícia. Tru sabia por experiência própria que animais feridos muitas vezes buscam abrigo. É o jeito de a natureza lhes permitir se recuperar a salvo dos predadores.

Foi andando pelo lado da rua enquanto olhava entre os arbustos e em volta das árvores. Não viu nada. Atravessou a rua, fez a mesma coisa e acabou encontrando o cachorro perto de uma cerca viva, sacudindo a pata traseira para cima e para baixo. O animal arfava e tremia – Tru não soube dizer se de dor ou de susto. Ponderou se deveria voltar à praia e tentar encontrar a mulher, mas teve medo de o cachorro sair mancando e sumir. Tirou os óculos escuros, agachou-se e estendeu a mão.

– Ei, você – falou, mantendo a voz suave e tranquila. – Tudo bem?

O cachorro inclinou a cabeça e Tru aos poucos começou a se aproximar dele, falando baixo. Quando chegou perto, o cão se esticou para tentar farejar sua mão e deu alguns passos hesitantes para a frente. Quando finalmente pareceu convencido das boas intenções de Tru, relaxou. Tru afagou a cabeça do cão e tentou ver se havia sangue. Nada. Na plaquinha da coleira viu o nome *Scottie*.

– Oi, Scottie – falou. – Que tal eu levar você de volta para a praia? Vamos lá.

Foi preciso um certo trabalho de convencimento, mas Scottie finalmente começou a seguir Tru de volta até a duna. Estava mancando, mas não a ponto de parecer que houvesse algum osso quebrado. Quando o animal parou junto à mureta, Tru hesitou antes de finalmente se abaixar e pegá-lo no colo. Carregou-o por entre as casas e subiu os degraus até a passarela, então atravessou a duna. Correu os olhos pela praia e viu a mulher, agora bem mais perto.

Desceu a duna e começou a andar na direção dela. A manhã continuava clara, mas a mulher parecia mais clara ainda, realçada pelo tecido amarelo solar de sua blusa sem mangas a esvoaçar com o vento. À medida que a distância entre os dois ia diminuindo, ele a observou. Apesar da confusão estampada no rosto, era muito bonita, tinha cabelos castanho-avermelhados soltos e olhos azul-turquesa. Quase no mesmo instante algo dentro dele começou a se agitar, algo que o deixou um pouco nervoso, do jeito que sempre se sentia diante de uma bela mulher.

HOPE

Hope saiu do deque dos fundos para a passarela por cima da duna tentando não derramar seu café. Scottie, seu terrier escocês, puxava a guia, louco para chegar à praia.

– Pare de puxar – disse ela.

O cachorro a ignorou. Scottie tinha sido presente de Josh, seu namorado nos últimos seis anos, e mesmo nos melhores dias era bastante desobediente. Desde que chegara ao chalé no dia anterior, porém, estava inteiramente fora de controle. Suas patas arranharam loucamente os degraus cobertos de areia enquanto eles desciam para a praia, e Hope pensou que precisava levá-lo a outro daqueles fins de semana de adestramento, embora duvidasse que fosse adiantar alguma coisa. Ele já tinha levado bomba em dois. Scottie – o cachorro mais encantador e fofo do mundo – parecia ser um pouco burrinho, coitado. Mas, pensando bem, talvez fosse apenas teimoso.

Como o verão já estava chegando ao fim, a praia estava tranquila, e a maioria das casas elegantes tinha as luzes apagadas. Ela viu alguém correndo perto do píer; na direção oposta, um casal caminhava junto ao mar. Abaixou-se e pousou a caneca na areia para soltar Scottie da guia, e ficou olhando o cão sair em disparada. Duvidava que alguém fosse se importar. Na véspera, tinha visto dois outros cachorros soltos, e de qualquer forma não havia muita gente por ali para reclamar.

Começou a caminhar e tomou um gole de café. Não tinha dormido bem. Em geral, o rugido incessante das ondas a fazia pegar no sono imediatamente, mas não na noite anterior. Ela ficara se contorcendo e se revirando, acordara várias vezes e finalmente desistira de dormir quando a luz do sol começara a entrar no quarto.

Pelo menos o tempo estava perfeito, com o céu azul e uma temperatura mais típica do outono do que do final do verão. O noticiário da véspera previra chuva para o fim de semana, e sua amiga Ellen estava louca de aflição. Ellen iria se casar no sábado, e tanto o casamento quanto a recepção estavam programados para acontecer ao ar livre, no Wilmington Country Club, junto ao campo de golfe. Hope imaginava que devesse haver algum plano de emergência, que, sem dúvida, poderiam usar a sede do clube, mas Ellen estava quase aos prantos quando lhe telefonara na noite anterior.

Hope havia tentado consolar a amiga durante a ligação, mas não fora fácil. Ellen estava tão envolvida nas próprias preocupações que nem sequer perguntara como ela estava. De certa forma, provavelmente era melhor assim; a última coisa de que queria falar naquele momento era Josh. Como poderia explicar que ele não iria ao casamento? Ou que, por mais decepcionante que fosse casar debaixo de chuva, com certeza havia coisas piores no mundo?

No presente momento, Hope estava se sentindo um pouco assoberbada pela vida em geral, e passar a semana sozinha no chalé não estava ajudando. Não só porque Josh não estava por perto, mas porque provavelmente seria a última semana que ela passaria ali. Seus pais tinham posto o chalé à venda no início do verão e aceitado uma proposta dez dias antes. Ela entendia por que estavam vendendo a casa, mas sentiria falta daquele lugar. Quando criança, havia passado a maior parte dos verões e das férias ali, e cada canto, cada rachadura daquela casa, trazia recordações. Ela se lembrava de trocar segredos tarde da noite com as irmãs no quarto que as três dividiam, e fora lá que havia beijado um menino pela primeira vez. Tinha 12 anos e o nome dele era Tony; durante anos, a família dele fora dona de um chalé na mesma rua. Hope havia passado a maior parte do verão a fim dele, e, depois de dividirem um sanduíche de manteiga de amendoim com geleia, ele a havia beijado na cozinha enquanto a mãe dela regava as plantas no jardim.

A lembrança ainda a fazia sorrir, e ela se perguntou o que os novos proprietários pretendiam fazer com a casa. Queria imaginar que não mudariam nada, mas não era ingênua. Durante a sua infância, o chalé era uma das muitas casas de tamanho parecido naquele trecho da praia; agora restavam apenas uns poucos iguais a ele. Sunset Beach fora descoberta recentemente pelos ricaços, e era mais do que provável que o chalé fosse posto abaixo e uma casa nova e bem maior fosse erguida em seu lugar, como a monstruosidade de três andares bem ao lado. Era a vida, pensou, mas mesmo assim sentia que uma parte sua estava sendo posta abaixo também. Sabia que era uma loucura pensar dessa maneira – um pouco *pobre de mim* demais – e repreendeu a si mesma. Não era do seu feitio se comportar como mártir; até recentemente, sempre havia pensado em si mesma como uma pessoa otimista, uma mulher do tipo *hoje é um novo dia*. E por que não? Sob certos aspectos, sua vida havia sido *mesmo* abençoada. Tinha pais amorosos e duas irmãs mais velhas maravilhosas; era tia de três meninos e duas meninas, fontes constantes de alegria e surpresa para ela. Saíra-se bem na escola e gostava do trabalho como enfermeira de traumatologia no pronto-socorro do Centro Médico de Wake County. Apesar dos quilinhos que desejava perder, era saudável. Ela e Josh – um cirurgião ortopédico – namoravam desde que ela estava com 30 anos, e ela o amava. Tinha bons amigos e um apartamento próprio num condomínio de Raleigh, não muito longe dos pais. Visto de fora, tudo parecia excelente.

Então por que ela estava se sentindo tão para baixo ultimamente?

Porque aquilo era mais uma coisa difícil num ano já difícil, a começar principalmente pelo diagnóstico do pai, aquela bomba devastadora que havia atingido sua vida em abril. Seu pai fora o único a não ficar surpreso com a notícia do médico. Sabia que havia algo de errado quando notara que não tinha mais energia para correr na mata atrás de casa.

Seu pai havia se exercitado naquela mata até onde a memória de Hope podia alcançar; apesar da expansão imobiliária que havia tomado conta de Raleigh, aquele trecho fora designado como um cinturão verde, um dos motivos, aliás, que levara os pais a comprar uma casa ali. Ao longo dos anos, vários incorporadores tinham tentado reverter a decisão da prefeitura, prometendo empregos e arrecadação de impostos; mas não tiveram sucesso, em parte porque o pai de Hope havia se oposto a eles em todas as reuniões do conselho municipal.

Seu pai adorava aquela mata. Não apenas corria lá de manhã como, depois que terminava o expediente na escola, fazia uma caminhada pelo mesmo trajeto que havia percorrido mais cedo. Quando era menina, ela o acompanhava depois do trabalho para procurar borboletas, jogar gravetos e caçar lagostins no pequeno córrego que serpenteava em direção à trilha em alguns pontos. Professor de ciências no ensino médio, seu pai conhecia o nome de cada arbusto e árvore pelos quais eles passavam. Ele poderia apontar a diferença entre um carvalho-vermelho-do-sul e um carvalho-negro, e quando o fazia os traços distintivos ficavam tão óbvios quanto a cor do céu. Mais tarde, porém, se ela tentasse sozinha, as informações se embaralhavam. O mesmo acontecia quando eles observavam as constelações: seu pai apontava para Hércules, Lira ou Áquila, e ela meneava a cabeça, admirada, mas uma semana depois estreitava os olhos para o céu sem entender nada, tentando lembrar qual era qual.

Durante muito tempo acreditara que o pai fosse o homem mais inteligente do mundo. Quando lhe dizia isso, ele sempre ria e respondia que, se fosse verdade, teria arrumado um jeito de ganhar um milhão de dólares. Sua mãe também era professora, do ensino fundamental, e só depois de se formar na faculdade e começar a pagar as próprias contas Hope entendeu o desafio financeiro que os pais deviam ter enfrentado para criar uma família, mesmo somando o salário dos dois.

Seu pai também era treinador dos times de cross country e corrida da escola. Nunca elevava a voz, mas mesmo assim conduzira as equipes à vitória em diversos campeonatos da liga. Hope e as irmãs tinham praticado os dois esportes durante todo o ensino médio, e embora nenhuma das três tivesse se destacado, Hope ainda corria algumas vezes por semana. Suas irmãs mais velhas corriam três ou quatro dias por semana, e nos últimos dez anos Hope, o pai e as irmãs participaram juntos da corrida anual na manhã do dia de Ação de Graças, para abrir o apetite de todos antes de se sentarem à mesa para comer. Dois anos antes, seu pai havia ficado em primeiro lugar na sua faixa etária.

Mas agora ele nunca mais voltaria a correr.

Tudo começara com espasmos ocasionais e um cansaço leve, quase imperceptível. Ela não sabia ao certo por quanto tempo ele se sentira mal, mas imaginava que tivessem sido uns dois anos. Ao longo dos doze meses subsequentes, as corridas na mata se transformaram em trotes lentos e, por fim, em caminhadas.

Era a idade, sugerira o clínico, e fazia sentido. Seu pai na época estava com quase 70 anos, aposentado havia quatro, e tinha artrite no quadril e nos pés. Apesar de ter se exercitado durante a vida toda, tomava remédios para a pressão arterial, que estava um pouco elevada. Então, em janeiro do ano anterior, havia pegado um resfriado. Um resfriado normal, sem nada de mais, mas após algumas semanas continuava tendo alguma dificuldade para respirar.

Hope fora com ele a mais uma consulta no clínico. Novos exames foram feitos. Análises de sangue foram mandadas para o laboratório. Ele foi encaminhado a outro médico, depois a um terceiro. Fizeram uma biópsia muscular, e quando o resultado saiu, sugeria um potencial problema neurológico. Foi nessa hora que Hope começou a se preocupar.

Novos exames se seguiram, e mais tarde Hope se sentou com o resto da família para ouvir o diagnóstico de esclerose lateral amiotrófica, ou ELA. A doença de Lou Gehrig – que havia posto Stephen Hawking numa cadeira de rodas – causava a morte dos neurônios que controlam os músculos voluntários, explicou o médico. Os músculos iam enfraquecendo aos poucos, o que provocava a perda da mobilidade, da deglutição e da fala. E então, por fim, da respiração. Não havia cura conhecida.

Tampouco havia como prever a velocidade com que a doença iria progredir. Nos meses após o diagnóstico, seu pai parecera mudar pouco fisicamente. Ainda fazia suas caminhadas na floresta, ainda tinha o mesmo temperamento doce e a mesma fé inabalável em Deus, ainda ficava de mãos dadas com sua mãe quando os dois assistiam TV à noite, sentados no sofá. Isso dava a Hope esperanças de que ele tivesse uma versão lenta da doença, mas ela passava o tempo inteiro preocupada. Por quanto tempo ainda o pai conseguiria se locomover? Por quanto tempo sua mãe conseguiria cuidar dele sem ajuda? Será que eles deveriam começar a construir rampas e instalar uma barra de apoio no chuveiro? Sabendo que havia listas de espera para os melhores lugares, será que deveriam começar a pesquisar instituições de assistência? E como conseguiriam pagar por isso? Seus pais estavam longe de ser ricos. Tinham suas aposentadorias e pequenas economias, eram donos da casa em que moravam e do chalé na praia, mas era só. Será que isso bastaria – não só para as despesas médicas de seu pai, mas também para os anos que ainda restavam à sua mãe? E, se não bastasse, como eles iriam fazer?

Havia muitas perguntas e poucas respostas. Sua mãe e seu pai pareciam aceitar a incerteza, assim como suas irmãs, mas Hope sempre fora mais inclinada a fazer planos. Era o tipo de pessoa que ficava acordada durante a noite pensando nas diversas possibilidades e tomando decisões hipotéticas sobre praticamente tudo. Isso lhe dava a sensação de estar de alguma forma mais bem-preparada para o que pudesse acontecer, mas o lado ruim era que levava a uma vida que às vezes ia passando de preocupação em preocupação. E era exatamente isso que acontecia sempre que ela pensava no pai.

Mas ele estava bem, lembrou a si mesma. E talvez ainda ficasse bem por três, cinco ou mesmo dez anos; não havia como prever. Dois dias antes de Hope ir para o chalé, ela e o pai tinham saído para uma de suas habituais caminhadas. Claro que foi um percurso mais lento e mais curto do que os de antigamente, mas seu pai ainda era capaz de identificar todas as árvores e arbustos, e mais uma vez compartilhou com a filha o seu conhecimento. Quando estavam andando, ele havia parado e se abaixado para pegar uma folha caída que anunciava a chegada do outono.

– Uma das coisas maravilhosas em relação a uma folha – disse ele – é que ela nos lembra de viver da melhor maneira possível pelo máximo de tempo possível, até enfim chegar a hora de se soltar e se permitir sair de cena flutuando com leveza.

Hope gostara do que o pai lhe dissera. Bem... *mais ou menos*. Ele, sem dúvida, via na folha caída um instante de ensinamento, e ela sabia que havia verdade e valor naquilo, mas seria mesmo possível enfrentar a morte sem medo nenhum? Sair de cena com leveza?

Se alguém fosse capaz disso, provavelmente seria seu pai. Ele devia ser a pessoa mais ponderada, equilibrada e em paz que Hope conhecia, provavelmente um dos motivos pelos quais era casado com sua mãe havia cinquenta anos e ainda gostava de segurar mão dela e lhe dar uns amassos quando achava que as filhas não estavam prestando atenção. Hope muitas vezes se pegava pensando como aqueles dois conseguiam fazer a paixão parecer ao mesmo tempo intencional e totalmente natural.

Isso também a estava deixando um pouco deprimida. Nem tanto por causa do pai e da mãe, mas por Josh. Por mais que o amasse, nunca havia se acostumado com o termina e volta do namoro deles. Naquele exato momento estavam terminados, motivo pelo qual Hope fora passar a semana sozinha no chalé com Scottie, com apenas uma hora na pedicure e no cabeleireiro marcada na agenda até o jantar de ensaio do casamento, na sexta à noite.

Josh devia ter ido passar aquela semana com ela, e à medida que a data da viagem se aproximava Hope foi tendo cada vez mais certeza de que eles precisavam de um tempo sozinhos, só os dois. Nos últimos nove meses, a clínica onde ele trabalhava vinha tentando sem sucesso contratar mais dois cirurgiões ortopédicos para dar conta da demanda de pacientes. Ou seja, Josh estava trabalhando de setenta a oitenta horas por semana, e vivia constantemente de sobreaviso. Pior ainda, suas folgas nem sempre coincidiam com as de Hope, e ultimamente ele parecia estar sentindo uma necessidade maior do que o normal de relaxar do seu próprio jeito. Nos poucos fins de semana livres que tinha, tendia a preferir ficar com os amigos, andando de barco, praticando esqui aquático ou curtindo a noite nos bares de Charlotte a ficar com ela.

Não era a primeira vez que Josh entrava numa fase assim, em que Hope se sentia como uma mera segunda opção. Ele nunca fora do tipo que manda flores, e os gestos de carinho que os pais dela demonstravam um ao outro todos os dias decerto pareciam totalmente esquisitos a Josh. Havia também, sobretudo em fases como aquela, um certo quê de Peter Pan, qualidade que fazia Hope se perguntar se algum dia ele iria de fato crescer. Seu apartamento, cheio de móveis da IKEA, flâmulas de beisebol e cartazes de filmes, parecia mais adequado a um estudante, o que fazia sentido, uma vez que ele morava na mesma casa desde que começara a cursar medicina. Seus amigos – a maioria dos quais ele havia conhecido na academia – tinham 20 e muitos ou 30 e poucos anos, eram solteiros e tão bonitos quanto ele. Josh não aparentava a idade que tinha – ia completar 40 anos dali a poucos meses –, mas nem com todo o esforço do mundo Hope conseguia entender como frequentar bares com os amigos, que muito provavelmente estavam lá para conhecer mulheres, era algo que ele ainda considerasse interessante. Mas o que deveria lhe dizer? "Não saia com seus amigos"? Ela e Josh não eram casados, não eram sequer noivos, e ele lhe dissera desde o início que o que desejava numa companheira era alguém que não tentasse mudá-lo. Queria ser aceito do jeito que era.

Hope entendia isso. Ela também queria ser aceita do jeito que era. Então por que importava ele gostar de frequentar bares com os amigos?

Porque, ouviu uma voz dentro de si responder, *no presente momento, nós não estamos tecnicamente juntos e tudo é possível. Ele nem sempre foi fiel nas outras vezes que nós terminamos, certo?*

Ah, sim. Tinha *isso*. Fora quando eles haviam terminado na segunda e na terceira vez. Josh havia sido sincero nas duas vezes e lhe contado o que acontecera – mulheres que não tinham significado nada para ele, equívocos totais – e jurado que não tornaria a acontecer. Hope achava que eles tivessem conseguido superar aquilo, mas... agora estavam terminados outra vez, e ela podia sentir aqueles velhos temores ressurgindo. Pior ainda, Josh e os amigos estavam em Las Vegas, sem dúvida aprontando todas e fazendo o que quer que os homens fazem quando estão lá. Ela não tinha certeza do que exatamente um fim de semana entre amigos em Vegas poderia incluir, mas o que lhe ocorria imediatamente eram clubes de striptease. Duvidava muito que estivessem fazendo fila para assistir ao espetáculo de Siegfried e Roy. Havia um motivo para Las Vegas ser chamada de cidade do pecado.

A situação toda ainda lhe causava irritação. Não só pelo fato de ele a ter abandonado naquela semana, mas porque o término, ainda que fosse temporário, tinha sido totalmente desnecessário. Casais discutem. *Isso acontece*. E depois de discutir eles conversam sobre a situação, aprendem com os próprios erros, tentam perdoar e seguem em frente. Só que Josh não parecia entender esse conceito, e isso fazia Hope duvidar que os dois ainda tivessem um futuro juntos.

Às vezes ela se perguntava por que o queria na sua vida, mas bem lá no fundo sabia a resposta. Por mais furiosa que estivesse com ele e por mais frustrantes que fossem alguns de seus traços de caráter, Josh era inteligentíssimo e bonito o suficiente para deixá-la com o coração na boca. Mesmo depois de todos aqueles anos, ela ainda podia se perder naqueles olhos cor de violeta. Apesar dos fins de semana com os amigos, sabia que ele a amava; alguns anos antes, quando ela sofrera um acidente de carro, Josh saíra correndo do trabalho na hora e não arredara o pé da sua cabeceira no hospital por dois dias inteiros. Quando o pai dela havia precisado de uma indicação de neurologista, Josh assumira o controle da situação e fizera por merecer a gratidão da família inteira. Cuidava dela nas pequenas coisas, levando seu carro para trocar o óleo ou fazer o rodízio dos pneus, e de vez em quando lhe fazia a surpresa de preparar um jantar. Nas reuniões de família e com os amigos dela, Josh sempre recordava os detalhes da vida de todo mundo e tinha o agradável dom de fazer todos se sentirem à vontade.

Os dois também compartilhavam os mesmos interesses. Ambos gostavam de fazer trilhas e de assistir a shows, e tinham o mesmo gosto musical; nos últimos seis anos, tinham ido a Nova York, Chicago, Cancún e às Bahamas, e todas essas viagens haviam confirmado os motivos de Hope estar com ele. Quando a vida com Josh estava boa, parecia ser tudo que ela queria, para sempre. Mas quando não estava, ela reconhecia que era horrível. Desconfiava que talvez houvesse algo de viciante naqueles altos e baixos dramáticos, mas não tinha como ter certeza. Tudo que sabia era que, por mais insuportável que às vezes parecesse a vida com ele, ela não era capaz de imaginar a vida sem ele.

Mais à frente, Scottie trotava e farejava, ziguezagueando em direção a andorinhas-do-mar e fazendo-as avançar mais para dentro d'água. Então, de repente, partiu correndo para a duna sem qualquer motivo que

Hope pudesse deduzir. Quando eles voltassem ao chalé, o cãozinho provavelmente passaria o resto da manhã em coma de tanta exaustão. Hope agradeceu aquela pequena bênção.

Ela tomou outro gole de café e desejou que as coisas fossem diferentes. Seus pais faziam o casamento parecer fácil; suas irmãs eram do mesmo jeito. Até o relacionamento das suas amigas parecia evoluir sem esforço, enquanto ela e Josh estavam sempre ou voando alto ou afundando. E por que a briga mais recente com Josh tinha sido a pior de todas?

Pensando bem, ela desconfiava que tivesse tanta culpa quanto ele. Josh estava estressado com o trabalho, e ela reconhecia que estava estressada em relação a... bem, ao futuro deles, na verdade. No entanto, em vez de encontrar alívio na companhia um do outro, eles haviam deixado o estresse aumentar ao longo de um período de meses até vir a gota d'água. Hope nem sequer conseguia se lembrar de como a discussão tinha começado, exceto pelo fato de ter se referido ao casamento de Ellen e Josh ter ficado calado. Ficou claro que ele estava chateado com alguma coisa, mas quando ela perguntou qual era o problema, ele respondeu que não era nada.

Nada.

Hope odiava essa palavra. Era um jeito de encerrar conversas, não de começá-las, e talvez ela não devesse tê-lo pressionado. Mas ela o pressionou, e, por algum motivo, o que havia começado como uma simples menção ao casamento de uma amiga se transformou em gritos e berros, e quando ela deu por si Josh estava saindo porta afora pisando forte para ir dormir na casa do irmão. No dia seguinte, ele disse a Hope que achava que os dois precisavam de um tempo para pensar nas coisas, e alguns dias depois mandou uma mensagem de texto dizendo que ia passar a semana do casamento com os amigos em Las Vegas.

Isso fazia quase um mês. Eles tinham se falado ao telefone algumas vezes desde então, mas as ligações pouco haviam adiantado para tranquilizá-la. Fazia quase uma semana que ele não telefonava. Ela desejava poder voltar no tempo e começar outra vez, mas o que realmente queria era que Josh sentisse a mesma coisa. E que se desculpasse. A reação dele à briga tinha sido muito exagerada; era como se não tivesse bastado cravar uma faca no coração dela; ele precisara torcê-la também. Coisas desse tipo não eram um bom presságio a longo prazo: será que ele algum dia iria mudar? Caso contrário, como é que ela ficava? Estava com 36 anos, era solteira, e a última coisa que queria era começar a procurar um namorado de novo. Não conseguia sequer imaginar uma coisa dessas. O que deveria fazer? Frequentar barzinhos para ser paquerada por caras como os amigos de Josh? Não, obrigada. Além do mais, havia dedicado seis anos a ele; não queria acreditar que tinha sido uma perda de tempo. Por mais que ele às vezes a deixasse doida, tinha tantas qualidades boas...

Hope terminou o café. Lá na frente, viu um homem andando perto do mar. Scottie passou correndo por ele, partindo para cima de um bando de gaivotas. Ela tentou se deixar perder na visão do mar, e ficou observando as ondas mudarem do amarelo para o dourado sob a luz da manhã. As ondas estavam fracas, o mar, calmo; seu pai teria lhe dito que isso provavelmente anunciava a chegada de um temporal, mas Hope decidiu não comentar nada com Ellen caso a amiga tornasse a ligar. Ela não iria querer ouvir uma coisa dessas.

Hope passou uma das mãos pelos cabelos e colocou as mechas soltas atrás da orelha. Havia nuvens esgarçadas no horizonte, do tipo que decerto iriam se dissipar à medida que a manhã avançasse. A tarde seria perfeita para uma taça de vinho, quem sabe queijo com biscoitos, ou mesmo ostras frescas. Bastaria acrescentar algumas velas e uma música bem sensual, e...

Por que estava pensando essas coisas?

Ela suspirou e se concentrou nas ondas, lembrando que quando menina costumava passar horas brincando no mar. Às vezes usava uma prancha de body-board, outras vezes se divertia mergulhando sob as ondas que arrebentavam. Quase sempre, seu pai entrava um pouco no mar com ela, e essas lembranças trouxeram consigo uma certa tristeza.

Em breve, pensou, seu pai nunca mais tornaria a entrar no mar.

Com os olhos perdidos na água, Hope lembrou a si mesma de que os assuntos que a afligiam eram problemas de Primeiro Mundo. Afinal, ela não estava angustiada pensando se iria comer naquele dia ou se teria um lugar seguro para dormir. A água que bebia não aumentava seu risco de contrair cólera ou disenteria; tinha roupas para vestir, tinha ensino superior, e a lista não acabava nunca.

Seu pai não iria querer que ela se preocupasse com ele – com a história da folha e tal. Quanto a Josh, o mais provável era que ele voltasse atrás. Dos quatro términos anteriores, nenhum havia durado mais de seis semanas, e todas as vezes fora ele quem sugerira que os dois voltassem. Hope, por sua vez, acreditava piamente no ditado: *Se você ama uma pessoa, deixe-a ir, e se ela voltar é porque também ama você*. O bom senso lhe dizia que implorar a alguém que fique muitas vezes era o mesmo que implorar pelo amor de alguém, e ela era sensata o bastante para saber que isso nunca funcionava.

Ela virou as costas para o mar e recomeçou a andar pela praia. Protegeu os olhos com a mão e procurou Scottie mais à frente, mas não conseguiu encontrá-lo. Vasculhou a área atrás de si e se perguntou como o cachorro poderia ter conseguido passar por ela, mas ele também não estava ali. Com exceção dela, a praia estava deserta, e Hope sentiu a primeira pontada de preocupação. Em passeios anteriores, às vezes havia levado alguns segundos para localizá-lo, mas ele não era o tipo de cão que simplesmente saía correndo. Ocorreu-lhe que poderia ter ido atrás de algumas aves no mar e sido pego por uma correnteza, mas Scottie nunca entrava no mar. Mesmo assim... Ele tinha sumido.

Foi então que ela viu alguém andando pela duna um pouco mais à frente na praia. Seu pai teria reclamado daquilo. Dunas eram frágeis, e as pessoas deveriam usar as passarelas públicas quando não houvesse degraus até a praia, mas... deixa para lá. Hope tinha preocupações mais imediatas.

Olhou para a frente e para trás, e tornou a pousar os olhos no homem. Ele havia chegado à praia, e ela pensou em lhe perguntar se tinha visto Scottie. Era pouco provável, mas não sabia mais o que fazer. Começou a andar em direção a ele, e reparou, distraída, que ele parecia estar carregando alguma coisa. Fosse o que fosse, se confundia com a camisa branca que ele usava, e ela levou alguns segundos para se dar conta de que o homem estava com Scottie no colo. Apressou o passo.

O homem veio andando na direção dela, movendo-se com uma graciosidade quase animal. Estava usando uma calça jeans desbotada e uma camisa branca de botão com as mangas dobradas até os cotovelos. Quando ele chegou perto, ela reparou que a camisa estava desabotoada no pescoço, o que revelava músculos peitorais que indicavam exercícios físicos e uma vida ativa. Ele tinha olhos azul-escuros como o céu de fim de tarde e cabelos negros como carvão, que ficavam grisalhos perto das orelhas. Quando ele abriu um sorriso tímido, ela notou a covinha no queixo e a familiaridade inesperada de sua expressão, o que lhe causou a estranha sensação de que os dois se conheciam pela vida inteira.

SUNSET BEACH

Tru não tinha a menor ideia do que Hope estava pensando ao se aproximar, mas foi impossível desviar o olhar. Ela estava usando calça jeans desbotada, sandálias e uma blusa amarela sem mangas com um profundo decote em V na frente. Com a pele lisinha levemente bronzeada e cabelos castanho-avermelhados a emoldurar maçãs do rosto bem definidas, Hope atraía o olhar dele com uma força irresistível. Quando finalmente parou na frente dela, ofegante, arregalou os olhos com alguma emoção efusiva... seria alívio? Gratidão? Surpresa? Igualmente sem saber o que dizer, os dois ficaram se encarando sem falar nada até que Tru finalmente pigarreou.

– Será que este cachorro é seu? – perguntou, estendendo Scottie na direção dela.

Hope percebeu um sotaque que parecia britânico ou australiano, mas não era nenhum dos dois. Foi o bastante para quebrar o feitiço, e ela estendeu os braços para pegar Scottie.

– Por que está com o meu cachorro no colo?

Tru explicou o que tinha acontecido ao mesmo tempo que lhe entregava o animal e viu Scottie lamber os dedos dela enquanto gania de animação.

Quando ele terminou de falar, detectou um quê de pânico na voz dela ao perguntar:

– Está dizendo que ele foi atropelado?

– Eu só sei o que ouvi. Ele estava puxando a pata traseira e tremendo quando o encontrei.

– Mas você não viu nenhum carro?

– Não.

– Que estranho.

– Talvez tenha sido só de raspão. E quando ele saiu correndo a pessoa achou que não estivesse machucado.

Ele a observou apertar com delicadeza as patas de Scottie, uma de cada vez. O cão não ganiu; pelo contrário, começou a se contorcer, animado. Tru viu a preocupação no rosto dela quando finalmente pôs Scottie no chão. Ela ficou observando o animal com atenção enquanto ele se afastava trotando.

– Ele não está mancando agora – observou.

Com o canto do olho, pôde ver que o homem também observava Scottie.

– Não parece.

– Acha que eu preciso levá-lo ao veterinário?

– Não sei.

Scottie viu outro bando de gaivotas. Saiu correndo em disparada e pulou para cima de uma delas antes de desviar. Depois, encostando o nariz no chão, partiu em direção ao chalé.

– Ele parece estar bem – murmurou Hope, mais para si mesma do que para Tru.

– Bem, ele com certeza tem muita energia.

Você não faz ideia, pensou ela.

– Obrigada por ter ido ver como ele estava e trazê-lo de volta para a praia.

– Foi um prazer ajudar. Antes de ir embora, você por acaso saberia de um lugar aqui por perto onde eu possa tomar um café?

– Não. Por aqui só tem casas. Um pouco depois do píer você vai encontrar um lugar chamado Clancy's. É um bar e restaurante, mas acho que só abre para o almoço.

Hope entendeu a expressão de desânimo de Tru. Manhãs sem café eram mesmo algo terrível, e se ela tivesse poderes mágicos, não permitiria que existissem. Scottie, enquanto isso, ia se afastando cada vez mais, e ela fez um gesto na direção do animal.

– Eu provavelmente deveria ficar de olho no meu cachorro.

– Eu estava indo na mesma direção antes de desviar – disse Tru. – Importa-se se eu andar com você?

Assim que ele perguntou isso, Hope sentiu um arrepio... Aquele olhar, a cadência grave da voz, a atitude ao mesmo tempo relaxada e cortês, alguma coisa nele fez algo vibrar dentro dela, como a corda dedilhada de um instrumento. Espantada, seu primeiro instinto foi simplesmente dizer não. A antiga Hope, a Hope que ela sempre fora, teria feito isso automaticamente. Mas então um instinto que ela não reconheceu assumiu o controle.

– Tudo bem – foi o que respondeu.

Nem mesmo nesse instante Hope soube ao certo o motivo que a fizera dizer sim. Tampouco anos mais tarde compreenderia o porquê. Seria fácil pôr na conta das preocupações que a afligiam na época, mas ela sabia que isso não era de todo verdade. Passou a acreditar, isso sim, que apesar do fato de os dois terem acabado de se conhecer, ele havia despertado nela algo antes desconhecido, uma ânsia ao mesmo tempo primitiva e nova.

Ele aquiesceu. Se havia ficado surpreso com a sua resposta, ela não soube dizer, e os dois começaram a andar lado a lado. Ele não estava desconfortavelmente próximo, mas estava próximo o suficiente para ela reparar no modo como as pontas de seus cabelos cheios e escuros ondulavam com a brisa. Scottie continuava sua exploração mais à frente, e Hope sentiu conchas pequeninas estalarem sob seus pés. Na varanda de trás de uma casa, uma bandeira azul-clara tremulava ao vento. A luz do sol se derramava, líquida e cálida. Como não havia mais ninguém na praia, caminhar ao lado dele parecia estranhamente íntimo, como se os dois estivessem sozinhos num palco vazio.

– A propósito, meu nome é Tru Walls – disse ele por fim, erguendo a voz sobre a arrebentação das ondas.

Ela o encarou e reparou nas linhas no canto dos olhos, típicas de quem passa muitas horas ao sol.

– Tru? Eu acho que nunca ouvi esse nome.

– É apelido de Truitt.

– Prazer em conhecê-lo, Tru. O meu é Hope Anderson.

48

– Eu acho que vi você andando ontem à noite.

– É provável. Sempre que venho aqui, saio com Scottie algumas vezes por dia. Mas eu não vi você.

Ele ergueu o queixo na direção do píer.

– Eu andei para o outro lado. Precisava esticar as pernas. O voo foi longo.

– Chegou de onde?

– Do Zimbábue.

– Você mora lá?

A expressão dela registrou surpresa.

– Desde que nasci.

– Perdão pela ignorância – começou Hope –, mas em que parte da África fica?

– No sul. Faz fronteira com África do Sul, Botsuana, Zâmbia e Moçambique.

A África do Sul estava sempre no noticiário, mas dos três outros países ela só tinha ouvido falar vagamente.

– Está bem longe de casa.

– Pois é.

– É a primeira vez que vem a Sunset Beach?

– É a primeira vez que venho aos Estados Unidos. Isto aqui é outro mundo.

– Em que sentido?

– Em todos... as estradas, a infraestrutura, Wilmington, o trânsito, as pessoas... E não consigo me acostumar com todo esse verde na paisagem.

Como não tinha como comparar, Hope apenas meneou a cabeça. Observou Tru enfiar a mão no bolso.

– E você? – perguntou ele. – Comentou que está aqui de visita?

Ela assentiu.

– Eu moro em Raleigh. – Então se deu conta de que ele provavelmente não fazia ideia de onde era isso, e explicou: – Fica umas duas horas a noroeste daqui. Mais para o interior... mais árvores, sem praia.

– É plano como aqui?

– Nem um pouco. Tem morros. E é também uma cidade razoavel-

49

mente grande, com muita gente e coisas para fazer. Como você deve ter percebido, por aqui pode ser bem tranquilo.

– Eu pensei que a praia fosse mais cheia.

– No verão pode encher mais, e provavelmente vai ter mais gente por aqui hoje à tarde. Mas nesta época do ano a praia nunca fica muito cheia. É mais um lugar de férias. Nesta época você provavelmente só vai encontrar moradores da ilha.

Hope puxou os cabelos para trás de modo a tentar impedir que os fios ficassem batendo no rosto, mas sem um elástico era impossível. Olhou para ele e reparou que usava uma pulseira de couro puída e gasta, com um bordado desbotado formando um desenho que ela não conseguiu distinguir muito bem. Mas, de alguma forma, pensou, aquilo parecia combinar com ele.

– Eu acho que nunca conheci ninguém do Zimbábue. – Ela estreitou os olhos para ele. – Você está aqui de férias?

Ele deu alguns passos sem responder, surpreendentemente gracioso até mesmo pisando na areia.

– Eu vim encontrar uma pessoa.

– Ah.

A resposta a fez pensar que devia ser uma mulher, e embora isso não devesse incomodá-la, ela sentiu uma inesperada onda de decepção. *Que ridículo*, repreendeu a si mesma ao mesmo tempo que afastava o pensamento.

– E você? – perguntou ele, arqueando uma das sobrancelhas. – O que a traz aqui?

– Uma grande amiga vai se casar no sábado, em Wilmington. Eu sou uma das madrinhas.

– Parece que vai ser um fim de semana legal.

Tirando o fato de que Josh foi para Las Vegas, de modo que eu não vou ter com quem dançar. E também vão me fazer um milhão de perguntas sobre ele e o que está acontecendo, nenhuma das quais quero responder, mesmo que tivesse uma resposta.

– Com certeza vai ser uma celebração – concordou ela. – Posso perguntar uma coisa? – indagou.

– Claro.

– Como é o Zimbábue? Eu nunca fui à África.

– Acho que depende de onde você estiver.

– Parece com os Estados Unidos?

– Pelo que vi até agora, nem um pouco.

Ela sorriu. É claro que não.

– Talvez esta seja uma pergunta boba, mas você já viu algum leão?

– Vejo quase todos os dias.

– Tipo, da janela da sua casa? – quis saber Hope, arregalando os olhos.

– Eu sou guia num refúgio. De safáris.

– Eu sempre quis fazer um safári...

– Muitas das pessoas que eu guio dizem que é a viagem da vida delas.

Hope tentou imaginar aquilo, mas não conseguiu. Se ela fizesse um safári, era provável que os animais se escondessem, como fizeram no jardim zoológico que ela visitara quando criança.

– Como é que se entra nesse ramo?

– É tudo regulamentado pelo governo. Tem aulas, provas, um estágio e, no final, uma licença. Depois disso você começa como localizador e depois de algum tempo vira guia.

– Como assim, localizador?

– Muitos dos animais têm um grande talento para se camuflar, então às vezes não é tão fácil encontrá-los. O localizador os procura para que o guia possa dirigir com segurança e responder às perguntas.

Ela meneou a cabeça, fitando-o com um ar cada vez mais curioso.

– Há quanto tempo você faz isso?

– Muito – respondeu ele. Então sorriu, antes de arrematar: – Mais de vinte anos.

– No mesmo lugar?

– Em muitos acampamentos diferentes.

– Não são todos iguais?

– Cada acampamento tem suas características. Alguns são caros, outros menos. Há concentrações diferentes de animais dependendo da região do país em que se está. Algumas áreas são mais úmidas ou mais secas, o que afeta as concentrações de espécies, a migração e os percursos. Alguns acampamentos se promovem como estabelecimentos de luxo e ostentam chefs de cozinha maravilhosos; outros oferecem apenas o básico: barracas, camas de campanha e comida pronta. E alguns acampamentos administram os animais melhor do que outros.

– Como é o acampamento em que você está trabalhando agora?

– É um acampamento de luxo. Acomodações e comida excelentes, ótima administração dos animais e uma grande variedade de espécies.

– Você recomendaria?

– Com toda a certeza.

– Deve ser incrível ver animais todos os dias. Mas imagino que para você seja apenas mais um dia de trabalho.

– De jeito nenhum. Cada dia é uma novidade. – Ele a estudou com seus olhos azuis penetrantes, mas calorosos. – E você? O que faz?

Por algum motivo, ela não esperava que ele perguntasse.

– Sou enfermeira na emergência de um hospital.

– Emergência do tipo... ferimentos a bala?

– Às vezes – respondeu ela. – Mas principalmente acidentes de carro.

A essa altura, eles já estavam chegando perto da casa em que Tru estava hospedado, e ele começou a se afastar devagarinho da areia compacta.

– Estou no chalé dos meus pais, aquele ali – informou Hope, apontando para a casa ao lado da dele. – E você?

– Na casa ao lado. A grande, com três andares.

– Ah – fez ela.

– Algum problema?

– É... grande.

– É mesmo. – Ele riu. – Mas não é minha. O homem que eu vou encontrar está me deixando ficar lá. Imagino que seja ele o dono.

O *homem* que ele iria encontrar, observou ela. Isso a fez se sentir melhor, embora ela tenha lembrado a si mesma de que não havia por que se importar com isso.

– Ela tapa um pouco da luz do fim de tarde no nosso deque dos fundos. E para o meu pai, principalmente, é meio que uma monstruosidade.

– Você conhece o dono?

– Nunca cruzei com ele – respondeu ela. – Por quê? Você não o conhece?

52

– Não. Até algumas semanas atrás, nunca tinha ouvido falar nele.

Hope quis fazer mais perguntas, mas imaginou que houvesse algum motivo para ele estar sendo tão discreto. Varreu a praia com os olhos e viu Scottie farejando as dunas mais à frente, perto da escadinha que levava até a passarela e o chalé. Como sempre, o cachorro estava todo emporcalhado de areia.

Tru diminuiu o passo e finalmente parou ao chegar à escadinha.

– Acho que é aqui que nos despedimos.

– Obrigada mais uma vez por ter ido ver como Scottie estava. Estou muito aliviada por ele estar bem.

– Eu também. Mas ainda estou decepcionado com a falta de café deste lugar – completou ele com um sorriso irônico.

Fazia muito tempo que ela não tinha uma conversa como aquela, quanto mais com um homem que acabara de conhecer – leve e fácil, sem nenhuma expectativa. Dando-se conta de que não queria que a conversa terminasse ainda, meneou a cabeça em direção ao chalé.

– Deixei a cafeteira cheia antes de sair hoje de manhã. Quer um pouco?

– Eu detestaria incomodar.

– É o mínimo que posso fazer. Estou sozinha no chalé, e provavelmente vou acabar jogando o resto do café fora. Além do mais, você salvou meu cachorro.

– Nesse caso, eu adoraria.

– Então vamos – disse ela.

Hope seguiu na frente escada acima, depois pela passarela até o deque do chalé. Scottie já estava no portão, abanando o rabo, e saiu correndo em direção à porta dos fundos assim que ela o abriu. Tru deu uma espiada na casa em que estava hospedado e pensou que Hope tinha razão. Era *mesmo* uma monstruosidade. O chalé, por sua vez, dava a sensação de ser um *lar* de verdade, todo pintado de branco, com janelas azuis e uma jardineira repleta de flores. Junto à porta dos fundos havia uma mesa de madeira rodeada por cinco cadeiras; em frente às janelas, um par de cadeiras de balanço ladeava uma mesinha surrada. Embora o vento, a chuva e o sal houvessem cobrado seu preço, o deque era decididamente aconchegante.

Hope foi até a porta.

– Vou pegar seu café, mas o Scottie precisa ficar aqui no deque um instantinho. Tenho que passar uma toalha nele, senão vou ficar o resto da tarde varrendo a casa – disse ela por cima do ombro. – Pode se sentar. Vou levar só um minuto.

A porta de tela se fechou com um estalo e Tru se sentou à mesa. Além do guarda-corpo, o mar estava calmo e convidativo. Pensou que mais tarde poderia nadar um pouco.

Pela janela dava para ver a cozinha. Hope surgiu por uma quina com uma toalha pendurada no ombro e tirou duas canecas do armário. Ela despertava seu interesse. Que era linda não restava dúvida, mas não se tratava só disso. Havia por trás do seu sorriso um quê de vulnerabilidade e solidão, como se ela estivesse lutando com algo que a perturbava. Quem sabe até mais de uma coisa.

Tru se remexeu na cadeira e lembrou a si mesmo de que aquilo não era da sua conta. Eles não se conheciam, e ele iria embora depois do fim de semana; além de acenarem um para o outro de seus deques ao longo dos próximos dias, aquela talvez fosse a última vez que ele a veria de perto ou falaria com ela.

Ouviu uma batida à porta; pela tela, viu-a em pé com um ar de expectativa e duas canecas na mão. Levantou-se e foi abrir. Ela deu a volta nele e pousou as canecas na mesa.

– Precisa de leite, ou açúcar?

– Não, obrigado – respondeu ele.

– Tá. Pode ir tomando o café. Vou limpar o Scottie.

Ela puxou a toalha do ombro, se agachou ao lado do cachorro e começou a esfregá-lo vigorosamente.

– Você não acredita na quantidade de areia que agarra no pelo dele – comentou. – Ele parece um ímã de areia.

– Aposto que ele é uma boa companhia.

– A melhor do mundo – disse ela, dando um beijo carinhoso no focinho do cão.

Scottie retribuiu lambendo alegremente seu rosto.

– Quantos anos ele tem?

– Quatro. Meu namorado, Josh, o comprou para mim.

Tru aquiesceu. Deveria ter imaginado que ela tinha um namorado. Estendeu a mão para a caneca sem saber o que dizer, e decidiu não perguntar mais nada. Deu um gole e pensou que o café tinha um gosto diferente daquele que sua família cultivava na fazenda. Menos suave, de certa forma. Mas estava forte e quente, exatamente o que ele precisava.

Ao terminar de limpar Scottie, Hope estendeu a toalha no guarda-corpo e voltou à mesa. Quando ela se sentou, metade do seu rosto ficou na sombra, o que deu a seus traços um quê de mistério. Ela soprou delicadamente o café antes de dar um gole, um gesto estranhamente hipnotizante.

– Conte sobre o casamento – pediu ele por fim.

– Ah, nossa... o casamento. É só isso, um casamento.

– Você comentou que é de uma grande amiga.

– Eu sou amiga da Ellen desde a faculdade. Nós éramos da mesma sororidade... existe isso lá no Zimbábue? – perguntou ela, interrompendo o relato. Diante da expressão intrigada de Tru, explicou: – Sororidades são uma espécie de grêmio só para mulheres nas faculdades e universidades... Um grupo de meninas que moram juntas e têm uma vida social em comum, sabe? Enfim, todas as madrinhas foram da mesma sororidade, de modo que também vai ser uma espécie de reencontro. Tirando isso, é só um casamento normal. Fotografias, bolo, uma banda tocando na festa, a noiva jogando o buquê, essas coisas. Você sabe como são os casamentos.

– Tirando o meu, nunca fui a nenhum.

– Ah... você é casado?

– Divorciado. Mas meu casamento não teve nada disso que vocês fazem aqui nos Estados Unidos. Nós nos casamos na presença de um juiz de paz e fomos direto para o aeroporto. Passamos a lua de mel em Paris.

– Que romântico.

– Foi mesmo.

Ela gostou da franqueza da resposta, gostou que ele não sentisse necessidade de elaborar ou romantizar a informação.

– Então o que você sabe sobre os casamentos americanos?

– Já vi alguns filmes. E os hóspedes me contam. Casais em lua de mel gostam muito de safáris. Enfim, os casamentos aqui parecem bem complexos e estressantes.

Ellen com toda a certeza concordaria com isso, pensou Hope. Mudando de assunto, perguntou:

– Como é crescer no Zimbábue?

– Só posso falar da minha própria experiência. O Zimbábue é um país grande. É diferente para cada um.

– Como foi para você?

Como não sabia ao certo o que ou quanto contar, ele se ateve a generalidades.

– Minha família tem uma fazenda perto de Harare. Pertence à família há gerações. Então eu cresci fazendo coisas de fazenda. Meu avô achava que seria bom para mim. Quando eu era pequeno, ordenhei vacas e recolhi ovos. Adolescente, comecei a fazer trabalhos mais pesados, como reparos, por exemplo: cercas, telhados, sistemas de irrigação, bombas, motores, qualquer coisa que estivesse quebrada. Além de ir à escola.

– E como acabou virando guia?

Ele deu de ombros.

– Eu me sentia em paz quando estava na selva. Sempre que tinha algum tempo livre, saía para me aventurar sozinho. Quando terminei a escola, avisei à minha família que iria embora. E fui.

Enquanto respondia, pôde sentir os olhos de Hope pousados nele. Ela exibiu uma expressão cética ao estender a mão outra vez para o café.

– Por que tenho a impressão de que tem mais coisa nessa história?

– Porque sempre tem mais coisa na história.

Ela riu, um som surpreendentemente robusto e desinibido.

– Verdade. Conte algumas das coisas mais emocionantes que você já viu nos safáris.

Em terreno conhecido, Tru regalou Hope com as mesmas histórias que contava aos hóspedes sempre que eles pediam. De vez em quando ela fazia perguntas, mas na maior parte do tempo se contentou em escutar. Quando ele terminou, o café havia acabado e o sol queimava sua nuca. Ele pousou a caneca vazia de volta na mesa.

– Quer mais? Sobrou um pouquinho no bule.

– Uma caneca está de bom tamanho – disse ele. – E eu já ocupei muito o seu tempo. Mas foi ótimo. Obrigado.

– Era o mínimo que eu podia fazer – disse ela.

Hope levantou-se e o acompanhou até o portão. Ele o abriu, muito consciente da sua proximidade. Começou a descer a escadinha, mas virou-se para um rápido aceno ao chegar à passarela.

– Foi um prazer conhecer você, Tru – disse ela com um sorriso.

Embora não tivesse como saber ao certo, Tru ficou se perguntando se ela havia continuado a observá-lo enquanto ele percorria o sinuoso caminho em direção à praia. Por algum motivo, precisou de muita força de vontade para se segurar e não olhar por cima do ombro para conferir.

TARDES DE OUTONO

De volta à casa, Tru se pegou sem saber o que fazer. Se pudesse, telefonaria para Andrew, mas não se sentia à vontade com a ideia de fazer a ligação do fixo da casa. As tarifas internacionais eram caras e, além disso, o filho provavelmente não estaria em casa ainda. Depois da aula, ele ia jogar futebol com os membros do seu clube juvenil; Tru gostava de vê-lo treinar. Ele não tinha o mesmo talento atlético nato exibido por outros garotos do time, mas era um líder tranquilo e natural, bem parecido com a mãe.

Pensar no filho acabou fazendo com que pegasse seu material de desenho, que levou até o deque dos fundos. Na casa vizinha, reparou que Hope havia entrado, embora a toalha usada para limpar Scottie continuasse pendurada no guarda-corpo. Acomodou-se na cadeira e pensou no que poderia desenhar. Como Andrew nunca tinha visto o mar, não ao vivo, decidiu tentar reproduzir a imensidão daquela vista diante de si, supondo que isso fosse possível.

Como sempre, começou com um esboço geral e pouco nítido da cena – uma perspectiva diagonal que abarcava a linha da praia, as ondas quebrando, o píer e um mar que se estendia até o horizonte. Desenhar sempre fora um jeito de relaxar a mente, e à medida que foi traçando as linhas ele se permitiu divagar. Pensou em Hope e se perguntou o que nela havia fisgado seu interesse. Não era comum se interessar de modo tão instantâneo por alguém, mas ele disse a si mesmo que isso na verdade não tinha a menor importância. Ele fora à Carolina do Norte por outros motivos e seus pensamentos acabaram passando à própria família.

Fazia quase dois anos que ele não via nem falava com seu padrasto, Rodney, ou com seus meios-irmãos, Allen e Alex. As razões para isso tinham raízes históricas, e a riqueza havia aumentado mais ainda o afastamento. Além do sobrenome Walls, Tru havia herdado uma participação na fazenda e no império dos negócios familiares. Os lucros eram significativos, mas na vida cotidiana o dinheiro não tinha grande serventia para ele. Tudo que ganhava era investido numa aplicação na Suíça que o Coronel abrira quando ele ainda era bebê. A quantia vinha se acumulando havia muitos anos, mas Tru raramente conferia o saldo. Dessa conta, ele tirava regularmente algum dinheiro para mandar para Kim e pagava os estudos de Andrew, mas, além da compra à vista da casa em Bulawayo, era só. Já havia tomado providências para transferir grande parte da fortuna para Andrew quando seu filho completasse 35 anos. Imaginava que Andrew fosse considerá-la mais útil do que ele.

Recentemente, seus meios-irmãos haviam começado a se ressentir disso, mas como o seu relacionamento com eles sempre fora distante, isso não era de todo uma surpresa. Tru era nove anos mais velho que os gêmeos, e quando os dois começaram a ter idade suficiente para se lembrar das coisas, ele já passava a maior parte do tempo na selva, o mais longe possível da fazenda. Saiu de casa de vez aos 18 anos. No fundo, eles eram e sempre tinham sido desconhecidos.

As coisas com Rodney, por sua vez, eram mais complicadas. A participação de Tru nos negócios vinha causando problemas entre ele e o padrasto desde a morte do Coronel, treze anos antes, mas, para dizer a verdade, o relacionamento dos dois já se estragara bem antes disso. Na mente de Tru, tudo remontava ao incêndio ocorrido quando ele tinha 11 anos. Grande parte da fazenda havia pegado fogo em 1959. Tru conseguira escapar por um triz pulando de uma janela no primeiro andar. Rodney carregara Allen e Alex até um lugar seguro, mas Evelyn, mãe de Tru, não conseguira escapar.

Mesmo antes do incêndio, Rodney nunca havia apoiado o enteado nem lhe demonstrado afeto; em grande parte, apenas o tolerava. Depois do incêndio, a atenção de Rodney tornou-se quase nula. Lidar com o próprio luto, criar dois meninos pequenos e administrar a fazenda era demais para ele. Em retrospecto, Tru entendia. Na época não tinha sido tão fácil, e o Coronel tampouco pudera oferecer grande coisa em matéria de apoio. Depois da morte da única filha, ele mergulhara numa depressão profunda que pareceu trancá-lo num calabouço de silêncio. Ficava sentado junto às ruínas carbonizadas da propriedade, olhando fixamente para os destroços; quando o entulho foi levado embora e as novas construções começaram a ser erguidas, passou a observar as obras sem dizer nada. De vez em quando, Tru ia se sentar com o avô, mas o Coronel só fazia murmurar umas poucas palavras em reconhecimento a sua presença. Afinal, havia boatos; boatos sobre o seu avô, sobre os negócios e sobre os verdadeiros motivos do incêndio. Na época Tru não sabia nada a respeito; sabia apenas que ninguém na sua família parecia disposto a falar com ele ou mesmo lhe oferecer um simples abraço. Se não fossem Tengwe e Anoona, não tinha certeza se teria conseguido sobreviver à morte da mãe. A única coisa de que realmente se lembrava desse período era de frequentemente ir dormir chorando e passar muitas horas zanzando pela propriedade sozinho depois da escola e das tarefas na fazenda. Agora entendia que esses tinham sido os primeiros passos na jornada que o levara a uma vida na selva, longe da fazenda. Ele não fazia ideia da pessoa que poderia ter se tornado se sua mãe tivesse sobrevivido.

Mas essa não fora a única mudança na esteira da morte de sua mãe. Depois que ela se fora, Tru havia pedido a Tengwe que lhe comprasse papel de desenho e lápis. Como se lembrava de ver a mãe desenhar, começou a fazer isso também. Não tinha nenhuma formação nem muito dom natural; demorou meses para conseguir recriar no papel algo tão simples quanto uma árvore com algum toque de realismo. Mas aquilo era um jeito de escapar dos próprios sentimentos e do desespero silencioso que reinava na fazenda.

Ansiava por desenhar a mãe, mas os traços dela pareciam sumir de sua mente mais depressa do que as suas habilidades se desenvolviam. Tudo que ele tentava lhe parecia de algum modo errado, mesmo quando Tengwe e Anoona protestavam dizendo o contrário. Algumas tentativas chegavam mais perto do que outras, mas ele nunca conseguiu concluir um desenho da mãe que sentisse de fato representá-la. No fim, acabou jogando fora a pilha de esboços e se resignou a mais essa perda, como tantas outras em sua vida.

Como a do pai.

Quando era menino, Tru às vezes tinha a impressão de que esse homem jamais tinha existido. A mãe sempre falara pouco sobre ele, mesmo quando o filho a pressionava; já o Coronel se recusava até mesmo a mencioná-lo. Com o tempo, a curiosidade de Tru diminuiu até quase sumir. Ele podia passar anos sem se lembrar do pai ou pensar nele. Então, do nada, poucos meses antes, uma carta chegara ao acampamento de Hwange. Fora enviada originalmente para a fazenda; Tengwe a encaminhara, mas Tru não se dera o trabalho de abri-la na hora. Quando finalmente o fizera, seu primeiro instinto fora achar que aquilo era uma espécie de pegadinha, apesar das passagens de avião. Foi só quando examinou a fotografia desbotada que se deu conta de que a carta talvez fosse genuína.

A foto mostrava um homem jovem e bonito com o braço ao redor de uma versão muito mais jovem de uma mulher que só podia ser a mãe de Tru. Evelyn era adolescente na foto – tinha 19 anos quando Tru nascera – e ele pensou como era surreal ter agora mais que o dobro da idade da mãe na época. Supondo, claro, que fosse mesmo ela.

Mas era. No fundo de seu coração, Tru sabia que era.

Não poderia dizer quanto tempo passou olhando a fotografia naquela primeira noite, mas nos dias que se seguiram se pegou voltando muitas vezes a ela. Era única foto que tinha da mãe. Todas as outras haviam se perdido no mesmo incêndio que a matara, e ver sua imagem tantos anos depois provocou uma enxurrada de lembranças: a mãe desenhando na varanda de trás; seu rosto a pairar acima dele quando ela o punha na cama; ela na cozinha de vestido verde; a sensação da mão dela na dele enquanto os dois caminhavam em direção a um lago. Ainda não tinha certeza se alguma dessas cenas era verdadeira ou se eram apenas fantasias da sua imaginação.

E havia também o homem da foto, é claro...

Na carta, ele se identificara como Harry Beckham, um americano. Dizia ter nascido em 1914 e conhecido a mãe de Tru no final de 1946. Havia servido na Segunda Guerra, no Corpo de Engenheiros do Exército dos Estados Unidos, e depois da guerra mudara-se para a Rodésia para trabalhar na Mina Bushtick, na região de Matabeleland. Conhecera a mãe de Tru em Harare, e dizia que os dois tinham se apaixonado. Dizia também não saber que ela estava grávida quando ele voltou para os Estados Unidos, mas nisso Tru não sabia muito bem se acreditava. Afinal, se ele nem sequer desconfiava que ela estivesse grávida, por que teria procurado um filho perdido, para começo de conversa?

Tru imaginava que não fosse demorar muito para descobrir.

Continuou a trabalhar no desenho por mais umas duas horas, e só parou quando pensou ter conseguido algo de que Andrew pudesse gostar. Torceu para que aquilo talvez compensasse a semana em que eles não estariam juntos.

Entrou na casa e cogitou sair para pescar. Gostava de pescaria e não tivera muito tempo para isso nos últimos anos, mas depois de passar grande parte da tarde sentado, sentia a necessidade de fazer o sangue circular. *Quem sabe amanhã*, pensou, e em vez disso vestiu o único short que possuía. Achou um armário cheio de toalhas de praia, pegou uma e saiu. Largou a toalha na areia seca, perto da linha do mar, e entrou na água. Ficou surpreso com a temperatura morna. Passou pela primeira série de ondas baixas, depois pela segunda e, uma vez passada a arrebentação, ficou com água na altura do peito. Batendo os pés debaixo d'água, começou a nadar, esperando conseguir ir até o píer e voltar.

Apesar do mar calmo, levou um tempo para encontrar seu ritmo. Como fazia anos que não nadava tanto assim, achou que estava muito lento. Foi passando devagar por uma casa após outra; na quinta, seus músculos já haviam começado a cansar. Chegando ao píer, estava exausto, mas era um homem persistente. Em vez de sair do mar, deu meia-volta e, ainda mais lentamente, iniciou o trajeto de volta ao ponto de partida.

Quando finalmente chegou à altura de sua casa e saiu da água, os músculos de suas pernas tremiam e ele mal conseguia mexer os braços.

Apesar disso, estava satisfeito. No acampamento, tinha que se limitar aos exercícios usando apenas o peso do próprio corpo e ao tipo de saltos explosivos que se podia dar em lugares confinados. Sempre que possível, ia correr – margeava por dentro o perímetro do acampamento dos guias durante meia hora algumas vezes por semana, o circuito mais entediante do planeta, como já constatara tempos antes –, mas na maior parte dos dias só conseguia caminhar bastante. No acampamento em que trabalhava, era permitido deixar os hóspedes saltarem do jipe e entrarem na selva, contanto que o guia estivesse armado. Às vezes esse era o único jeito de chegar perto o suficiente para ver alguns dos animais mais raros, como os rinocerontes-negros e os guepardos. Para ele, era um jeito de esticar as pernas; para os hóspedes, em geral constituía o ponto alto do safári.

Uma vez em casa, tomou uma longa chuveirada, enxaguou o short na pia e almoçou um sanduíche. Fazia muito tempo que não tinha uma tarde sem absolutamente nenhum compromisso, e isso o deixou irrequieto. Tornou a pegar seu caderno de desenhos, examinou o que tinha feito para Andrew e reparou em algumas mudanças que desejava fazer. Era sempre assim; Da Vinci certa vez dissera que a arte nunca termina, é apenas abandonada. Para Tru, isso fazia total sentido. Ele decidiu que voltaria a trabalhar no desenho no dia seguinte.

Por ora, pegou o violão e saiu para o deque dos fundos. O sol tornava a areia branca ofuscante, e a água azul que ia até o horizonte parecia estranhamente calma depois da arrebentação. Perfeito. Enquanto afinava o violão, porém, deu-se conta de que não estava com vontade de passar o resto do dia em casa. Poderia chamar um carro, mas isso lhe parecia sem sentido. Não fazia a menor ideia de aonde ir. Lembrou então que Hope havia mencionado um restaurante um pouco depois do píer, e decidiu que mais tarde, à noite, jantaria lá.

Com o violão afinado, passou um tempo tocando e executou a maioria das músicas que tinha aprendido. Assim como o desenho, isso permitia à sua mente divagar, e quando seu olhar se desviou para o chalé vizinho, ele tornou a pensar em Hope. Perguntou-se por que, se tinha namorado e estava a poucos dias do casamento de uma amiga próxima, ela teria ido a Sunset Beach sozinha.

Hope se pegou desejando que sua hora para fazer o cabelo e as unhas estivesse marcada para aquele dia em vez do seguinte, só para ter uma desculpa para sair de casa. Em vez disso, passou a manhã arrumando alguns dos armários do chalé. Sua mãe lhe sugerira pegar o que quisesse, com a ressalva implícita de que tentasse também prever os desejos das irmãs. Tanto Robin quanto Joanna iriam até lá nas semanas seguintes para ajudar a arrumar tudo e as três tinham sido criadas de um jeito que deixava pouco espaço para o egoísmo. Como a casa de Hope era pequena, não seria um problema ficar com quase nada para si.

Mesmo assim, vasculhar apenas uma caixa levou mais tempo do que ela previra. Após jogar fora as quinquilharias (a maior parte do conteúdo), sobraram uns óculos de natação muito queridos, um exemplar surrado de *Onde vivem os monstros*, um chaveiro do Pernalonga, um ursinho Pooh de pelúcia, três livros de colorir já coloridos, postais de lugares diversos em que a família havia passado férias e uma medalhinha com a foto de sua mãe. Cada um desses objetos a fizera sorrir por um motivo ou outro e valia a pena ser guardado, e ela desconfiou que suas irmãs fossem pensar o mesmo. O mais provável era que qualquer coisa que decidissem guardar fosse parar dentro de outra caixa esquecida num sótão qualquer. O que levantava a questão da razão pela qual elas estavam se dando o trabalho de arrumar tudo, para começo de conversa, mas bem lá no fundo Hope já sabia a resposta. Jogar tudo fora não parecia certo. Por algum motivo doido, parte dela queria saber que aquelas coisas ainda existiam.

Ela teria sido a primeira a reconhecer que não estava raciocinando bem ultimamente, a começar pela ideia de ir para o chalé antes do casamento. Em retrospecto, essa parecia uma ideia ruim, mas ela já havia pedido e recebido os dias de férias. E qual seria a alternativa? Ir visitar os pais e tentar não se preocupar com o pai? Ou continuar em Raleigh, onde estaria igualmente sozinha, só que cercada por recordações constantes de Josh? Imaginava que pudesse ter ido para algum outro lugar, mas onde? Bahamas? Key West? Paris? Teria ficado sozinha nesses lugares também, com o pai ainda doente, Josh ainda em Las Vegas e ainda tendo que ir ao casamento no fim de semana.

Ah, sim... o casamento. Embora detestasse admitir isso, parte dela não queria ir, e não só por não querer explicar que Josh e ela haviam terminado de novo. Tampouco era por causa de Ellen. Estava genuinamente feliz pela amiga e, em condições normais, teria ficado muito animada para encontrar as outras companheiras da sororidade. Elas sabiam tudo umas das outras e sempre haviam mantido contato depois da formatura. Todas também tinham sido madrinhas nos casamentos umas das outras, a começar por Jeannie e Linda. As duas se casaram um ano depois da formatura e agora tinham, somados, cinco filhos. Sienna se casara uns dois anos depois disso e era hoje mãe de quatro. Angie dissera sim aos 30 anos e tinha gêmeas de 3 anos. Susan se casara dois anos antes e agora... a partir do próximo sábado, Ellen também iria entrar para a lista das casadas.

Hope não ficara espantada quando Susan lhe telefonara havia pouco tempo para contar que estava grávida de três meses. Mas Ellen também? Ela, que havia conhecido Colson *em dezembro do ano anterior?* Que certa vez tinha jurado nunca se casar nem ter filhos? Que vivera uma vida louca até quase os 30 anos e costumava viajar para Atlantic City para passar o fim de semana com seu namorado da época, que era traficante de cocaína? Ellen não só conseguira encontrar alguém disposto a se casar com ela – e um banqueiro de investimentos que frequentava a igreja, ainda por cima – como, quinze dias antes, confidenciara-se com Hope para contar que, assim como Susan, estava na décima segunda semana de gestação. Ellen e Susan dariam à luz mais ou menos na mesma época, e perceber isso fez Hope ter a forte sensação de estar à beira de se tornar uma forasteira no que antes costumava ser seu círculo de amigas mais próximas. Todas as outras estavam numa fase nova da vida ou prestes a entrar, e Hope não tinha ideia de quando se juntaria a elas – ou se algum dia isso iria acontecer. Principalmente em se tratando de filhos.

Isso a deixava com medo. Por muito tempo, havia acreditado que toda aquela conversa sobre o relógio biológico fosse mito. Não a parte em que a idade tornava cada vez mais difícil ter filhos – isso toda mulher sabia. Mas nunca tinha acreditado que fosse se preocupar com isso. Ter filhos era uma daquelas coisas que ela havia considerado certas, que simplesmente aconteceria quando chegasse o momento. Era isso que ela pensava, e até onde conseguia se lembrar sempre fora assim; não era capaz de imaginar um futuro sem os próprios filhos, e só na faculdade descobrira que nem todas as mulheres sentiam o mesmo. Quando Sandy, sua colega de quarto no primeiro ano, lhe dissera que preferia uma carreira a ter filhos, o conceito lhe era tão desconhecido que no começo Hope pensara que a amiga estivesse brincando. Hope não falava com Sandy desde a formatura, mas uns dois anos antes cruzara com ela no shopping acompanhada por seu bebezinho recém-nascido. Imaginava que ela nem sequer se lembrasse da conversa que as duas tinham tido no quarto do alojamento naquela noite – e não lhe refrescou a memória. Mas voltou para casa e chorou.

Como Sandy podia ter um filho e Hope não? E suas irmãs, Robin e Joanna? E agora *todas* as suas amigas mais próximas ou já estavam lá ou a caminho. Não fazia sentido para ela. Até onde sua memória alcançava, havia se imaginado grávida, depois com seus filhos recém-nascidos no colo, maravilhando-se com seu crescimento e se perguntando de quem eles teriam herdado os traços. Será que teriam o seu nariz ou os pés grandes do papai? Teriam os cabelos ruivos que ela herdara da avó? A maternidade sempre lhe parecera algo predestinado.

Mas, afinal, Hope sempre foi uma planejadora. Aos 15 anos, já tinha sua vida inteira mapeada: tirar boas notas, formar-se na faculdade, tornar-se enfermeira aos 24 anos, trabalhar com afinco e fazer a carreira deslanchar. Enquanto isso, divertir-se um pouco pelo caminho – só se é jovem uma vez, certo? Sair com as amigas e namorar alguns caras sem deixar nada ficar sério demais. E então, quem sabe já perto dos 30, conhecer *o cara certo*. Sair com ele, apaixonar-se e se casar. Dali a um ano ou dois, começar a ter filhos. Dois seria perfeito, de preferência um casal, embora não se importasse se essa última parte não acontecesse. Quer dizer, contanto que tivesse pelo menos uma menina.

Ao longo da adolescência e dos 20 anos, fora realizando essas coisas, uma a uma. Então Josh apareceu, na hora certa. Nem mesmo em seus sonhos mais loucos ela teria acreditado que, seis anos mais tarde, ainda estaria solteira e sem filhos. Tinha dificuldade para entender exatamente em que ponto o plano havia azedado. Josh dissera que queria se casar e ter filhos também, então o que eles haviam feito durante todo aquele tempo? Onde aqueles seis anos tinham ido parar?

De uma coisa Hope tinha certeza: ter 36 anos era bem diferente de ter 35. Descobrira isso no seu aniversário, em abril. Sua família estava ao seu lado, Josh estava ao seu lado, e aquela deveria ter sido uma data feliz, mas ela havia olhado para o bolo e pensado: *Caramba, QUANTAS velas!* Soprá-las tinha parecido levar um tempo maior do que o normal.

O que a incomodava não era a questão da idade. Tampouco o fato de estar mais próxima dos 40 do que dos 30. Em espírito, ainda se sentia mais perto dos 25. Mas no dia seguinte, como se Deus quisesse lhe dar um tapa na cara com um lembrete não tão delicado assim, uma gestante de 36 anos tinha aparecido no pronto-socorro após cortar o dedo enquanto fatiava cebola. Havia muito sangue – que foi seguido por uma anestesia local e alguns pontos. A mulher brincara dizendo que nem sequer teria ido para a emergência se não tivesse uma gravidez considerada *geriátrica.*

Hope já tinha ouvido essa expressão na escola de enfermagem, mas como trabalhava na emergência e encontrava poucas gestantes, tinha se esquecido.

– Detesto essa expressão, gravidez geriátrica – comentou Hope. – Afinal, você não é *velha.*

– Não, mas acredite. É bem diferente de engravidar com 20 e tantos. – Ela sorriu. – Eu tenho três meninos, mas nós queríamos tentar uma menina.

– E?

– É outro menino. – Ela revirou os olhos. – Quantos filhos você tem?

– Ah, eu não tenho nenhum. Não sou casada.

– Tudo bem. Ainda tem tempo. Quantos anos você tem? Vinte e oito?

Hope forçou um sorriso, pensando outra vez na expressão *gravidez geriátrica.*

– Quase isso – respondeu.

Cansada dos próprios pensamentos – e muito, muito cansada de sentir pena de si mesma –, pensou que estava na hora de uma distração. Como não tinha se dado o trabalho de comprar nada na vinda e precisava sair um pouco de casa, primeiro foi até uma barraca de legumes e verduras na beira da estrada. Ficava logo depois da ilha e existia desde que ela se entendia por gente. Hope encheu um cesto de palha com abobrinhas italianas e amarelas, alface, tomates, cebolas e pimentões, em seguida foi até uma ilha vizinha e comprou um pouco de peixe, cavala espanhola. Porém, chegando de volta ao chalé, constatou que estava sem fome.

Após abrir as janelas, guardou a comida, serviu-se de uma taça de vinho e começou a abrir mais caixas. Tentou ser seletiva (sem se esquecer de Robin nem de Joanna) e reduziu o conteúdo a uma pequena pilha de recordações que tornou a pôr numa única caixa e guardar no armário. Levou o restante para os latões de lixo do térreo, satisfeita com o trabalho do dia. Scottie tinha saído atrás dela e os dois ficaram um tempo em frente ao chalé. Hope não estava com disposição de correr atrás dele pela praia outra vez.

Olhou para o relógio e conteve o impulso de ligar para Josh. Ele estava hospedado no Caesars Palace, mas Hope lembrou a si mesma de que, se quisesse falar com ela, ele tinha o número do chalé. *Em vez disso*, pensou, *que tal um pouco de tempo só para mim?* O que ela realmente precisava era de um cochilo – a falta de sono da noite anterior estava cobrando seu preço. Deitou-se no sofá da sala... e quando deu por si já era o meio da tarde. Pelas janelas abertas, ouviu o débil som de alguém tocando violão e cantando.

Espiou pela janela e conseguiu distinguir Tru parcialmente por entre o guarda-corpo. Passou alguns minutos escutando a música enquanto arrumava a cozinha e, apesar dos pensamentos desanimados de antes, não foi capaz de reprimir um sorriso. Nem sequer conseguia se lembrar da última vez que se sentira atraída por alguém assim de primeira. E além disso o convidara para tomar café! Ainda não conseguia acreditar que tinha feito aquilo.

Após passar um pano nas bancadas, resolveu que estava na hora de um longo banho. Gostava de um bom banho de espuma, mas na pressa da vida cotidiana era mais fácil usar o chuveiro, de modo que os banhos de banheira eram uma espécie de luxo. Após encher a banheira, passou um longo tempo dentro d'água, sentindo a tensão se esvair devagar de seu corpo.

Em seguida, enrolou-se num roupão e pegou um livro na prateleira, um velho mistério de Agatha Christie. Lembrava-se de adorar os livros dela quando adolescente, então por que não? Acomodou-se no sofá e começou a ler. Era uma leitura fácil, mas a história era tão boa quanto algo que Hope podia ver na televisão hoje em dia, e chegou à metade do livro antes de largá-lo. A essa altura, o sol estava começando a baixar rumo ao horizonte, e ela se deu conta de que estava com fome. Não tinha comido nada o dia inteiro, mas percebeu que não estava com disposição para cozinhar. Queria prolongar o clima relaxante daquela tarde. Vestiu uma calça jeans, calçou um par de sandálias e pôs uma blusa sem mangas, passou um pouco de maquiagem e prendeu os cabelos num rabo de cavalo bagunçado. Pôs comida para Scottie, deixou-o sair para o quintal da frente – o cão ficou visivelmente decepcionado ao entender que não iria com ela – e trancou a porta de entrada. Então saiu de casa pelo deque de trás, percorreu a passarela e desceu a escadinha até a praia. Sempre que sua família ia a Sunset Beach, comia no Clancy's pelo menos uma vez, e manter a tradição parecia a coisa certa a fazer numa noite como aquela.

JANTAR NO DEQUE

O Clancy's ficava um pouco depois do píer, e Tru gostou do lugar antes mesmo de subir da praia para o deque principal. Pôde ouvir alguns acordes misturados a conversas e risos. No alto da escada havia um arco de madeira decorado com luzinhas brancas de Natal e um letreiro desbotado com o nome do restaurante.

O deque estava iluminado por grupos de tochas de bambu cujas chamas tremulavam na brisa. Mesas de bar descascadas e banquetas desemparelhadas junto ao guarda-corpo cercavam um conjunto de mesas de madeira no centro, metade das quais estava livre. Na parte interna havia mais lugares; a cozinha ficava à esquerda e a área pouco ocupada do bar tinha um jukebox, algo em que Tru reparou com interesse. Havia também uma lareira com uma bala de canhão na cornija, e a parede em volta estava decorada com motivos marítimos: um antigo leme de madeira, uma homenagem ao Barbanegra, flâmulas náuticas. Enquanto Tru observava o ambiente, uma garçonete de 50 e poucos anos surgiu por duas portas de vaivém com uma bandeja de comida na mão.

– Pode se sentar onde quiser, dentro ou fora – disse ela. – Vou lhe trazer o cardápio.

Como a noite estava linda demais para ser desperdiçada lá dentro, Tru se acomodou numa das mesas de bar junto ao guarda-corpo, de frente para o mar. A lua pairando logo acima do horizonte fazia a água cintilar, e ele ficou mais uma vez impressionado com o contraste entre aquele lugar e o mundo que conhecia, ainda que houvesse semelhanças fundamentais. À noite, a selva se tornava escura e misteriosa, repleta de perigos ocultos; o mar lhe parecia bem similar. Embora ele pudesse nadar durante o dia, o medo de fazê-lo à noite ecoava dentro dele de algum modo elementar.

A garçonete deixou o cardápio em cima da mesa e voltou, apressada, para a cozinha. Do jukebox vinha uma música que ele não reconheceu. Estava acostumado com isso. Muitas vezes, ao viajar com os hóspedes, ouvia-os fazer referência a filmes e programas de televisão dos quais nunca ouvira falar. O mesmo valia para bandas e canções. Conhecia os Beatles – quem não conhecia? – e gostava de tocar suas músicas ao violão, além de um pouco de Bob Dylan, Bob Marley, Johnny Cash, Kris Kristoferson, Eagles e Elvis Presley quando lhe dava vontade. A música do jukebox tinha um refrão fácil de lembrar, embora fosse um pouco carregada demais nos sintetizadores para o seu gosto.

Ele passou os olhos pelo cardápio e ficou agradavelmente surpreso com a seleção de frutos do mar, além dos hambúrgueres e batatas que já esperava. Infelizmente, a maior parte dos frutos do mar era servida frita. Reduziu sua escolha a optar entre um atum grelhado e uma garoupa salteada antes de fechar o cardápio e voltar sua atenção mais uma vez para o mar.

Minutos depois, a garçonete trouxe uma bandeja de bebidas e parou em algumas mesas próximas antes de tornar a sumir lá para dentro sem nem sequer olhar na sua direção. Ele pensou que não fazia mal; não tinha nenhum compromisso e a noite estava apenas começando.

Pressentiu um movimento perto do portão, ergueu os olhos e espantou-se ao ver Hope pisar no deque. Eles provavelmente tinham andado pela praia ao mesmo tempo, e por um instante ele se perguntou se ela o teria visto sair e ido atrás dele. Descartou rapidamente o pensamento, perguntando-se por que lhe ocorrera em primeiro lugar. Virou-se outra vez para o mar, não querendo que ela o surpreendesse olhando-a, mas pegou-se relembrando o encontro daquela manhã.

Era o sorriso, deu-se conta. Tinha gostado muito do jeito como ela sorria.

Hope ficou assombrada ao ver como o lugar parecia ter mudado pouco. Era um dos motivos pelos quais seu pai gostava tanto do Clancy's – ele costumava lhe dizer que, quanto mais o mundo mudava, mais confortável se sentia no Clancy's –, mas ela sabia que ele na verdade gostava de ir lá porque o restaurante servia a melhor torta de limão com merengue do mundo. A mãe de Clancy supostamente havia aperfeiçoado a receita décadas antes e ganhado prêmios em seis feiras estaduais consecutivas, assim como, segundo diziam, inspirado a receita do Marie Callender's, uma cadeia de restaurantes da Califórnia. Fosse qual fosse a verdade, Hope tinha de reconhecer que uma fatia daquela torta muitas vezes era o seu jeito perfeito de encerrar uma noite na praia. Havia algo na mistura de doce e azedinho que era sempre perfeito.

Ela correu os olhos pelo deque. Em todos os anos frequentando aquele lugar, nunca havia comido lá dentro, e não lhe ocorreu fazer isso nessa noite. Perto do guarda-corpo à direita, três das mesas de bar estavam ocupadas; à esquerda havia outras, vazias. Ela partiu automaticamente nessa direção e parou de repente ao reconhecer Tru.

Vê-lo sentado sozinho à mesa a fez se perguntar qual seria o motivo de sua ida a Sunset Beach. Ele havia mencionado não conhecer o homem com quem deveria se encontrar, mas a viagem do Zimbábue era longa, e até ela sabia que Sunset Beach não chegava a ser um destino turístico internacional. Pensou em quem poderia ser importante o suficiente para fazê-lo ir tão longe.

Nesse exato instante, ele a cumprimentou acenando com as mãos. Ela hesitou, pensou *Preciso ao menos dizer oi* e andou em direção à mesa dele. Ao chegar perto, reparou outra vez na pulseira de couro gasta e no modo como a camisa dele estava desabotoada no pescoço; era fácil imaginá-lo indo para a selva vestido exatamente assim.

– Oi, Tru. Não imaginava que fosse encontrar você aqui.

– Nem eu.

Ela esperou ele dizer mais alguma coisa, mas ele não o fez. Em vez disso, encarou-a por um segundo a mais, e ela sentiu uma pontada inesperada de nervosismo. Tru obviamente estava mais à vontade com o silêncio entre eles do que ela, e Hope jogou o rabo de cavalo por cima do ombro para tentar transmitir mais calma do que sentia.

– Como foi o resto do seu dia? – indagou ela.

– Nada de mais. Fui nadar um pouco. E você?

– Comprei comida e fiquei arrumando a casa. Acho que ouvi você tocando violão mais cedo.

– Espero não ter incomodado.

– De jeito nenhum – disse ela. – Gostei do que você tocou.

– Que bom, pois é provável que vá ouvir as mesmas músicas várias vezes.

Ela correu os olhos pelas outras mesas, então meneou a cabeça para o cardápio que ele estava segurando.

– Está esperando há muito tempo?

– Não muito. A garçonete parece ocupada.

– O serviço aqui sempre foi meio devagar. Simpático, mas lento. Assim como tudo o mais nesta parte do mundo.

– Isso tem o seu charme. – Ele indicou a cadeira na sua frente. – Quer me fazer companhia?

Assim que ele fez o convite, ela reconheceu que aquele era um momento decisivo. Oferecer um café a um vizinho depois de ele resgatar seu cachorro era uma coisa; jantar sozinha com ele era outra bem diferente. Espontâneo ou não, aquilo estava com cara de encontro a dois, e ela desconfiou que Tru soubesse exatamente o que estava passando pela sua cabeça. Mas não respondeu na hora. Em vez disso, estudou-o à luz trêmula das tochas. Lembrou-se do passeio e da conversa que tinham tido no seu deque; pensou em Josh, em Las Vegas e na briga cujo resultado fora ela estar sozinha ali na praia.

– Com prazer – respondeu, por fim, percebendo quão sincera estava sendo.

Ele se levantou enquanto ela puxava um banquinho de baixo da mesa e a ajudou a posicioná-lo melhor. Quando ele tornou a se sentar, ela já estava se sentindo uma pessoa totalmente diferente. Pensar no que estava fazendo a deixou levemente balançada, e ela estendeu a mão para o cardápio como se aquilo pudesse lhe devolver o equilíbrio.

– Posso?

– Claro.

Sentindo o olhar dele pousado em si, Hope abriu o cardápio.

– O que vai comer? – perguntou ela, pensando que um pouco de conversa fiada pudesse controlar seu nervosismo.

– Estou entre o atum e a garoupa. Ia perguntar à garçonete qual é melhor, mas talvez você saiba.

– O atum é sempre uma delícia. É o que minha mãe pede quando vem aqui. Eles têm um acordo com alguns dos pescadores da área, então o peixe é fresco todos os dias.

– Será o atum, então – concordou ele.

– É o que eu deveria pedir. Os bolinhos de caranguejo são uma delícia também. Mas são fritos.

– E daí?

– Não fazem bem. Nem para mim nem para as minhas coxas.

– A meu ver, você não tem nada com que se preocupar. É muito bonita.

Ela não respondeu. Sentiu, isso sim, o sangue lhe subir às bochechas e soube que mais uma linha acabara de ser cruzada. Por mais lisonjeada que estivesse, aquele jantar agora decididamente parecia um encontro a dois. Nada no mundo a poderia ter feito prever aquilo, e ela tentou se concentrar no cardápio, mas foi como se as palavras estivessem dançando. Por fim, ela o pousou na mesa.

– Imagino que tenha decidido pedir os bolinhos de caranguejo – observou ele.

– Como você sabe?

– O hábito e a tradição muitas vezes tornam as mudanças difíceis.

A resposta dele a fez pensar num aristocrata inglês sentado numa biblioteca com paredes revestidas de madeira em sua casa de campo – imagem totalmente incongruente com o homem à sua frente.

– Você com certeza tem um jeito especial de falar – comentou, sorrindo.

– Tenho?

– Dá para ver que não é americano.

Ele pareceu achar graça.

– Como vai o Scottie? Ainda andando bem?

– Voltou a ser o levado de sempre. Mas acho que ficou bravo porque eu não o trouxe à praia outra vez. Ou pelo menos desapontado.

– Ele parece mesmo gostar de correr atrás das aves.

– Contanto que não pegue nenhuma. Se pegasse, provavelmente não saberia o que fazer.

A garçonete se aproximou, parecendo menos atarefada do que antes.

– Já decidiram o que gostariam de beber?

Tru olhou para Hope, que meneou á cabeça.

– Acho que estamos prontos para fazer o pedido – disse ele.

Depois de informar à garçonete o que queriam comer, perguntou se o restaurante tinha alguma cerveja da região na pressão.

– Desculpe, meu anjo – respondeu a mulher. – Aqui não tem nada chique nem nada na pressão. Só temos Budweiser, Miller e Coors, mas estão todas supergeladas.

– Então vou provar uma Coors – disse ele.

– E a senhora? – indagou ela, virando-se para Hope.

Fazia anos que ela não bebia cerveja, mas por algum motivo isso lhe pareceu estranhamente atraente nesse momento. E com certeza precisava de algo para aliviar a ansiedade.

– A mesma coisa – respondeu, e a garçonete aquiesceu e os deixou sozinhos.

Hope estendeu a mão para o guardanapo e o pousou no colo.

– Faz tempo que você toca violão? – perguntou.

– Comecei quando estava treinando para ser guia. Um dos homens com quem eu trabalhava costumava tocar violão à noite no nosso acampamento. Ele se ofereceu para me dar umas aulas. O resto eu fui aprendendo ao longo dos anos. Você toca?

– Não. Tive algumas aulas de piano quando criança, mas só. A minha irmã toca.

– Você tem uma irmã?

– Duas – disse ela. – Robin e Joanna.

– E vocês se veem sempre?

Ela fez que sim com a cabeça.

– Nós tentamos. Minha família toda mora em Raleigh, mas hoje em dia é mais difícil reunir todo mundo, a não ser nos feriados e aniversários. Robin e Joanna são casadas e trabalham, os filhos fazem as duas viverem na correria.

– Com meu filho, Andrew, é igual.

A garçonete voltou com as duas garrafas de cerveja em uma bandeja cheia de outras bebidas. Hope inclinou a cabeça, espantada.

– Não sabia que você tinha um filho.

– Dez anos. Por causa da minha escala de trabalho, ele mora com a mãe a maior parte do tempo.

– Sua escala de trabalho?

– Eu trabalho seis semanas direto, depois folgo duas.

– Deve ser difícil para vocês dois.

– Às vezes, sim – concordou ele. – Ao mesmo tempo, ele nunca conheceu algo diferente, então fico dizendo a mim mesmo que está acostumado. E nós nos divertimos muito quando estamos juntos. Ele não gostou quando soube que eu viria passar uma semana aqui.

– Já falou com ele desde que chegou?

– Não, mas pretendo ligar amanhã.

– Como ele é?

– Curioso. Inteligente. Bonito. Bondoso. Mas eu sou suspeito para falar.

Ele sorriu e tomou um gole de cerveja.

– Normal. É o seu filho. Ele também quer ser guia quando crescer?

– Ele diz que sim, e parece gostar de estar na selva tanto quanto eu. Mas, enfim, ele também diz que quer ser piloto de corrida. E veterinário. E, quem sabe, cientista maluco.

Hope sorriu.

– O que você acha?

– Acho que ele vai acabar decidindo sozinho, como todos fazemos. Ser guia significa levar uma vida pouco convencional, e isso não é para qualquer um. Esse também foi um dos motivos pelos quais meu casamento acabou. Kim merecia coisa melhor.

– Pelo visto, você e sua ex se dão bem.

– Nós nos damos, sim. Mas ela é fácil de conviver, e é uma mãe incrível.

Hope estendeu a mão para a cerveja, impressionada com o modo como ele se referia à ex, e pensou que isso dizia tanto sobre ele quanto sobre ela.

– Quando você volta para casa?

– Segunda de manhã. E você, vai embora quando?

– Domingo, em algum momento. Preciso trabalhar na segunda. E a sua reunião, quando é?

– Sábado à tarde. – Ele tomou um gole antes de pousar a garrafa na mesa devagar. – Eu vou ver meu pai.

– Faz tempo que vocês não se veem?

– Vai ser a primeira vez. Segundo a carta que eu recebi, ele se mudou do Zimbábue antes de eu nascer e só ficou sabendo da minha existência faz pouco tempo.

Hope abriu a boca e tornou a fechá-la. Após um instante, falou:

– Não consigo imaginar como deve ser não conhecer o pai. A sua cabeça deve estar a mil.

– Reconheço que é uma situação fora do comum.

Hope balançou a cabeça, ainda tentando processar o que ele acabara de lhe contar.

– Eu não saberia por onde começar essa conversa. Ou mesmo o que perguntar a ele.

– Eu sei. – Pela primeira vez, Tru olhou para o lado. Quando tornou a falar, sua voz quase se perdeu em meio ao barulho das ondas quebrando. – Eu gostaria de perguntar a ele sobre a minha mãe.

Hope não esperava por isso e ficou pensando no que ele estaria querendo dizer. Pensou ter visto um lampejo de tristeza na sua expressão, mas quando ele tornou a encará-la, já tinha sumido.

– Pelo visto, nós dois temos fins de semana memoráveis pela frente – observou ele.

Era evidente que Tru queria mudar de assunto, e, apesar da curiosidade cada vez maior que sentia, Hope se deixou levar.

– Tomara que não chova. Ellen provavelmente iria cair em prantos.

– Você comentou que vai ser madrinha.

– É. E felizmente o vestido é bem bonito.

– O seu vestido?

– As madrinhas usam vestidos iguais, escolhidos pela noiva. E às vezes a noiva não tem um senso de estilo tão bom.

– Você parece estar falando por experiência própria.

– É a oitava vez que eu sou madrinha. – Ela suspirou. – Seis amigas e minhas duas irmãs. Eu devo ter gostado de uns dois vestidos no máximo.

– E o que acontece se você não gostar do vestido?

– Nada. Só que você provavelmente vai odiar as fotos pelo resto da vida. Se algum dia eu me casar, pode ser que escolha vestidos feios só para me vingar de algumas delas.

Ele riu, e ela se deu conta de que gostava do som da risada dele, grave e ressonante, como o começo de um terremoto.

– Você não faria isso.

– Pode ser que eu faça, sim. Um dos vestidos era verde-limão. Com as mangas bufantes. Esse, na verdade, foi o do casamento da minha irmã Robin. Joanna e eu até hoje implicamos com ela por causa disso.

– Ela é casada há quanto tempo?

– Nove anos – respondeu Hope. – Mark, o marido dela, é corretor de seguros, meio caladão, mas muito legal. Eles têm três meninos. Joanna é casada com Jim há sete anos. Ele é advogado, e eles têm duas meninas.

– Vocês parecem ser todos muito próximos.

– Somos, sim – disse ela. – E moramos perto, também. É claro que, dependendo do trânsito, ainda podemos levar vinte minutos para chegar uns nas casas dos outros. Não deve ser nada parecido com o lugar onde você mora.

– As cidades grandes no Zimbábue, como Harare e Bulawayo, também têm problemas de trânsito. Você ficaria espantada.

Ela tentou imaginar essas cidades, mas não conseguiu.

– Fico envergonhada de dizer isso, mas quando penso no Zimbábue tudo que consigo imaginar são aqueles programas sobre vida selvagem da tevê a cabo. Elefantes e girafas, esse tipo de coisa. O que você vê todos os dias. Sei que lá tem cidades, mas qualquer coisa que eu imagine deve estar errada.

– Acho que são como qualquer outra cidade. Têm bairros legais e outros aos quais provavelmente não se deve ir.

– Você sente um choque cultural quando sai da selva e volta para a cidade?

– Todas as vezes. Ainda levo um dia ou dois para me acostumar com o barulho, o trânsito e a quantidade de gente. Acho que parte disso é por eu ter sido criado numa fazenda.

– Sua mãe era fazendeira?

– Meu avô.

– Como um menino criado na fazenda acaba virando guia de safári?

– Essa é uma história longa e complicada.

– Todas as boas histórias em geral são assim. Quer me contar?

Bem na hora em que ela fez a pergunta, a garçonete chegou com os pratos. Tru já tinha terminado a cerveja e pediu uma segunda; Hope seguiu seu exemplo. A comida estava com um cheiro delicioso. Dessa vez a garçonete foi rápida com as bebidas e voltou com as duas cervejas antes mesmo de qualquer um dos dois dar a primeira garfada. Tru ergueu sua garrafa e indicou com o gesto que Hope deveria fazer o mesmo.

– Às noites encantadas – disse ele apenas, antes de brindar.

Talvez tenha sido a formalidade do brinde em meio à informalidade do Clancy's, mas Hope se deu conta de que, em algum momento, seu nervosismo tinha desaparecido sem que ela percebesse. Desconfiava que tivesse a ver com a autenticidade de Tru, e isso reforçou sua impressão de que muitas pessoas no mundo passam a vida desempenhando um papel porque acham que devem, em vez de simplesmente ser quem são.

– Voltando à sua pergunta. Eu não me importo de falar no assunto, mas não sei se é adequado para um jantar. Talvez mais tarde?

– Claro.

Ela deu de ombros. Cortou um pedaço do bolinho de caranguejo e provou. Incrível, como sempre. Reparou que Tru tinha provado o atum e perguntou:

– Que tal?

– Saboroso – respondeu ele. – E o seu?

– Vai ser difícil não comer os dois. Mas preciso entrar no vestido neste fim de semana.

– E ainda por cima o vestido é bonito.

Ela ficou lisonjeada por ele parecer se lembrar de tudo que ela lhe dizia. Durante o jantar, os dois engataram uma conversa repleta de histórias particulares. Ela lhe falou um pouco sobre Ellen e relatou algumas das aventuras ousadas da amiga enquanto abrandava as piores partes do seu passado, como o antigo namorado traficante de drogas. Mencionou também suas outras colegas de sororidade, e a conversa acabou passando para sua família. Ela lhe contou como fora crescer com pais professores, que insistiam em que as filhas aprendessem a organizar o próprio tempo e fazer os deveres de casa sozinhas, sem ajuda nenhuma. Falou sobre praticar corrida cross country e em pista, e expressou admiração pelo modo hábil como seu pai havia conseguido treinar todas as filhas. Lembrou-se de quando assava biscoitos com a mãe. Falou sobre o trabalho, também – a energia frenética dos dias no pronto-socorro, os pacientes e famílias que lhe tocavam o coração. E, embora houvesse momentos em que imagens de Josh surgiram em seus pensamentos, eles foram surpreendentemente poucos e espaçados entre si.

Enquanto Hope e Tru conversavam, as estrelas foram se espalhando devagar pelo céu. As ondas cintilavam sob o luar e uma leve brisa soprou, trazendo o cheiro de maresia. As tochas de bambu tremeluziam com o vento e lançavam uma luz laranja sobre as mesas à medida que outros clientes chegavam e partiam. A noite foi avançando e o ambiente foi ficando mais silencioso, mais íntimo, e as conversas passaram a ser interrompidas apenas por risos discretos e pelas mesmas músicas vindas do jukebox.

Recolhidos os pratos, a garçonete apareceu com duas fatias de torta de limão com merengue, e Tru precisou de uma única garfada para entender que Hope não estava exagerando ao exaltar a qualidade do doce. Enquanto eles se demoravam na sobremesa, ele foi quem mais falou. Contou dos vários acampamentos em que havia trabalhado, falou de seu amigo Romy e do modo como às vezes insistia em que ele tocasse violão ao final de um longo dia. Contou-lhe um pouco mais sobre o divórcio e passou muito tempo falando de Andrew. Pelo tom da voz, Hope pôde ver que ele já estava com saudades, e isso a fez pensar outra vez em quanto desejava ter um filho.

Sentia em Tru certo nível de conforto com quem era e com a vida que escolhera, mas matizado pela genuína incerteza de não saber se era bom o bastante como pai. Imaginava que fosse normal, mas a sinceridade dele em relação a tudo isso pareceu aprofundar a intimidade entre os dois. Ela não estava acostumada com aquilo, especialmente por se tratar de um desconhecido. Mais de uma vez, pegou-se inconscientemente se inclinando por cima da mesa para ouvi-lo melhor, endireitando as costas logo que percebia o que estava fazendo. Mais tarde, quando Tru contou como ficara apavorado assim que eles levaram Andrew do hospital para casa, Hope sentiu por ele uma onda inesperada de afeto. Que ele era um homem bonito não restava dúvida, mas por um instante foi fácil para ela imaginar aquela conversa durante o jantar como o início de uma vida inteira de papos intermináveis entre os dois.

Sentindo-se uma boba, afastou o pensamento. Eles eram vizinhos temporários, nada além disso. Mas a sensação de afeto persistiu e ela teve consciência de ficar mais vermelha do que o normal à medida que a noite avançava.

Quando a conta chegou, Tru a pegou automaticamente. Hope propôs dividirem, mas ele balançou a cabeça e disse apenas:

– Por favor. Eu faço questão.

A essa altura, um bloco de nuvens havia se formado no céu ao leste e escondido parcialmente a lua. Mesmo assim, os dois continuaram a conversar enquanto a última mesa ia embora. Quando finalmente se levantaram, Hope olhou para Tru e se espantou com quão relaxada se sentia. Os dois seguiram até o portão, e ela o observou enquanto o segurava para ela passar. De repente pensou que jantar com Tru era o jeito perfeito de encerrar um dos dias mais surpreendentes da sua vida.

UMA CAMINHADA NO ESCURO

Depois de interagir com milhares de hóspedes ao longo dos anos, Tru tinha se tornado um craque em ler pessoas. Quando Hope alcançou a praia e se virou, ele reparou numa aura de contentamento que estava ausente no primeiro momento em que os dois tinham cruzado olhares no restaurante. Naquela hora, ele havia sentido cautela e incerteza, talvez até preocupação, e embora fosse fácil para ele concluir suas gentilezas iniciais de um modo que não deixasse mágoa alguma de parte a parte, não o fizera. Por algum motivo, desconfiava que jantar sozinha não ajudaria Hope a superar quaisquer que fossem os demônios com os quais ela estivesse lutando.

– Em que está pensando? – quis saber ela, e sua fala arrastada soou melodiosa aos ouvidos de Tru. – Você estava com o olhar perdido.

– Estava pensando na nossa conversa.

– Eu provavelmente falei demais.

– Nem um pouco. – Repetindo o que tinham feito de manhã, eles percorreram a praia lado a lado, agora num ritmo ainda mais relaxado. – Gostei de saber sobre a sua vida.

– Não sei por quê. Não tem nada de emocionante.

Porque estou interessado em você, pensou ele, mas não disse. O que fez, isso sim, foi ir direto ao assunto que ela deixara de mencionar a noite inteira.

– Como é o seu namorado?

Pela expressão dela, Tru soube que a pergunta a havia pego de surpresa.

– Como você sabe que eu tenho namorado?

– Você comentou que o Scottie foi presente dele.

– Ah... ah, é. Eu disse isso, né? – Ela franziu os lábios por um instante. – O que você quer saber?

– O que você quiser falar.

Ela sentiu as sandálias afundarem na areia.

– O nome dele é Josh e ele é cirurgião ortopédico. É inteligente, bem-sucedido e... é um cara legal.

– Há quanto tempo vocês namoram?

– Seis anos.

– Parece sério.

– É – concordou ela, embora aos ouvidos dele tivesse parecido quase como se Hope estivesse tentando convencer a si mesma.

– Imagino que ele virá para o casamento.

Ela deu alguns passos antes de responder.

– Na verdade, não. Ele ia vir, mas em vez disso decidiu ir para Las Vegas com uns amigos. – Ela deu um meio sorriso que deixou transparecer sua infelicidade. – No momento, nós estamos dando um tempo, mas vamos acertar os ponteiros, tenho certeza.

Isso explicava por que ela não tinha dito nada sobre ele no jantar. Mesmo assim...

– Sinto muito por isso. E por puxar o assunto.

Enquanto ela meneava a cabeça, Tru reparou em algo que passou correndo pela areia na sua frente.

– O que foi isso? – perguntou ele.

– Um siri – respondeu Hope, parecendo aliviada pela distração. – À noite eles saem das tocas na areia. Mas são inofensivos.

– Tem muitos deles?

– Entre este ponto da praia e a casa, eu não ficaria espantada se víssemos uns cem.

– Bom saber.

À frente deles estava o píer, perdido e abandonado na escuridão. No mar, Tru reparou nas luzes de uma traineira distante, com uma grande extensão de água negra a separá-la da praia.

– Agora posso lhe fazer uma pergunta pessoal?

– Claro – respondeu ele.

– Por que você quer perguntar ao seu pai sobre a sua mãe? Tem a ver com o motivo pelo qual virou guia?

A perspicácia dela o fez sorrir.

– Na verdade, tem, sim. – Ele enfiou uma das mãos no bolso e se perguntou por onde começar, mas no fim decidiu falar e pronto. – Quero perguntar ao meu pai sobre a minha mãe porque me dei conta de que nunca soube quem ela de fato era. Do que gostava, o que a deixava feliz ou triste, com o que ela sonhava. Eu tinha só 11 anos quando ela morreu.

– Que horror – murmurou ela. – Tão novinho.

– Ela também – retrucou ele. – Ainda era adolescente quando me teve. Se a gravidez tivesse acontecido alguns anos depois, provavelmente teria sido um escândalo maior. Mas foi pouco tempo após a guerra, e ela não foi a única jovem a cair de amores por um ex-soldado quando a guerra acabou. Mais do que isso, nós ficávamos meio que isolados do resto da civilização, por causa do lugar onde morávamos, então supostamente ninguém, fora os trabalhadores da fazenda, soube da minha existência por muito tempo. Meu avô preferiu manter a discrição. As pessoas acabaram descobrindo, mas a essa altura a notícia já era velha. Além do mais, minha mãe ainda era jovem e linda e, sendo filha de um homem rico, era considerada um ótimo partido. Mas, como eu disse, não sinto que a tenha conhecido. O nome dela era Evelyn, mas eu nunca os ouvi falarem nela, nem mesmo dizerem seu nome depois que ela morreu.

– Quem?

– Meu avô. E meu padrasto, Rodney.

– Por que não?

Tru observou outro siri passar correndo.

– Bem... preciso contextualizar um pouco a história para responder direito a essa pergunta. – Ele suspirou enquanto ela o fitava com um ar de expectativa. – Quando eu ainda era pequeno, havia outra fazenda que fazia divisa com a nossa, com muitas terras boas e férteis e acesso fácil à água. Na época, o fumo estava se tornando rapidamente a lavoura mais rentável de se plantar e meu avô estava decidido a controlar o máximo da produção que pudesse. Nos negócios, ele era implacável. O vizinho descobriu exatamente quão implacável ele era quando recusou a proposta do meu avô para comprar sua fazenda e meu avô desviou grande parte da água das terras dele para as suas.

– Isso devia ser ilegal.

– Devia mesmo, mas como meu avô conhecia as pessoas certas no governo, conseguiu se safar. E embora isso tenha tornado as coisas incalculavelmente mais difíceis para o vizinho, o administrador da propriedade dele era uma espécie de gênio. Todos também sabiam que ele estava interessado na minha mãe. Então meu avô um dia acabou fazendo ao administrador uma proposta irrecusável: uma participação na nossa fazenda e a proximidade diária com minha mãe... então ele foi trabalhar para nós. O nome dele era Rodney.

– O mesmo que virou seu padrasto?

Tru aquiesceu.

– Depois da chegada de Rodney, a nossa safra de fumo praticamente dobrou. Ao mesmo tempo, quando a fazenda do vizinho começou a ficar mal das pernas, meu avô lhe ofereceu um empréstimo que ninguém mais teria oferecido. Isso só fez adiar o inevitável, e no fim das contas meu avô confiscou a fazenda por calote, executando a dívida, ou seja, ficou com a propriedade inteira por quase nada. Ele então conduziu a água de volta ao curso original, o que o tornou ainda mais rico do que já era. Tudo isso levou alguns anos, e nesse meio-tempo minha mãe caiu nos encantos de Rodney. Os dois se casaram e tiveram gêmeos... Allen e Alex, meus meios-irmãos. Tudo havia saído exatamente como meu avô e Rodney tinham planejado... mas pouco tempo depois a parte da fazenda onde a nossa família morava pegou fogo. Eu pulei de uma janela do andar de cima e Rodney salvou os gêmeos, mas minha mãe não conseguiu escapar.

Ele a ouviu inspirar.

– Sua mãe morreu num incêndio?

– A polícia desconfiou que tivesse sido criminoso.

– O vizinho – disse ela.

– Esse era o boato. Só chegou aos meus ouvidos alguns anos mais tarde, mas acho que meu avô e Rodney sabiam, e sentiam-se culpados pelo que tinha acontecido. Afinal, eles podem muito bem ter sido indiretamente responsáveis pela morte da minha mãe. Depois disso, foi como se um silêncio tivesse encoberto a lembrança dela, e como nem Rodney nem meu avô pareciam querer ter contato algum comigo, comecei a seguir meu próprio caminho.

– Não posso nem imaginar como foi difícil para você. Deve ter sido uma época extremamente triste e solitária.

– Foi mesmo.

– E o vizinho escapou?

Tru parou para apanhar uma concha parcialmente quebrada, que examinou antes de jogar fora.

– O vizinho morreu num incêndio na casa dele, um ano depois da minha mãe. Na época, eu estava morando num barraco em Harare, totalmente arruinado. Mas só fiquei sabendo anos depois. Meu avô fez um comentário casual numa noite em que tinha bebido. Disse que o homem tinha recebido o que merecia. A essa altura, eu já era guia.

Ele olhou para Hope e a ficou observando enquanto ela juntava as peças.

– Alguém algum dia desconfiou do seu avô?

– Tenho certeza que sim. Mas, na Rodésia, quem era branco e rico podia comprar a justiça. Talvez não tanto hoje em dia, mas na época, sim. Meu avô morreu como um homem livre. Hoje em dia quem administra a fazenda são Rodney e meus meios-irmãos, e eu mantenho a maior distância possível deles.

Ele viu Hope balançar a cabeça, tentando assimilar tudo aquilo.

– Caramba – disse ela. – Acho que nunca escutei uma história assim... Dá para entender por que você saiu de casa. E por que não me contou antes. É muita coisa para pensar.

– É, mesmo – concordou ele.

– Tem certeza de que o homem que vai encontrar neste fim de semana é mesmo seu pai?

– Não, mas acho que existe uma boa chance de ser.

Ele lhe contou sobre a carta e a fotografia que recebera junto com as passagens de avião.

– A mulher na foto se parece com a sua mãe?

– Pelo que consigo me lembrar, sim... mas acho que não posso ter cem por cento de certeza. Todas as fotografias dela se perderam no incêndio, e eu não quero perguntar a Rodney.

Ela o avaliou com cuidado, sentindo um respeito renovado.

– Você teve uma vida difícil.

– Sob certos aspectos. – Ele deu de ombros. – Mas também tenho Andrew.

– Alguma vez já pensou em ter outro filho? Quando era casado?

– Kim queria ter outros, mas eu acabei pegando sarampo e fiquei estéril, então não podia mais.

– Isso contribuiu para o divórcio?

Ele fez que não com a cabeça.

– Não. Nós éramos muito diferentes, só isso. Provavelmente nem deveríamos ter casado, mas ela estava grávida, e eu sabia como era crescer sem pai. Não queria isso para o Andrew.

– Sei que você falou que não se lembra muito da sua mãe, mas tem algo de que se lembre?

– Eu me lembro que ela costumava se sentar na varanda atrás da casa e ficar desenhando. Mas o único motivo pelo qual me lembro disso é que eu também comecei a desenhar não muito depois de ela morrer.

– Você desenha?

– Quando não estou tocando violão.

– Seus desenhos são bons?

– Andrew gosta.

– Você trouxe algum para cá?

– Comecei um hoje de manhã. Tenho outros no meu caderno também.

– Eu gostaria de ver. Se você não se importar.

O píer agora já tinha ficado bem para trás, e eles estavam se aproximando tanto do chalé quanto da casa em que Tru estava hospedado. Ao seu lado, Hope tinha ficado calada, e ele sabia que ela estava digerindo tudo que havia lhe contado. Não era do seu feitio se abrir daquele jeito; ele em geral revelava pouco sobre o seu passado, e se perguntou por que aquela noite o tinha deixado tão falante.

No fundo, porém, já sabia que a sua reação tinha tudo a ver com a mulher que caminhava ao seu lado. Quando eles chegaram à escadinha que levava à passarela do chalé, deu-se conta de que havia desejado que ela soubesse quem ele realmente era, talvez por sentir que já a conhecia.

Depois de tudo que ele havia lhe contado sobre a sua criação, não parecia certo encerrar a conversa de modo tão abrupto. Ela fez um gesto em direção ao chalé.

– Quer subir para uma taça de vinho? A noite está muito bonita e eu estava pensando em sentar um pouco no deque de trás.

– Uma taça de vinho parece ótimo – respondeu ele.

Hope seguiu na frente e, quando eles chegaram ao deque, ela apontou para um par de cadeiras de balanço perto da janela.

– Tudo bem se for um Chardonnay? Abri uma garrafa hoje mais cedo.

– Qualquer coisa está bom.

– Volto em um minuto – disse ela.

O que estou fazendo, perguntou-se ao entrar e deixar uma fresta da porta aberta. Nunca em toda a sua vida ela havia convidado um homem para tomar uma saideira na casa dela, e esperava não estar emitindo sinais contraditórios nem deixando Tru com a impressão errada. Pensar no que *ele* poderia estar pensando a deixou com uma tontura inusitada.

Scottie a tinha seguido para dentro de casa e estava ansioso para recebê-la, abanando o rabo. Ela se abaixou para afagá-lo.

– Não é tão grave assim, certo? – sussurrou ela. – Ele sabe que eu só estou sendo simpática com um vizinho, não sabe? E, afinal de contas, eu não o convidei para entrar. – Scottie a encarou com olhos sonolentos. – Você não está ajudando.

Ela tirou do armário duas taças e serviu o vinho, enchendo-as até a metade. Pensou em acender as luzes do deque, mas concluiu que ficaria claro demais. Velas seria perfeito, mas isso decididamente daria uma impressão errada. O que fez foi acender a luz da cozinha, cuja claridade vazou para o deque. Melhor assim.

Com as taças na mão, ela abriu a porta com o pé. Scottie saiu correndo na frente e foi até o portão, pronto para descer para a praia.

– Agora não, Scottie. Amanhã nós vamos, tá?

Scottie a ignorou – como de hábito – enquanto ela ia até as cadeiras de balanço. Quando ela passou a taça para Tru, seus dedos roçaram os dele, fazendo um pequeno calafrio subir pelo seu braço.

– Obrigado – disse ele.

– De nada – murmurou ela, ainda sentindo os efeitos do toque.

Hope se sentou e Scottie continuou junto ao portão, como para lhe lembrar de seu verdadeiro propósito na vida. Ela ficou grata pela distração.

– Eu já disse que amanhã nós vamos. Por que você não vai se deitar?

Scottie continuou a encará-la, abanando o rabo, cheio de expectativa.

– Eu acho que ele não me entende – disse ela para Tru. – Ou isso ou está tentando me fazer mudar de ideia.

Tru sorriu.

– Ele é fofo.

– Menos quando foge e é atropelado. Não é, Scottie?

O cachorro abanou o rabo com mais força ao ouvir seu nome.

– Eu já tive um cachorro – disse Tru. – Não durou muito, mas enquanto ele esteve comigo era uma boa companhia.

– O que houve com ele?

– Você provavelmente não vai querer saber.

– Fale logo.

– Foi comido por um leopardo. Encontrei os restos dele nos galhos de uma árvore.

Ela o encarou.

– Tem razão. Eu não queria saber.

– Mundos diferentes.

– Diferentes mesmo – retrucou ela e balançou a cabeça, achando graça.

Os dois passaram muito tempo apenas tomando vinho, sem dizer nada, nem um nem outro. Uma mariposa pôs-se a dançar junto à janela da cozinha; uma biruta tremulou à brisa leve. Ondas batiam na praia e produziam um som que era como seixos sacudidos dentro de um vidro. Embora Tru mantivesse os olhos no mar, Hope teve a sensação de que ele a estava observando também. Seus olhos pareciam reparar em tudo, pensou ela.

– Você vai sentir falta daqui? – perguntou ele por fim.

– Como assim?

– Quando seus pais venderem o chalé. Eu vi a placa lá na frente quando o carro me deixou aqui ontem.

É claro que viu.

– Vou, vou sentir falta, sim. Acho que todo mundo vai sentir falta de poder vir aqui. O chalé é da família há muito tempo, e eu nunca na vida imaginei que pudesse deixar de ser.

– Por que eles estão vendendo?

Assim que ele perguntou, ela sentiu suas preocupações voltarem à tona.

– Meu pai está doente – respondeu. – Está com ELA. Sabe o que é? – Quando Tru fez que não com a cabeça, ela explicou, acrescentando que o governo e o seguro-saúde só cobririam parte das despesas. – Eles estão vendendo o que dá, assim vão ter dinheiro para adaptar a casa ou pagar o *home care.*

Ela girou o copo entre os dedos antes de prosseguir.

– A pior parte é a incerteza... Temo pela minha mãe. Não sei o que ela vai fazer sem o meu pai. No momento, parece estar fingindo não haver absolutamente nada de errado com ele, mas fico preocupada que isso piore ainda mais as coisas para ela depois. Meu pai, por sua vez, parece em paz com o diagnóstico, mas, vai ver, também está só fingindo, para todas nós nos sentirmos melhor em relação ao assunto. Às vezes, parece que eu sou a única que está preocupada.

Tru não disse nada. Em vez disso, se recostou na cadeira de balanço para observá-la.

– Você está pensando no que eu falei – arriscou Hope.

– É – reconheceu ele.

– E?

A voz dele saiu baixa:

– Eu sei que é difícil, mas ficar preocupada não ajuda ninguém, nem eles nem você. Winston Churchill certa vez descreveu a preocupação como um filete de medo que percorre a mente e que, se for encorajado, abre um sulco pelo qual todos os outros pensamentos são drenados.

Ela ficou impressionada.

– Churchill?

– Um dos heróis do meu avô. Ele vivia citando Churchill. Mas isso é verdade.

– É assim que você é com o Andrew? Despreocupado?

– Você sabe que não.

Mesmo sem querer, ela riu.

– Pelo menos você é sincero.

– Às vezes, é mais fácil ser sincero com desconhecidos.

Ela sabia que ele estava falando tanto dela quanto de si mesmo. Olhou para trás dele, em direção à praia, e reparou que todas as outras casas estavam às escuras, como se Sunset Beach fosse uma cidade fantasma. Tomou um gole de vinho e sentiu uma paz percorrer seus braços e pernas e se irradiar para fora como o brilho de um lampião.

– Posso ver por que você vai sentir falta disto aqui – disse ele no silêncio. – É bem tranquilo.

Ela sentiu a mente voltar para o passado.

– Nossa família costumava passar a maioria dos verões aqui. Quando éramos pequenas, minhas irmãs e eu ficávamos quase o tempo inteiro no mar. Aprendi a surfar ali, perto do píer. Nunca cheguei a ser muito boa, mas me virava. Passava horas flutuando no mar à espera das ondas. E vi algumas coisas incríveis... tubarões, golfinhos, até uma ou duas baleias. Nenhum deles muito de perto, mas uma vez, quando tinha mais ou menos uns 12 anos, algo assim, vi o que pensei ser uma tora de madeira flutuando. Até ela levantar a cabeça a poucos metros de mim. Vi um rosto de bicho, bigodes, e meu corpo inteiro gelou. Fiquei aterrorizada demais até para gritar, porque não sabia havia quanto tempo aquilo estava ali nem o que era. Parecia um hipopótamo ou, quem sabe, uma morsa. Mas quando vi que não tinha a intenção de me machucar, simplesmente comecei a... observar. Cheguei a remar para continuar perto dele. No fim das contas, devo ter ficado umas duas horas ali. Essa ainda é uma das coisas mais incríveis que já me aconteceram.

91

– E o que era?

– Um peixe-boi. Eles são bem mais comuns na Flórida. De vez em quando aparece um neste litoral, mas eu nunca mais vi outro. Minha irmã Robin até hoje não acredita em mim. Diz que eu inventei isso para chamar atenção.

Tru sorriu.

– Eu acredito em você. E gosto dessa história.

– Imaginei que fosse gostar. Já que ela envolve um animal. Mas tem outra coisa bem legal que você deveria ver enquanto está aqui. Antes que chova.

– O que é?

– Amanhã você deveria ir visitar a Almas Gêmeas. Fica depois do píer, na outra ilha, mas na maré baixa dá para ir a pé. Quando avistar uma bandeira americana, comece a andar em direção às dunas. Não dá para não ver.

– Ainda não sei muito bem do que se trata.

– É melhor se for surpresa. Você vai saber o que fazer.

– Não estou entendendo.

– Mas vai entender.

Ela pôde ver, pela expressão dele, que havia despertado sua curiosidade.

– Eu estava pretendendo ir pescar amanhã. Quer dizer, se conseguir arrumar umas iscas.

– Devem vender iscas lá na lojinha do píer, mas você pode fazer as duas coisas – garantiu-lhe ela. – Acho que a maré baixa é lá pelas quatro da tarde.

– Vou pensar. E você, o que vai fazer amanhã?

– Cabelo e unha para o casamento. E quero comprar um sapato novo. Coisas de menina.

Ele aquiesceu antes de tomar mais um gole de vinho, e uma nova onda de calma singela os envolveu. Eles passaram um tempinho se balançando numa sincronia descontraída, admirando o magnífico céu noturno. Quando ela se pegou disfarçando um bocejo, porém, soube que estava na hora de ele ir. A essa altura, o vinho já tinha acabado, e mais uma vez ele pareceu saber exatamente o que ela estava pensando.

– Acho que é melhor eu ir – disse ele. – Foi um longo dia. Obrigado pelo vinho.

Ela sabia que era a coisa certa a fazer, mas mesmo assim sentiu uma leve pontada de decepção.

– Obrigada pelo jantar.

Ele lhe entregou a taça e andou até o portão. Ela pousou as duas taças na mesa e o seguiu. No portão, ele parou e se virou. Ela quase pôde sentir a energia que emanava dele, mas quando ele falou, sua voz era suave.

– Você é uma mulher incrível, Hope – disse ele. – E eu sei que as coisas vão se acertar entre você e Josh. Ele é um homem de sorte.

As palavras a pegaram desprevenida, mas ela sabia que ele estava querendo ser gentil, sem julgamento nem expectativa.

– Nós vamos ficar bem, tenho certeza – falou, tanto para si mesma quanto para ele.

Ele abriu o portão e começou a descer a escada. Hope foi atrás e parou na metade. Cruzou os braços e ficou olhando ele chegar à passarela e seguir em direção à praia. Depois de percorrer um quarto do caminho, ele se virou e acenou. Ela acenou de volta, e quando ele estava um pouco mais longe ela finalmente tornou a subir para o deque. Pegou as taças e as levou para a pia antes de seguir para o quarto.

Tirou a roupa e ficou em pé diante do espelho. A primeira coisa que pensou foi que precisava mesmo perder uns quilinhos, mas no geral estava satisfeita com a própria aparência. É claro que seria ótimo ter o tipo de corpo esguio que enfeitava as revistas de boa forma, mas aquele simplesmente não era o seu biotipo nem nunca tinha sido. Mesmo quando menina, ela sempre se pegara desejando ter alguns centímetros a mais ou pelo menos a estatura de uma das irmãs.

No entanto, ao encarar seu reflexo, pensou no jeito com que Tru havia olhado para ela, no seu interesse em tudo que ela dizia, nos elogios que fizera à sua aparência. Sentia falta de saborear a óbvia atração de um homem, sem reconhecer nisso um simples prelúdio ao sexo. Ao mesmo tempo que tentava organizar os pensamentos, soube que era perigoso pensar assim.

Virou as costas para o espelho e foi até o banheiro para lavar o rosto.

Depois de tirar o elástico que usara para prender o rabo de cavalo, passou uma escova nos cabelos para que não amanhecessem embaraçados. Foi até a mala e pegou um pijama, então hesitou. Tornou a jogar o pijama dentro da mala, foi até o armário e pegou um segundo cobertor.

Detestava sentir frio à noite, e, ao se enfiar nua debaixo das cobertas, fechou os olhos, sentindo-se sexy e estranhamente contente.

NASCER DO SOL E SURPRESAS

Na manhã seguinte, Tru passou tranquilamente pelo chalé de Hope com uma vara em cima do ombro, levando a caixa de pescaria. Olhou para a casa e reparou que a tinta havia começado a descascar em vários pontos da fachada azul e que alguns dos guarda-corpos estavam apodrecendo, mas tornou a pensar que tinha mais a ver com ele do que o lugar em que estava hospedado. Era definitivamente uma casa grande e moderna demais, e ele ainda não tinha descoberto como usar a cafeteira. Teria sido legal conseguir uma xícara que fosse, mas supunha que simplesmente não era para acontecer.

Fazia uma hora que o sol havia nascido, e ele se perguntou se Hope estaria acordada. Com a claridade da manhã, era impossível detectar se havia alguma luz acesa, mas não havia sinal dela no deque. Ele pensou no namorado e balançou a cabeça, perguntando-se o que o sujeito estava pensando. Apesar de quase uma vida toda na selva, até ele sabia que a presença do namorado era praticamente obrigatória no casamento de uma grande amiga. Pouco importava como o casal estivesse se entendendo na ocasião – ou mesmo que estivessem dando um tempo, como ela dissera.

Involuntariamente, pegou-se imaginando qual seria a aparência de Hope pela manhã, antes de ela se preparar para o dia. Mesmo descabelada e com os olhos inchados, ela ainda seria linda. Algumas coisas eram simplesmente impossíveis de esconder. Quando ela sorria, iluminava-se inteira com uma luz suave, e era fácil se deixar seduzir por aquele sotaque dela. Havia nele algo de manso e cadenciado, como uma canção de ninar, e quando ela contou a história de Ellen e do peixe-boi ele tivera a sensação de que poderia ficar escutando para sempre.

Apesar do céu nublado, a manhã estava mais quente do que na véspera e a umidade havia aumentado. A brisa também estava mais forte – e tudo isso indicava que Hope tinha razão quanto à possibilidade de chuva no fim de semana. No Zimbábue, nos dias que antecediam a chuva, o ar ficava carregado de um jeito bem parecido.

Já havia uns poucos homens pescando no píer quando ele começou a avançar em direção à escada, e Tru observou um deles começar a puxar alguma coisa. Estava longe demais para distinguir qualquer detalhe, mas interpretou aquilo como um bom sinal. Duvidava que fosse ficar com alguma coisa que pescasse; a geladeira já tinha bastante comida. Tampouco estava com disposição para limpar um peixe, principalmente considerando que a faca na caixa de pescaria parecia estar cega. Mas pescar era sempre uma emoção.

Ele entrou na lojinha e viu prateleiras repletas de salgadinhos e bebidas abarrotando os corredores centrais; junto à parede dos fundos havia uma estufa com pratos quentes. Materiais de pesca variados estavam apoiados em suportes e pendurados em ganchos. Perto da porta havia um cooler com uma plaquinha anunciando iscas. Tru pegou alguns camarões e os levou até o caixa. Pagou também a taxa para pescar no píer e, após receber seu troco, saiu, passou por um telefone público e foi andando pelo píer. Apesar do céu nublado, o sol havia saído por um instante e se refletia com força na água.

A maioria dos pescadores estava aglomerada perto do final do píer, e, supondo que devessem saber mais do que ele, decidiu ocupar um lugar ali perto. Ao contrário da caixa de pescaria, a vara estava quase nova, e após colocar a isca e o lastro ele lançou o anzol na água.

No canto do píer, um rádio tocava uma música country. Por estranho que pudesse parecer, Andrew era fã de Garth Brooks e George Strait, embora Tru não fizesse a menor ideia de como o filho tinha descoberto tais cantores. Ao ouvir o menino mencionar seus nomes alguns meses antes, Tru o havia encarado sem entender nada, e nessa hora Andrew insistira em que ele escutasse "Friends in Low Places".

Ele tinha de confessar que a música era um chiclete, mas nada poderia abalar sua lealdade aos Beatles.

Conscientemente ou não, ele havia escolhido o lado do píer que lhe permitia ver ao longe o chalé de Hope. Ficou pensando no jantar e no passeio, e se deu conta de que ela o deixara à vontade a noite inteira. E quanto à atração inebriante que tinham um pelo outro, com Kim ele raramente se sentira assim. Ao contrário, tinha com frequência a sensação de a estar decepcionando. E muito embora os dois agora fossem amigos, havia momentos em que ele ainda sentia que a decepcionava, sobretudo em se tratando do tempo que passava com Andrew.

Ele também gostara do modo como Hope tinha falado das amigas e da família. Era óbvio que gostava genuinamente de todos eles. Ela não era apenas simpática; também possuía uma empatia natural, e Tru considerava raro encontrar pessoas assim. Sentira isso até quando eles falaram sobre Andrew.

Ao pensar no filho, desejou ter adiado aquela viagem, considerando que só iria encontrar o pai no sábado à tarde. Era estranho ele não ter ligado para explicar, mas isso só irritava Tru por causa de Andrew. Ele havia acordado de manhã com saudade do filho, e decidiu ligar para Andrew do telefone público pelo qual havia passado. Teria de ser uma ligação a cobrar – a tarifa seria substancial, mas Kim o deixaria reembolsá-la quando voltasse. Com a diferença de fuso, e sabendo que Andrew estava na escola e tinha dever de casa, ele calculou que ainda precisaria esperar umas duas horas. Já estava ansioso pelo voo de volta na segunda-feira.

A não ser...

Ergueu os olhos outra vez para o chalé de Hope e sorriu ao vê-la seguindo Scottie enquanto o cão descia a passarela e em seguida a escada. Na praia, ela se abaixou para soltá-lo da guia, e Scottie saiu correndo. Não havia gaivotas por perto, mas ele iria encontrá-las; disso Tru não tinha dúvida. Ao observá-la, perguntou-se se Hope estaria pensando nele e torceu para ela ter gostado tanto quanto ele da noite anterior.

Ela foi se afastando mais do píer a cada passo, sua imagem ficando menor. Mesmo assim ele continuou olhando até perceber um leve movimento na linha. Ao sentir um puxão, empurrou a ponta da vara para cima, fincando o anzol, e na mesma hora o puxão na linha ficou mais forte. Ele baixou a ponta da vara e começou a girar a carretilha, deixando a linha com tensão suficiente, e mais uma vez ficou espantado ao constatar a força que os peixes tinham, independentemente do tamanho. Eram puro músculo. Sabendo, contudo, que o animal acabaria se cansando, continuou no jogo.

Sempre girando a carretilha, viu emergir da superfície um peixe de aspecto estranho. Puxou-o para cima do píer sem a menor ideia do que poderia ser. Era chato e ovalado, com dois olhos no dorso. Usando a ponta da bota para impedi-lo de pular, pegou uma luva e um alicate na caixa e começou a remover o anzol tentando não machucar a boca do animal. Enquanto o fazia, ouviu uma voz ao seu lado.

– Um senhor linguado. E grande o suficiente para ficar com ele.

Tru ergueu os olhos e viu um homem mais velho, usando boné e uma roupa vários tamanhos maior do que deveria. No lugar de seus dentes da frente havia um buraco, e o sotaque, bem mais carregado que o de Hope, era difícil de entender.

– É esse o nome desse peixe?

– Não vá me dizer que nunca viu um linguado.

– É o primeiro.

O homem estreitou os olhos para ele.

– De onde você é?

Perguntando-se se ele já teria ouvido falar no Zimbábue, Tru respondeu apenas:

– Da África.

– Da África! Você não parece da África.

A essa altura, Tru tinha conseguido soltar o anzol e, largando o alicate, segurou o peixe e estava a ponto de jogá-lo no mar quando ouviu o homem falar outra vez.

– O que está fazendo?

– Eu ia soltar o peixe.

– Posso ficar com ele? Não tive muita sorte nem ontem nem hoje de manhã. Eu com certeza gostaria de um linguado no jantar.

Tru pensou um pouço, então deu de ombros.

98

– Claro.

O homem estendeu a mão, pegou o peixe e atravessou o píer até o outro lado, onde o fez desaparecer dentro de um cooler.

– Obrigado – disse ele.

– De nada.

Tru aprontou o anzol de novo e lançou a linha uma segunda vez. A essa altura, Hope já não passava de um borrão distante.

Mesmo assim, ele continuava sendo capaz de reconhecê-la e passou um longo tempo sem conseguir tirar os olhos dela.

Hope ficou de olho em Scottie e o chamava para perto sempre que ele se aproximava da duna, embora o cão nunca parecesse escutar. Esperar que Scottie de uma hora para outra começasse a obedecê-la era inútil. É claro que isso se encaixava perfeitamente na manhã que estava tendo.

Logo depois de acordar, ela havia escutado o telefone tocar na cozinha. Tivera de se enrolar no cobertor e dera uma topada na quina ao correr para atendê-lo. Pensara que pudesse ser Josh, mas lembrou-se da diferença de fuso no mesmo instante em que ouviu Ellen chorando no outro lado da linha. Soluçando, na verdade; no início, não teve a menor ideia do que a amiga estava tentando lhe dizer. Ellen mal conseguia articular algumas palavras engasgadas aqui e ali. Primeiro Hope pensou que o casamento tivesse sido cancelado, e foi preciso algum tempo para decifrar que Ellen estava chorando por causa da previsão do tempo. Entre um soluço e outro, a amiga lhe informou que a previsão era que começasse a chover mais tarde naquele mesmo dia e que praticamente com certeza haveria temporais no fim de semana.

Hope achou aquela reação um tiquinho exagerada, mas, independentemente do que dissesse, Ellen continuou inconsolável. Não que Hope tenha tido oportunidade de dizer grande coisa. O telefonema consistiu mais em escutar um monólogo choroso de 40 minutos sobre como a vida era injusta. À medida que sua amiga falava, Hope se apoiou na bancada com as pernas cruzadas, o dedão ainda a latejar, e se perguntou, distraída, se Ellen perceberia se ela largasse o fone para ir ao banheiro. Precisava muito, muito mesmo fazer xixi e, quando finalmente conseguiu encerrar a ligação, teve de largar o cobertor e sair mancando o mais depressa que pôde.

Depois disso, como se alguma deidade estivesse de implicância tanto com Tru quanto com ela, sua cafeteira começou a dar defeito. A luz acendeu, mas a água não esquentava, e Hope cogitou ferver um pouco no fogão e passar o café manualmente. A essa altura, porém, Scottie já estava na porta, e ela sabia que, se não saísse com ele logo, teria sujeira para limpar. Então vestiu uma roupa qualquer e levou o cachorro até a praia na esperança de salvar a manhã com um passeio relaxante. Só que Scottie tornou isso impossível. Em duas ocasiões distintas, subiu correndo até o alto da duna pela passarela de outra pessoa – quer na intenção de encontrar aquele gato outra vez ou tentando de propósito fazê-la enfartar – e ela teve de correr atrás dele. Pensou que poderia tornar a prendê-lo à guia, mas Scottie provavelmente iria se revezar entre tentar arrancar seu braço e ficar emburrado, e ela não estava com disposição para nenhuma das duas coisas.

Apesar de tudo isso...

Enquanto estava no telefone, tinha visto Tru passar por sua casa a caminho do píer com seus apetrechos de pesca, e não pôde evitar sorrir. Ainda achava difícil acreditar que houvesse de fato jantado com ele. Tornou a pensar na conversa que tiveram... Tinha ficado surpresa com quão agradável fora a noite e com a facilidade com que os dois pareciam se entender.

Pensou se ele iria seguir seu conselho e visitar a Almas Gêmeas depois da pescaria. Com a chuva que estava a caminho, no dia seguinte decerto já não daria para ir lá, mas isso valia para ela também. Depois dos seus compromissos, achava que talvez sobrasse um tempinho para dar uma passada na caixa de correio, e enquanto passeava na praia tomou a decisão de fazer exatamente isso.

Mas precisava ir logo senão chegaria atrasada. Tinha hora no cabeleireiro em Wilmington às nove e pedicure às onze. Queria ver também se conseguia encontrar um sapato adequado para usar no casamento – o escarpim bordô que Ellen tinha escolhido para as madrinhas machucava demais seu pé e ela decidira que não tinha como passar a noite inteira sofrendo. O trânsito provavelmente estaria ruim, e ela interrompeu o passeio e chamou Scottie antes de dar meia-volta. Não muito depois disso, o cachorro passou zunindo por ela com a língua de fora. Ao observá-lo correr, ela relanceou os olhos em direção ao píer. Podia ver um grupo de pessoas reunidas, mas eram apenas sombras. Perguntou-se se Tru estaria com sorte.

De volta ao chalé, limpou Scottie com uma toalha e tomou uma ducha rápida. Em seguida vestiu uma calça jeans, uma blusa e calçou um par de sandálias. Estava usando praticamente a mesma roupa que usara no dia anterior, mas ao se olhar no espelho não pôde deixar de sentir que parecia diferente – mais bonita, quem sabe, ou até mais desejável – e entendeu que estava se vendo como um desconhecido poderia vê-la. Do jeito que Tru a vira na noite anterior, quando estavam os dois sentados à mesa, um de frente para o outro.

Essa compreensão trouxe outra decisão. Hope vasculhou a gaveta debaixo do telefone e encontrou tudo de que precisava. Depois de rabiscar o recado, saiu pela porta dos fundos e desceu até a praia. Subindo a escada e usando a passarela da casa vizinha, pregou o bilhete com uma tachinha junto ao trinco do portão, onde Tru não poderia deixar de encontrá-lo.

Voltou pelo mesmo caminho e pegou a bolsa antes de sair pela porta. Ao entrar no carro, respirou fundo e se perguntou o que iria acontecer a seguir.

Tru não entendeu ao certo o que Hope estava fazendo.

Viu-a surgir no deque de trás, talvez uns 40 minutos após voltar do passeio com Scottie, e então seguir rumo à casa onde ele estava hospedado. Sentiu uma pontada de decepção ao pensar que ela tinha ido visitá-lo quando ele não estava, mas ela parou no portão. Ele supôs que talvez estivesse indecisa quanto a seguir ou não até a porta dos fundos, mas ela se demorou apenas alguns segundos ali antes de voltar por onde tinha ido e desaparecer dentro do chalé dos pais. Ele não a viu mais desde então.

Estranho.

Continuou pensando nela. Teria sido fácil atribuir seus sentimentos a uma paixonite, ou, quem sabe, desespero. Kim sem dúvida concordaria com isso. Desde o divórcio, a ex volta e meia lhe perguntava se ele havia conhecido alguém. Quando ele respondia que não, ela sugeria, brincando, que ele estava tão enferrujado que decerto iria se apaixonar perdidamente pela primeira mulher que olhasse para ele.

Não era isso que estava acontecendo ali. Ele não estava com uma paixonite por Hope, tampouco desesperado, mas reconhecia que a achava fascinante. Por ironia, isso tinha um pouco a ver com Kim. Logo no começo, percebera que Kim sabia exatamente quão atraente era e que havia passado a vida inteira aprendendo a usar isso a seu favor. Hope parecia ser o contrário, muito embora fosse tão linda quanto Kim, e isso o tocava do mesmo modo intuitivo que quando terminava um desenho e pensava: *É exatamente assim que tem de ser.*

Sabia que não era adequado pensar essas coisas, nem que fosse pelo fato de que nada de bom poderia sair dali. Não apenas ele iria embora na segunda-feira, como Hope voltaria para sua vida no domingo, vida essa que incluía o homem com quem pensava em se casar, mesmo que no momento eles estivessem tendo dificuldades. Além do mais, com a programação de seus respectivos fins de semana, ele nem tinha certeza de que tornaria a vê-la.

Sentindo outro puxão na linha, voltou a atenção para a pescaria, calculou o tempo certinho e cravou o anzol. Após uma luta que o surpreendeu, acabou puxando um peixe diferente do linguado, mas que mesmo assim não reconheceu. O homem mais velho de boné tornou a se aproximar e o observou remover o anzol.

– Uma senhora betara – comentou.

– Betara?

– É, betara. Ou papa-terra. Esse daí também é grande o suficiente para ficar com ele. Com certeza seria ótimo de cozinhar. Digo, se você estiver planejando soltar.

Tru lhe entregou o peixe e o viu desaparecer dentro do cooler, como o primeiro.

Não teve muita sorte no resto da manhã, mas a essa altura já estava na hora de ligar para Andrew. Juntou suas coisas, passou na lojinha para trocar o dinheiro e então foi até o telefone público. Precisou de meio minuto e muitas moedas para conseguir falar com uma telefonista internacional, mas depois de algum tempo ouviu os toques conhecidos quando a ligação foi completada.

Ao atender, Kim aceitou a ligação a cobrar e Andrew entrou na linha. O filho fez mil perguntas sobre os Estados Unidos, a maioria relacionada a diversos filmes que vira. Pareceu decepcionado ao ouvir que não havia tiroteios constantes nas ruas nem pessoas de chapéu de caubói ou astros do cinema a cada esquina. Depois disso, a conversa passou para assuntos mais normais, e Tru ficou ouvindo Andrew lhe contar o que havia feito nos últimos dias. O som da voz do menino fez seu coração ficar apertado ao pensar que meio mundo os separava. Por sua vez, Tru contou ao filho sobre a praia e descreveu os dois peixes que havia pescado; contou-lhe também sobre Scottie e como havia ajudado o cachorro. Eles conversaram mais do que Tru previra – quase 20 minutos – antes de ele ouvir Kim lembrar ao filho que ele ainda tinha que fazer o dever de casa. Ela entrou na linha depois do menino.

– Ele está com saudade de você – falou.

– Eu sei. Também estou com saudade dele.

– Já encontrou seu pai?

– Não – respondeu ele.

Contou-lhe sobre o encontro previsto para o sábado à tarde. Quando ele terminou, Kim pigarreou.

– Que história foi essa que eu escutei sobre um cachorro? Ele foi atropelado?

– Nada sério – disse Tru, e repetiu a história, mas cometeu o erro de se referir a Hope pelo nome, e Kim na mesma hora se interessou.

– Hope?

– É.

– Uma mulher?

– Obviamente.

– Suponho que vocês tenham se dado bem.

– E por que você suporia isso?

– Porque você sabe o nome dela, o que significa que passaram algum tempo conversando. Coisa que você nunca mais fez. Conte sobre ela.

– Não tem muito para contar.

– Vocês saíram?

– Que importância tem isso?

Em vez de responder, Kim riu.

– Não acredito! Você finalmente conhece uma mulher, e nos Estados Unidos, ainda por cima! Ela já veio ao Zimbábue?

– Não...

– Quero saber tudo sobre ela. Em troca, você não precisa me reembolsar a ligação...

Tru conversou com Kim por quase dez minutos, e embora tenha tentado ao máximo minimizar o que estava sentindo por Hope, quase pôde ouvir a ex-mulher sorrir do outro lado. Ao desligar, estava desconcertado com o telefonema, e não se apressou no caminho de volta pela praia. Sob um cinturão de nuvens que estavam ficando cor de chumbo, perguntou-se como Kim podia ter deduzido tanta coisa tão depressa. Ainda que aceitasse a ideia de que ela o conhecia melhor do que ninguém, aquilo lhe pareceu perturbador.

As mulheres eram mesmo misteriosas.

Um pouco depois, quando estava subindo a escada até o deque de trás da casa, levou um susto ao ver um pedaço de papel branco pregado com uma tachinha junto ao trinco. Entendendo que Hope devia ter deixado aquilo para ele – motivo pelo qual fora até a sua casa mais cedo –, retirou a tachinha e leu.

Oi! Vou lá na Almas Gêmeas hoje. Se quiser ir comigo, me encontre na praia às três.

Ele arqueou uma sobrancelha. Misteriosas, decididamente.

Dentro de casa, achou uma caneta e escreveu uma resposta. Lembrando-se de ela ter dito que teria alguns compromissos, saiu pela porta da frente, foi até o chalé e enfiou o bilhete no batente junto à maçaneta da porta da frente dela. Reparou que seu carro não estava em frente ao chalé.

De volta à casa, se exercitou um pouco e foi comer alguma coisa. Quando estava sentado à mesa, olhou pela janela e viu um céu que ia ficando cada vez mais ameaçador. Torceu para a chuva demorar um pouco a cair – ao menos até a noite.

Ellen havia recomendado não só o salão em Wilmington, mas também a cabeleireira, que se chamava Claire. Ao se sentar na cadeira, Hope espiou o reflexo de uma moça com vários brincos nas orelhas, uma coleira de cachorro preta cheia de tachinhas no pescoço e cabelos negros com mechas roxas. Ela estava usando uma calça preta justa. Uma blusa preta sem mangas completava o visual. Em silêncio, Hope se perguntou onde Ellen estava com a cabeça.

Acabou descobrindo que Claire tinha trabalhado em Raleigh antes de se mudar para Wilmington no início do ano, e Ellen era sua cliente fiel. Apesar de ainda não estar segura, fez uma pequena prece e se recostou na cadeira. Após lhe fazer perguntas sobre o comprimento e qual corte ela tinha em mente, Claire começou a tagarelar e não parou mais. Quando Hope deu um arquejo ao ver uns 7 centímetros de cabelo sendo cortados, Claire prometeu que ela iria adorar antes de retomar qualquer que fosse o assunto sobre o qual estava falando.

Hope ficou nervosa durante a transformação, mas depois das luzes, do secador e do penteado, teve de reconhecer que Claire tinha talento. Seus cabelos naturalmente ruivos agora tinham reflexos um pouco mais claros, como se ela houvesse passado a maior parte do verão no sol, e o corte em si parecia emoldurar seu rosto de um jeito que ela jamais imaginara ser possível. Ela deixou uma gorjeta mais do que generosa para Claire na saída e atravessou a rua até o salão da pedicure, abrindo a porta na hora exata para a qual estava marcada. Como a profissional, uma vietnamita de meia-idade, falava pouco inglês, Hope apontou para um tom bordô que iria combinar com o vestido de madrinha e ficou lendo uma revista enquanto a mulher fazia seu pé.

Em seguida, deu uma passada no Walmart para comprar uma cafeteira nova. Escolheu o modelo mais barato. A compra parecia inútil, uma vez que eles iriam vender o chalé, mas uma xícara de café fazia parte do ritual matinal de Hope, e ela imaginou que bastaria embrulhá-la no sábado e dar de presente de casamento para Ellen com um bilhete dizendo que estava levemente usada. *Brincadeira.* Mas esse pensamento a fez rir. Ela então passou algum tempo olhando as lojas próximas e ficou felicíssima ao encontrar um par de sandálias de salto confortáveis que combinavam com o vestido de madrinha. Embora fossem meio caras, ela se sentiu sortuda por achar um modelo adequado assim, de última hora. Também gastou algum dinheiro num par de rasteiras brancas de contas para substituir as já surradas que estava calçando. Entrou na loja de roupas ao lado e passou os olhos pelas araras. Afinal, um pouco de terapia de consumo não fazia mal a ninguém, e acabou comprando um vestido florido de alcinhas que por acaso estava em promoção. Tinha um pequeno decote, a cintura era ajustada e a barra ficava bem acima dos joelhos. Não era o tipo de vestido que ela em geral comprava – para ser sincera, quase nunca comprava vestidos –, mas era alegre e feminino, e ela não conseguiu dizer não, mesmo sem ter a menor ideia de onde ou quando iria usá-lo.

O trajeto de volta foi mais fácil, com menos trânsito e a sorte de uma sequência de sinais verdes. Na rodovia, ela passou por terras cultivadas perto do mar antes de chegar à entrada de Sunset Beach. Em alguns minutos, parou em frente ao chalé. Recolheu as compras, subiu os degraus até a porta da frente e viu um pedaço de papel perto da maçaneta. Soltou-o e reconheceu o bilhete que tinha escrito mais cedo para Tru. A primeira coisa que pensou foi que ele simplesmente havia lhe devolvido o bilhete sem comentário algum, o que a deixou sem entender nada, e só ao virá-lo percebeu que ele havia escrito uma resposta.

Estarei na praia às três. Vai ser ótimo bater papo e conhecer o mistério em torno da Almas Gêmeas; com você como guia, imagino que eu vá ter uma surpresa.

Ela pestanejou e pensou: *O cara sabe escrever um bilhete*. O modo de se expressar lhe pareceu vagamente romântico, o que só fez aumentar o rubor que ela sentiu ao pensar que ele havia mesmo concordado em ir com ela.

Quando abriu a porta, Scottie rodeou suas pernas com o rabo abanando. Ela pegou a cafeteira velha e a jogou no lixo do lado de fora enquanto o cachorro fazia suas necessidades, em seguida instalou a máquina nova no lugar. Pôs as outras sacolas no quarto e, ao verificar o relógio, viu que tinha uma hora para se arrumar. Como os cabelos já estavam prontos, isso significava apenas tirar uma jaqueta leve da mala e deixá-la ao alcance da mão até a hora de sair.

Ou seja, ela não tinha nada a fazer a não ser se revezar entre tentar relaxar no sofá e se levantar regularmente para ir conferir o visual no espelho, inteiramente consciente de como o tempo parecia estar avançando devagar.

UMA CARTA DE AMOR

Faltando dez minutos para as três, Tru saiu da casa e desceu a passarela em direção à praia; observou que a temperatura caíra bastante desde a manhã. O céu estava cinza e um vento constante agitava o mar. A espuma era soprada pela praia, rolando como os montinhos de vegetação dos filmes de faroeste que ele às vezes via na TV quando menino.

Ele ouviu Hope antes de vê-la. Ela estava gritando com Scottie para não puxar com tanta força. Ao vê-la descendo para a praia, reparou que ela havia vestido uma jaqueta leve e que os cabelos ruivos não só estavam mais curtos como pareciam cintilar em determinados pontos. Ficou observando Scottie arrastá-la até ele.

– Oi – disse ela ao chegar perto. – Como foi seu dia?

– Calmo – respondeu Tru, pensando que os olhos normalmente azul-turquesa dela agora refletiam o cinza do céu, o que lhes dava uma qualidade quase etérea. – Fui pescar mais cedo.

– Eu sei. Vi você indo naquela direção hoje de manhã. Teve sorte?

– Um pouco – respondeu ele. – E você? Fez tudo que queria?

– Fiz, mas tenho a sensação de não ter parado desde que acordei.

– Seu cabelo ficou lindo, aliás.

– Obrigada. A cabeleireira cortou mais do que eu achei que cortaria, mas que bom que você me reconheceu mesmo assim. – Ela fechou o zíper da jaqueta antes de se abaixar para soltar a guia de Scottie. – Não acha que vai precisar de um casaco? Está meio friozinho aqui fora e vamos passar um tempo andando.

– Vou ficar bem.

– Deve ser todo esse sangue do Zimbábue circulando nas suas veias.

Assim que foi solto, Scottie saiu correndo, fazendo a areia voar com as patas. Hope e Tru começaram a caminhar atrás dele.

– Sei que você deve estar achando que ele está fora de controle – disse ela. – Mas eu o levei para fazer aulas de adestramento. Só é teimoso demais para aprender.

– Se você diz, deve ser mesmo.

– Não acredita em mim?

– Por que não acreditaria?

– Não sei. Estou pensando que você talvez ache que sou frouxa com meu cachorro.

– Não sei se há um jeito seguro de responder a esse comentário.

Ela riu.

– Provavelmente não. Conseguiu falar com o Andrew?

– Consegui. Mas tenho quase certeza de que estou com mais saudades dele do que ele de mim.

– Acho que isso é típico das crianças, não? Toda vez que eu ia para a colônia de férias, me divertia tanto que nem tinha tempo de pensar nos meus pais.

– Bom saber – disse ele. Então olhou para ela. – Você já pensou em ter filhos?

– Penso nisso o tempo todo – confessou Hope. – Não consigo imaginar não ter filhos.

– Sério?

– Acho que eu simplesmente sou do tipo que acredita em toda essa coisa de casamento e família. Quer dizer, eu gosto do meu trabalho, mas para mim o importante na vida não é isso. Lembro quando minha irmã teve a primeira filha e me deixou segurar a neném no colo, e eu simplesmente... derreti. Como se tivesse descoberto meu objetivo na vida. Mas, pensando bem, eu sempre me senti assim.

Os olhos de Hope brilharam e ela continuou a falar.

– Quando era pequena, eu andava para lá e para cá com uma almofada do sofá debaixo da blusa para fingir que estava grávida. – A lembrança a fez rir. – Eu sempre me vi como mãe... Por algum motivo, a ideia de gerar uma pessoa dentro de mim, trazê-la ao mundo e amá-la com uma espécie de intensidade primitiva me parece... *profunda*. Eu não frequento mais a igreja tanto assim, mas o que sinto em relação à maternidade é o mais perto que consigo chegar da espiritualidade, acho.

Ele a observou ajeitar uma mecha de cabelos atrás da orelha, como quem tenta afastar uma verdade dolorida, e essa vulnerabilidade o fez querer passar os braços ao redor dela.

– Mas as coisas nem sempre saem do jeito que a gente imagina, né?

Como a pergunta era retórica, ele não respondeu. Após alguns passos, Hope retomou a conversa.

– Sei que a vida não é justa, e já ouvi aquele velho ditado que diz que o homem propõe e Deus dispõe, mas nunca imaginava que fosse estar solteira na minha idade. É como se a minha vida estivesse em compasso de espera. Tudo parecia estar encaminhado. Eu tinha conhecido um homem maravilhoso, estávamos fazendo planos, e aí... nada. Estamos exatamente no mesmo lugar em que estávamos seis anos atrás. Não moramos juntos, não estamos casados, não estamos nem mesmo noivos. Somos só namorados. – Ela balançou a cabeça. – Desculpe. Você provavelmente não tem interesse nenhum em ouvir nada disso.

– Não é verdade.

– Por que se importaria?

Porque eu me importo com você, pensou ele. Mas o que disse foi:

– Porque às vezes, tudo que uma pessoa precisa é de alguém para escutá-la.

Ela pareceu refletir sobre isso enquanto os dois caminhavam pela areia. Lá longe, já depois do píer, Scottie corria atrás de um bando de aves após outro, cheio de energia, como sempre.

– Eu provavelmente não deveria ter dito nada – observou ela com um dar de ombros desanimado. – Mas é que no momento estou decepcionada com Josh, e isso me leva a pensar em como vai ser nosso futuro. Ou mesmo se vamos ter um futuro. Mas só digo isso porque estou com raiva. Se você tivesse me feito essa pergunta quando as coisas estavam legais entre a gente, eu teria me derramado dizendo ele é maravilhoso.

Quando Hope parou de falar, Tru relanceou os olhos na direção dela.

– Você sabe se ele quer se casar? Ou ter filhos?

– O problema é esse... Ele diz que sim. Ou pelo menos dizia. Não falamos muito nesse assunto nos últimos tempos, e quando eu finalmente tentei pôr o tema de novo na mesa, as coisas azedaram bem depressa. É por isso que ele não está aqui. Porque acabamos tendo um bate-boca daqueles, e agora, em vez de vir ao casamento comigo, ele está em Las Vegas com os amigos.

Tru fez uma leve careta. Mesmo no Zimbábue, as pessoas sabiam sobre Las Vegas. Enquanto isso Hope continuou:

– Eu não sei. Vai ver, sou eu. Eu provavelmente poderia ter lidado com as coisas de um jeito melhor e sei que estou fazendo Josh parecer um baita egoísta. Mas ele não é. É que às vezes eu acho que ele ainda não acabou de amadurecer, só isso.

– Quantos anos ele tem?

– Quase 40. E você, falando nisso?

– Quarenta e dois.

– Quando se sentiu finalmente adulto?

– Quando fiz 18 anos e fui embora da fazenda.

– Não me espanto. Com tudo por que você passou, não teve alternativa senão amadurecer.

Eles agora tinham chegado ao píer, e Tru reparou que muitos dos pilares não estavam mais submersos. Maré baixa, exatamente como ela dissera.

– O que você pretende fazer? – perguntou ele.

– Não sei – disse ela. – Agora estou pensando que no fim das contas nós vamos acabar voltando e tentando retomar do ponto em que paramos.

– É isso que você quer?

– Eu amo o Josh – admitiu ela. – E ele a mim. Sei que ele agora está sendo meio babaca, mas na maior parte do tempo ele é... ele é ótimo, de verdade.

Embora Tru já esperasse essas palavras, parte dele desejou que ela não as houvesse dito.

– Disso eu não tenho dúvida.

– Por que diz isso?

– Porque você decidiu ficar com ele por seis anos – respondeu ele.

– E, pelo que eu sei a seu respeito, jamais teria feito isso a menos que ele tivesse inúmeros atributos admiráveis.

Ela parou para catar uma concha colorida, mas viu que estava quebrada.

– Gosto do jeito como você diz as coisas. Muitas vezes você soa bem britânico. Nunca ouvi ninguém ser descrito assim, com "inúmeros atributos admiráveis".

– Que lástima.

Ela descartou a concha e riu.

– Quer saber o que eu acho?

– O quê?

– Eu acho que a Kim cometeu um erro ao deixar você escapar.

– Que gentileza sua dizer isso. Mas não. Não tenho certeza se eu nasci para ser marido de alguém.

– Isso quer dizer que nunca mais vai se casar?

– Nunca pensei no assunto. Com o trabalho e o tempo que passo com Andrew, conhecer alguém está bem lá embaixo na minha lista de prioridades.

– Como são as mulheres no Zimbábue?

– No meu mundo, você quer dizer? Mulheres solteiras?

– É.

– São poucas e raras. A maioria das que eu conheço já é casada e está na reserva com o marido.

– Talvez você devesse mudar de país.

– O Zimbábue é a minha casa. E Andrew está lá. Eu nunca poderia deixar meu filho.

– É – concordou ela. – Não mesmo.

– E você? Já pensou em se mudar dos Estados Unidos?

– Nunca – respondeu ela. – E isso com certeza não é possível agora, com meu pai doente. Mas mesmo no futuro eu não tenho certeza se conseguiria. Minha família está aqui, meus amigos. Mas espero um dia conseguir ir à África. E fazer um safári.

– Se fizer, fique esperta com os guias. Alguns podem ser bem sedutores.

– É, eu sei disso. – De brincadeira, ela trombou com o ombro no dele.

– Então, pronto para a Almas Gêmeas?

– Eu ainda não sei do que se trata.

– É uma caixa de correio na praia – disse ela.

– Pertence a quem?

Ela deu de ombros.

– A qualquer um, acho. E a todo mundo.

– E eu tenho de escrever uma carta?

– Se você quiser – disse ela. – Na primeira vez que fui lá eu escrevi.

– Quando foi?

Ela pensou um pouco.

– Deve fazer uns cinco anos.

– Imaginei que você frequentasse o local desde menina.

– Não existe há tanto tempo assim. Acho que meu pai me disse que surgiu em 1983, mas pode ser que esteja enganado. Só estive lá umas poucas vezes. Entre elas, no dia seguinte ao Natal do ano passado, que foi bem louco.

– Por quê?

– Porque nevou quase 40 centímetros. Foi a única vez que eu vi neve na praia. Na volta para casa, fizemos um boneco de neve em frente ao chalé. Acho que tem uma foto disso em algum lugar por lá.

– Eu nunca vi neve.

– Nunca?

– No Zimbábue não neva e eu só fui à Europa no verão.

– É raro nevar em Raleigh, mas no inverno meus pais costumavam nos levar para esquiar em Snowshoe, na Virgínia Ocidental.

– Você esquia bem?

– Razoavelmente. Nunca gostei de ir muito depressa. Não sou chegada a correr riscos. Só quero me divertir.

Mais à frente, ele viu nuvens faiscarem no horizonte distante.

– Aquilo foi um relâmpago?

– Deve ter sido.

– Isso quer dizer que devemos voltar?

– Foi em cima do mar – disse ela. – O temporal vai entrar pelo noroeste.

– Tem certeza?

– Quase – disse ela. – Estou disposta a correr o risco, se você também estiver.

– Então tudo bem – disse ele meneando a cabeça, e os dois prosseguiram à medida que o píer ia ficando cada vez menor atrás deles. Por fim, Sunset Beach acabou, e logo em frente começou a Bird Island. Eles tiveram de contornar a duna para não molhar os pés e Tru se pegou pensando no jeito como ela havia trombado nele, de brincadeira. A sensação ainda parecia perdurar, um formigamento que subia e descia pelo seu braço.

– É uma caixa de correio – disse Tru.

Eles haviam chegado à Almas Gêmeas, e Hope ficou observando Tru simplesmente olhar o objeto.

– Eu disse que era isso.

– Pensei que fosse uma metáfora.

– Não – disse ela. – É isso mesmo.

– Quem cuida?

– Não faço ideia. Meu pai deve saber, mas imagino que seja um morador daqui. Venha.

Quando estava andando na direção da caixa, ela olhou para Tru e mais uma vez reparou na covinha no queixo dele e nos cabelos bagunçados pelo vento. Por cima do ombro dele, viu Scottie farejando perto da duna, com a língua de fora, exaurido pela tentativa interminável de manter as aves voando.

– Você provavelmente vai levar essa ideia de volta para o Zimbábue e montar uma caixa de correio no meio da selva. Não seria bacana?

Ele balançou a cabeça.

– Os cupins comeriam o suporte em menos de um mês. Além do mais, ninguém colocaria carta nenhuma lá dentro nem sentaria para ler. Perigoso demais.

– Você alguma vez entra na selva sozinho?

– Só se estiver armado. E quando posso prever que vou estar seguro, porque sei quais animais estão por perto.

– Quais são os mais perigosos?

– Depende do horário, da localização e da disposição do animal

– respondeu ele. – Em geral, se você estiver na água ou perto dela, crocodilos e hipopótamos. Na selva durante o dia, elefantes, principalmente fêmeas no cio. Na selva à noite, leões. E mambas-negras em qualquer horário. São uma espécie de cobra. Muito venenosa. A picada quase sempre é fatal.

– Aqui na Carolina do Norte nós temos as mocassins d'água. E também as mocassins cabeça-de-cobre. Uma vez um menino que tinha sido picado apareceu no pronto-socorro. Nós tínhamos soro antiofídico e ele se recuperou. Mas como foi que chegamos a este assunto?

– Você sugeriu que eu pusesse uma caixa de correio no meio da selva.

– Ah, é – disse ela. A essa altura, já estava com a mão no puxador. – Preparado?

– Tem algum protocolo?

– É claro que tem – respondeu ela. – Primeiro você faz dez polichinelos, daí canta uma música folclórica do seu país e tem que trazer como oferenda um bolo red velvet e colocar em cima do banco.

Quando ele a encarou sem dizer nada, ela riu.

– Brincadeira. Não tem protocolo nenhum. Você apenas... lê o que estiver dentro da caixa. E, se quiser, pode escrever alguma coisa.

Hope abriu a caixa, pegou a pilha de cartas que estava lá dentro e levou-a consigo até o banco. Quando pousou a pilha ao lado de Tru, ele sentou-se junto dela, perto o suficiente para que ela sentisse o calor do corpo dele.

– Que tal eu ler primeiro e ir passando para você?

– Eu faço o que você fizer – respondeu ele. – Prossiga.

Ela revirou os olhos.

– Prossiga – repetiu. – Tudo bem dizer só "tá bom", sabia?

– Tá bom.

– Espero que tenha alguma boa. Já li algumas cartas incríveis aqui.

– Qual foi a que mais marcou você?

Ela demorou alguns segundos pensando.

– Li sobre um homem que estava à procura de uma mulher com quem havia cruzado num restaurante. Eles estavam no bar e conversaram por alguns minutos antes de os amigos dela chegarem e ela ir para a mesa. Mas ele sabia que ela era a mulher da vida dele. Tinha uma frase linda sobre uma colisão de estrelas que tinha mandado raios de luz radiantes pela alma dele. Enfim, ele estava escrevendo na esperança de que alguém a conhecesse e avisasse a ela que ele queria vê-la outra vez. Tinha deixado até nome e telefone.

– Ele mal tinha falado com ela? Parece meio obsessivo.

– Você precisava ler o que ele escreveu – disse ela. – Era muito romântico. Às vezes a pessoa simplesmente sabe.

Ele a observou pegar no alto da pilha um cartão-postal com uma foto do *USS North Carolina*, um encouraçado da Segunda Guerra Mundial. Ao acabar de ler, passou-o para ele sem comentar nada.

Tru correu os olhos pelo postal antes de se virar para ela.

– É uma lista de compras de alguém planejando um churrasco.

– Eu sei.

– Não entendo muito bem por que isso me interessaria.

– Não precisa interessar – disse ela. – É isso que é legal. Porque a gente espera encontrar um diamante bruto, e vai saber... – disse ela, tirando uma carta do bolo. – Talvez seja esta aqui.

Tru pôs o postal de lado, e quando ela terminou de ler a carta passou-a para ele. Era de uma menina jovem, um poema sobre seus pais, e o fez pensar em algo que Andrew poderia ter escrito quando era mais novo. Enquanto lia, sentiu a perna de Hope encostando na sua, e quando terminou ela já estava lhe estendendo um punhado de páginas arrancadas de um caderno. Ele pensou se ela estaria percebendo que os dois estavam se tocando ou se estava apenas perdida nas palavras daqueles autores anônimos e nem notara. De vez em quando, via-a erguer os olhos para se certificar de que Scottie continuava por perto; como não havia aves, o cão tinha se deitado um pouco mais perto do mar.

Havia outro postal e um punhado de fotos com comentários escritos atrás. Depois disso a carta de um pai para os filhos com quem raramente falava. O texto transmitia mais amargura e censuras do que tristeza em relação ao afastamento. Tru se perguntou se o homem assumia alguma responsabilidade pelo que havia acontecido.

Quando ele pôs a carta de lado, Hope ainda estava lendo a seguinte. Em meio ao silêncio, ele reparou num pelicano voando baixo sobre o mar, logo depois da arrebentação. Mais para dentro, o mar ficava cada vez mais escuro, e perto do horizonte estava quase preto. Conchas partidas deixadas pela vazante coalhavam a areia lisa e dura. O vento levantava de leve os cabelos de Hope; à luz cada vez mais cinzenta, ela parecia o único elemento de cor.

Ainda não tinha lhe passado outra carta, e só então ele notou que ela estava lendo pela segunda vez a que segurava. Ouviu-a fungar.

– Caramba – disse ela por fim.

– É sobre uma colisão de estrelas e raios de luz radiantes pela alma?

– Não. E, pensando bem, acho que você tem razão. Aquele outro cara com certeza era obsessivo.

Ele riu enquanto ela lhe entregava a carta. Em vez de estender a mão para pegar outra, manteve o olhar fixo nele.

– Não vai ficar me olhando ler, vai? – indagou ele.

– Tenho uma ideia melhor – disse ela. – Por que você não lê em voz alta?

A sugestão o pegou de surpresa, mas ele segurou a carta e sentiu a mão dela roçar na sua. Pensou em como eles já pareciam à vontade um com o outro e em como seria fácil se apaixonar por alguém como ela. E que talvez, apenas talvez, ele já estivesse se apaixonando, e não havia nada que pudesse fazer para evitar.

No silêncio, sentiu-a chegar mais perto. Captou o aroma de seus cabelos, um perfume limpo e adocicado, com o mesmo frescor das flores, e conteve o impulso de passar o braço ao redor dela. Em vez disso, inspirou fundo, baixou os olhos e começou a ler os garranchos trêmulos.

Querida Lena,

A areia da ampulheta escorreu, inclemente, durante minha vida inteira, mas eu tento me lembrar dos anos abençoados que tivemos juntos – principalmente agora que me vejo afogado em correntezas de tristeza e perda.

Fico pensando em quem sou eu sem você. Mesmo quando eu já estava velho e cansado, era você quem me ajudava a enfrentar o dia.

Às vezes eu tinha a sensação de que você conseguia ler meus pensamentos. Sempre parecia saber o que eu queria e do que eu precisava. Ainda que tenhamos tido nossas eventuais dificuldades, posso recordar o mais de meio século que passamos juntos e saber que o sortudo fui eu. Você me inspirou e me fascinou, e eu pude andar com a cabeça um pouco mais erguida por você estar ao meu lado. Sempre que a abraçava, sentia não precisar de mais nada. Daria tudo para abraçar você só mais uma vez.

Quero sentir o cheiro dos seus cabelos e me sentar com você à mesa do jantar. Quero ver você preparar o frango frito que sempre me deixava com água na boca, a comida que o médico me proibia de comer. Quero ver você enfiar os braços no suéter azul que lhe dei de aniversário, aquele que você costumava usar à noite, quando se aninhava ao meu lado na sala de TV. Quero me sentar com nossos filhos e netos, e com Emma, nossa única bisneta. Como posso estar tão velho assim, *penso quando a abraço, mas quando espero você zombar de mim por causa disso, nunca escuto a sua voz. E isso sempre me parte o coração.*

Não sou bom nisso. Passar os dias sozinho. Sinto saudade do seu sorriso cúmplice e sinto saudade da sua voz. Às vezes imagino que ainda posso ouvi-la me chamar do jardim, mas quando vou até a janela não há nada a não ser os cardeais, aqueles que são a razão pela qual você me fez pendurar o alimentador de pássaros.

Eu o mantenho sempre cheio por você. Sei que iria querer que eu fizesse isso. Você sempre gostou de observar esses passarinhos. Nunca entendi por quê, até o homem da pet shop comentar que os cardeais ficam com o mesmo companheiro a vida toda.

Não sei se é verdade, mas quero acreditar que sim. E olhando esses passarinhos, do mesmo jeito que você costumava fazer, penso comigo mesmo que você sempre foi o meu cardeal e que eu sempre fui o seu. Sinto muita saudade.

Feliz aniversário de casamento.
Joe

Ao terminar, Tru continuou com os olhos pregados no papel, mais comovido pelas palavras do que desejava admitir. Sabia que Hope o estava olhando, e quando se virou para ela levou um susto com a franqueza e a vulnerabilidade da sua beleza.

– Essa carta é o motivo pelo qual eu gosto de vir à Almas Gêmeas – disse ela baixinho.

Ele dobrou o papel, tornou a colocá-lo no envelope e o pousou em cima da pequena pilha ao seu lado. Na mesma hora que a viu estender a mão para a pilha das mensagens não lidas, teve a sensação de que todo o resto seria anticlimático, e de fato foi. A maioria era sincera e arrebatada, mas nada o tocou da mesma forma que a carta de Joe. Até a hora em que eles se levantaram do banco e tornaram a pôr as cartas na caixa, continuava pensando naquele homem: onde morava, o que estaria fazendo e, levando em conta sua idade avançada, como conseguira ir até aquele trecho isolado de praia numa ilha quase inacessível.

Eles se encaminharam de volta para casa, às vezes conversando sobre banalidades, mas no geral se contentando em permanecer calados enquanto caminhavam. O clima de descontração entre eles fez Tru pensar outra vez em Joe e Lena, um relacionamento baseado no conforto, na confiança e num desejo duradouro de estarem juntos. Será que Hope estava pensando a mesma coisa?

Lá na frente, Scottie ziguezagueava das dunas até a beira do mar e de volta às dunas. As nuvens ficavam cada vez mais carregadas e mudavam de forma com o vento, e alguns minutos depois começou a chuviscar. A maré tinha subido e eles precisavam escalar a duna para que as ondas não os alcançassem. Mas Tru logo percebeu que era inútil tentar se manter seco. Dois relâmpagos foram seguidos por duas trovoadas fortes, e o mundo de repente escureceu. O chuvisco se transformou em chuva, e então em temporal.

Hope deu um gritinho e começou a correr, mas como o píer ainda estava longe, acabou recomeçando a andar. Virou-se e levantou as mãos.

– Acho que eu estava errada em relação ao tempo que tínhamos, né? – disse ela bem alto. – Desculpe!

– Não tem problema – respondeu Tru, chegando mais perto. – Vamos nos molhar, mas não está muito frio.

– Não vamos só nos molhar – disse ela. – Vamos ficar encharcados. E foi uma aventura, né?

Sob a chuva torrencial, Tru viu um borrão de rímel na bochecha de Hope, um pedacinho de imperfeição numa mulher que sob todos os outros aspectos lhe parecia perfeita. Perguntou-se por que ela havia surgido em sua vida e como ele podia ter se afeiçoado tão profundamente a ela. Todos os seus pensamentos tinham a ver com ela. Não pensou em sua vida no Zimbábue nem no motivo que o fizera ir até a Carolina do Norte; em vez disso, maravilhou-se com a beleza dela e repassou os momentos que os dois haviam compartilhado, um filme de imagens vívidas. Foi como um maremoto de sensações e emoções, e ele de repente sentiu que todos os passos que já dera na vida tinham sido um caminho em direção a ela, como se ela fosse o seu destino final.

Hope parecia petrificada no lugar. Ele imaginou que ela soubesse o que ele estava sentindo e se perguntou se estaria sentindo a mesma coisa. Não soube dizer, mas ela não se moveu nem quando ele estendeu a mão e por fim a pousou no quadril dela.

Por muito tempo os dois ficaram assim, com a energia indo e vindo entre eles através daquele único e simples ponto de contato. Ele a encarou e ela o encarou de volta, e o instante pareceu se prolongar eternamente até ele enfim se mover. Inclinou a cabeça e foi aproximando o rosto do dela devagar antes de senti-la pousar a mão no seu peito com delicadeza.

– Tru... – sussurrou ela.

A voz de Hope bastou para impedi-lo de ir mais longe. Ele sabia que deveria dar um passo atrás e abrir espaço entre os dois, mas sentiu-se sem forças para sair do lugar.

Ela tampouco recuou. Em vez disso, os dois ficaram se olhando debaixo do temporal, e Tru sentiu os velhos instintos despertarem, instintos que era incapaz de controlar. Com súbita clareza, entendeu que estava apaixonado – e que talvez houvesse passado a vida inteira esperando alguém exatamente como ela.

Hope encarou Tru com a cabeça a mil, tentando ignorar a força delicada que sentia na mão dele. Tentou ignorar o desejo e o anseio que sentia por seu toque. Parte dela sabia que queria ser beijada, ao mesmo tempo que outra parte, a mais forte, a alertou, levando-a a pôr uma das mãos entre os dois.

Ela não estava pronta para aquilo...

Por fim, com relutância, desviou os olhos, e sentiu decepção e aceitação nele. Quando ele finalmente recuou um passo, Hope teve a impressão de enfim conseguir respirar outra vez, muito embora ele não tenha tirado a mão do seu quadril.

– Provavelmente é melhor irmos andando – murmurou ela.

Ele aquiesceu, e quando estava soltando o quadril dela, ela estendeu a mão para a dele com a intenção de dar um breve apertão. Por acaso, Tru girou a mão ao mesmo tempo, e os dedos dos dois se entrelaçaram como numa coreografia. Quando ela se deu conta, eles estavam andando lado a lado de mãos dadas.

Foi uma sensação inebriante, embora ela soubesse que andar de mãos dadas não significava nada no contexto mais amplo. Lembrava-se vagamente de ter feito a mesma coisa com Tony, o menino que havia beijado no chalé quando os dois tinham ido ao cinema. Na época, esse simples gesto decerto a impressionara como um sinal de maturidade, como se ela finalmente estivesse crescendo, mas ali, naquele instante, pareceu-lhe uma das coisas mais íntimas que já tinha lhe acontecido. O toque dele trazia consigo a possibilidade de uma intimidade ainda maior mais tarde, e ela se concentrou em manter os olhos em Scottie para evitar pensar demais nisso.

Por fim, eles passaram pelo Clancy's e em seguida pelo píer; não muito depois disso, chegaram à escadinha do chalé. Foi só quando ela parou que Tru soltou sua mão. Ao encará-lo, ela soube que ainda não estava pronta para encerrar seu tempo juntos.

– Quer jantar hoje à noite? Aqui no chalé? Comprei peixe fresco no mercado outro dia.

– Quero – respondeu ele. – Quero muito.

INSTANTES DE VERDADE

Assim que ela abriu a porta do chalé, Scottie entrou correndo, parou e se sacudiu vigorosamente, borrifando água em tudo que estava em volta. Hope correu para pegar uma toalha, mas o cachorro se sacudiu de novo antes que ela conseguisse voltar. Hope fez uma careta. Depois de se secar, teria de enxugar os móveis e as paredes. Mas primeiro tomaria um banho de banheira.

Como eles haviam combinado se encontrar dali a uma hora e meia, tinha tempo de sobra. Abriu a torneira da banheira, tirou as roupas molhadas e as jogou na secadora. Quando voltou, a banheira já estava pela metade, e ela pôs um pouco de espuma. Ao perceber que faltava alguma coisa, enrolou-se na toalha, foi até a cozinha e serviu uma taça de vinho da garrafa que abrira na véspera. No caminho de volta até o banheiro, pegou velas e uma caixa de fósforos no armário.

Acendeu as velas, entrou no banho de espuma quente e tomou um grande gole de vinho. Recostou a cabeça e pensou que aquele banho parecia diferente do dia anterior, mais luxuriante por algum motivo. Conforme relaxava, pôs-se a recordar aquele momento na praia em que Tru quase a beijara. Muito embora ela no final o houvesse impedido, a coisa toda parecera um sonho que ela queria reviver. Não tinha a ver apenas com se sentir atraente outra vez; sua conexão com Tru tinha algo de gracioso e natural, quase uma paz. Até conhecê-lo, ela não fazia ideia de como ansiava por algo exatamente assim.

O que Hope não sabia era se essa sensação era nova ou se estivera enterrada desde o início no seu subconsciente, perdida entre suas preocupações e frustrações e a raiva que estava sentindo de Josh. Tudo que sabia era que a turbulência emocional dos últimos meses a deixara com pouca energia para cuidar de si. Períodos de paz ou de simples relaxamento eram raros nos últimos tempos; infelizmente, ela se deu conta de que não estava animada nem para encontrar as amigas no fim de semana. Em algum lugar pelo caminho, havia perdido a energia vital.

O tempo passado com Tru havia despertado sua atenção para o fato de que ela não queria ser a pessoa em que havia se transformado. Queria ser a pessoa que se lembrava de ser: alguém que abraçava a vida, que se entusiasmava tanto com as coisas comuns quanto com as extraordinárias. Não no futuro, mas a partir daquele exato instante.

Raspou as pernas e passou mais um tempinho na banheira, até a água começar a esfriar. Após se secar, pegou a loção hidratante em cima da bancada. Espalhou-a pelas pernas, pelos seios e pela barriga, saboreando a sensação sedosa da pele ganhando vida.

Tirou da sacola o vestido novo e o vestiu, calçando também as novas sandálias. Pensou em colocar um sutiã, mas decidiu que não era preciso. Sentindo-se indecente, mas sem querer pensar no que isso poderia significar mais tarde, não vestiu a calcinha também.

Secou e arrumou os cabelos, tentando se lembrar exatamente de como Claire tinha feito. Uma vez satisfeita, começou a se maquiar. Optou por usar um pouquinho de sombra verde-água, na esperança de que realçasse a cor dos seus olhos. Passou um pouco de perfume e escolheu um par de brincos de cristal pendentes que Robin tinha lhe dado de aniversário.

Em seguida parou em frente ao espelho. Ajeitou as alças do vestido e afofou os cabelos até ficar satisfeita. Havia momentos em que era um tanto crítica com a própria aparência, mas nesse dia não pôde deixar de ficar satisfeita com seu visual.

Levou o que restava da taça de vinho de volta para a cozinha. Para além das janelas, o mundo seguia ficando cada vez mais escuro. Em vez de começar os preparativos para o jantar, enxugou o que restava da bagunça de Scottie no corredor e passou rapidamente pela sala de televisão, ajeitando as almofadas e tornando a pôr na prateleira o livro que começara a ler. Acendeu algumas luminárias no salão e usou o dimmer para criar o clima perfeito. Ligou o rádio e girou o dial até encontrar uma estação de jazz clássico. Perfeito.

Na cozinha, abriu outra garrafa de vinho, mas a pôs para esfriar na geladeira. Então pegou abobrinhas amarelas, abobrinhas italianas e cebolas, levou até a bancada, picou tudo e reservou. Em seguida preparou a salada: tomate, pepino, cenoura e alface romana, que acabara de misturar numa saladeira de madeira quando ouviu uma batida na porta da frente.

O ruído lhe causou um frio na barriga.

– Pode entrar! – falou bem alto enquanto ia até a pia. – Está aberta!

O barulho da chuva se intensificou de repente quando a porta se abriu, então voltou a ficar abafado.

– Vou demorar só um minutinho, ok?

– Não tenha pressa – ecoou a voz dele pelo corredor.

Hope lavou as mãos, secou-as e pegou o vinho. Ao servir duas taças, ocorreu-lhe que provavelmente deveria servir algum tira-gosto. Não havia muita coisa nos armários, mas dentro da geladeira achou umas azeitonas pretas graúdas. Aquilo bastava. Despejou um punhado numa tigelinha de cerâmica que pôs em cima da mesa da sala de jantar. Então, após acender a luz acima do fogão, apagou a do teto e pegou as taças. Inspirou fundo e seguiu para a sala de televisão.

Tru havia se agachado para fazer carinho em Scottie e estava de costas para ela. Tinha vestido uma camisa azul de mangas compridas, e ela reparou no jeito como sua calça jeans estava justa nas coxas e na bunda. Parou ali mesmo onde estava, e não conseguiu fazer mais nada além de olhar para ele. Devia ser a coisa mais sexy que já tinha visto na vida.

Ele provavelmente a ouviu chegar, porque se levantou e se virou com um sorriso automático, parando quando a viu. Seus olhos se arregalaram enquanto ele assimilava o visual dela, a boca levemente entreaberta. Parecia imobilizado, como se tentasse falar mas não conseguisse encontrar a voz.

– Você... está linda de morrer – sussurrou por fim. – Sério.

Hope se deu conta, com súbita força, de que ele estava apaixonado por ela. Involuntariamente, saboreou essa sensação, certa, por algum motivo, de que os dois estavam caminhando em direção a esse instante desde o primeiro momento. Mais do que isso, entendeu ter desejado que aquilo acontecesse, pois compreendeu que era inegável: estava apaixonada por ele também.

Quando Tru finalmente baixou os olhos, Hope foi até ele e lhe entregou uma das taças.

– Obrigado – disse ele, tornando a examinar a aparência dela. – Se eu soubesse, teria posto um blazer. Se tivesse um na mala...

– Você está perfeito – interrompeu ela, sabendo que não queria que ele tivesse se vestido de nenhum outro jeito. – O vinho é diferente do de ontem. Espero que esteja bom.

– Eu não sou exigente – disse ele. – Tenho certeza de que está ótimo.

– Ainda não comecei a cozinhar. Não tinha certeza se você estaria pronto para comer.

– Você decide.

– Servi umas azeitonas, se quiser beliscar alguma coisa.

– Está bem.

– Estão na mesa de jantar.

Ela sabia que eles estavam rodeando o assunto, mas, com as emoções à flor da pele, por pouco não derramou o vinho. Inspirou fundo e se encaminhou para a sala de jantar. Para além da janela, o horizonte relampejava como se houvesse uma luz estroboscópica escondida nas suas profundezas.

Puxou uma cadeira e se sentou. Tru fez o mesmo, ambos de frente para a janela. Ela sentiu a garganta seca e tomou um gole do vinho, pensando que, inconscientemente, imitavam os gestos um do outro. Ao pousar a taça na mesa, Tru manteve os dedos das duas mãos em torno da haste. Hope sabia que ele estava tão nervoso quanto ela e estranhamente achou aquilo reconfortante.

– Gostei de você ter ido comigo hoje.

– Também gostei – disse ele.

– Que bom que você está aqui.

– Onde mais eu estaria?

O telefone tocou.

O aparelho ficava na parede, perto de Tru, mas por um instante os dois apenas continuaram a se olhar. Só no segundo toque Hope se virou em direção ao som. Parte de si ficou inclinada a deixar a secretária eletrônica atender, mas ela então pensou nos pais. Levantou-se, passou por Tru e tirou o fone do gancho.

– Oi – era a voz de Josh. – Sou eu.

A barriga dela se contraiu. Não estava com a menor vontade de falar com ele. Não com Tru ali, não naquela hora.

– Oi – respondeu, tensa.

– Não sabia muito bem se iria encontrar você. Pensei que pudesse ter saído.

Ela ouviu a fala arrastada do namorado e se deu conta de que ele havia bebido.

– Estou aqui.

– Saí da piscina por alguns minutos. Está bem quente aqui. Tudo bem com você?

Tru permaneceu sentado à mesa sem se mexer e sem dizer nada. Estava tão próximo...

Ao reparar no modo como a camisa de Tru se colava ao corpo, Hope imaginou os músculos debaixo do tecido e recordou a sensação da mão dele no seu quadril.

– Tudo – falou, tentando parecer despreocupada. – E com você?

– Tudo ótimo – disse ele. – Ganhei um dinheiro no blackjack ontem à noite.

– Legal.

– E o chalé? O tempo está bom aí na praia?

– Agora está chovendo e parece que vai chover o fim de semana todo.

– Aposto que a Ellen está chateada, né?

– É – respondeu Hope, e por alguns segundos constrangedores nenhum dos dois disse nada.

– Tem certeza de que está tudo bem? – perguntou Josh. Ela quase pôde ver a testa dele se franzir. – Você está meio calada.

– Já falei que sim.

– Parece que ainda está brava comigo.

– O que você acha?

Ela se esforçou para controlar a irritação.

– Você não acha que pode estar exagerando?

– Prefiro não falar sobre isso pelo telefone – disse ela.

– Por quê?

– Porque é um assunto para a gente conversar pessoalmente.

– Não sei por que você está desse jeito – disse ele.

– Então, vai ver, você não me conhece.

– Ah, pare com isso. Deixe de ser melodramática...

Ela pôde ouvir o gelo tilintar no copo quando ele tomou um gole.

– Acho melhor eu desligar – disse ela, interrompendo-o. – Tchau.

Pôde ouvir que Josh continuava falando enquanto ela punha o fone no gancho.

Ficou olhando para o aparelho por alguns segundos antes de baixar a mão junto ao corpo.

– Eu sinto muito por isso – disse para Tru com um suspiro. – Provavelmente não deveria nem ter atendido.

– Quer falar a respeito?

– Não.

No rádio, uma música terminou e outra começou. Era uma música triste, inquieta, e ela viu Tru se levantar da mesa. Ele agora estava muito perto; pôde sentir as costas tocarem a parede enquanto ele a encarava.

Sustentou o olhar dele sem desviar o seu. Ele chegou mais perto ainda.

Ela sabia o que estava acontecendo. Não era preciso dizer nada. Tornou a pensar que nada daquilo podia ser real, mas quando o corpo dele encostou no dela, tudo de repente lhe pareceu mais real do que qualquer outra coisa que ela houvesse experimentado.

Ainda podia impedir aquilo. Talvez devesse. Dali a poucos dias ele estaria do óutro lado do mundo e o vínculo físico e emocional entre os dois estava fadado a se romper. Ele iria se magoar, ela iria se magoar, mas mesmo assim...

Não conseguiu se segurar. Não mais.

A chuva batia na janela e as nuvens seguiam relampejando. Tru passou o braço pelas costas de Hope sem tirar os olhos dos dela. Pôs-se a traçar pequenos círculos com os polegares; o tecido do vestido era tão fino e tão leve que ela sentia como se não estivesse usando nada. Pensou se ele teria notado que estava sem calcinha e percebeu que estava começando a ficar molhada.

Ele a puxou para si com força, imprimindo no corpo dela o calor do seu. Com uma expiração suave, ela passou os braços em volta do pescoço dele. Podia ouvir a música, e os dois começaram a girar num círculo lento, com o corpo dele a se balançar bem de leve. Ele então sorriu como se a estivesse convidando para o seu mundo, e as últimas defesas dela começaram a ruir. Ao sentir sua respiração no pescoço, ela tremeu.

Ele a beijou com delicadeza no lóbulo da orelha e na bochecha, deixando rastros de saliva, e quando finalmente uniu os lábios aos dela, Hope o sentiu se conter, como para lhe dar uma última chance de parar. Essa percepção foi excitante, quase libertadora; ele enterrou as mãos nos seus cabelos e ela entreabriu a boca. Quando suas línguas se tocaram, Hope ouviu um gemido suave que quase não reconheceu como seu. Ele alisou as costas dela, os braços, e então a barriga, e a sensação foi como um caminho de pequenos choques elétricos. Contornou com um dedo a curva inferior de seus seios, e os mamilos ficaram duros.

Ela podia sentir seu corpo no de Tru. Levou uma das mãos ao rosto dele e passou as pontas dos dedos pela barba por fazer enquanto ele tornava a lhe beijar o pescoço, mordiscando de leve ao mesmo tempo que ela acariciava seu peito. Por fim, ela o pegou pela mão e o levou até o quarto.

No espelho do quarto, viu-o observá-la enquanto achava velas e fósforos, acendia e punha uma vela sobre a mesa de cabeceira e outra em cima da cômoda. A luz fez as sombras dançarem pelas paredes, e quando Hope se virou seus olhares se cruzaram e tudo que eles conseguiram fazer foi beber da imagem um do outro.

Ela sentiu o desejo dele e permitiu que isso a embebesse até finalmente dar um passo na sua direção. Ele fez o mesmo, o mundo que os separava foi diminuindo, até se beijarem e ela saborear a umidade e o calor da língua dele. Hope puxou a camisa de Tru de dentro da calça e a desabotoou devagar. Uma vez aberta, passou a unha pela barriga dele e pelo osso do quadril. Ele tinha um corpo rijo e esguio, com os músculos do abdome visíveis; ela tirou sua camisa por cima dos ombros e a deixou cair no chão.

Levou a boca até o pescoço dele e mordeu de leve ao mesmo tempo que estendia a mão para o seu cinto. Soltou a fivela e em seguida abriu o botão da calça jeans. Quando começou a baixar o zíper, sentiu as mãos dele se moverem em seus seios. Puxou a calça e a baixou, e Tru deu um passo para trás. Desamarrou os cadarços das botas e as tirou, depois tirou as meias. Então se desvencilhou da calça e por fim da cueca.

Ficou em pé de frente para ela, nu, com o corpo perfeito parecendo uma estátua de mármore antiga. Hope pôs um dos pés em cima da cama e tirou a sandália com uma lentidão provocante, repetindo o gesto com o outro pé. Tru foi até ela e tornou a abraçá-la. Lambeu o lóbulo da orelha dela ao mesmo tempo que alcançava a alça do vestido. Baixou-a pelo ombro, e fez o mesmo com a segunda alça. O vestido escorregou do corpo dela até se embolar aos seus pés, e os corpos nus se encontraram. Ela sentiu a pele quente de Tru encostar na sua enquanto ele descia o dedo delicadamente pela sua coluna. Expirou quando a mão dele desceu mais ainda e, num único movimento, a pegou no colo e a beijou ao mesmo tempo que a carregava até a cama.

Deitando-se ao seu lado, Tru acariciou-lhe os seios e a barriga. Ela mordiscou de leve o lábio inferior dele enquanto pressionava os dedos com força em suas costas, sentindo-se linda à luz das velas, sentindo-se desejada nos braços dele. Ele passou a língua bem devagar por entre seus seios e pela barriga antes de subir. Na vez seguinte, desceu ainda mais, e ela emaranhou os dedos nos cabelos dele enquanto ele a provocava e excitava com a língua. Aquilo se prolongou até ela não conseguir mais aguentar e puxá-lo enfim para si, abraçando-o e trazendo-o para mais perto ainda.

Ele deitou-se por cima dela, irradiando calor, pegou sua mão e beijou as pontas dos dedos, uma a uma. Beijou seu rosto e seu nariz, então novamente a boca, e quando enfim a penetrou, ela arqueou as costas e gemeu, sabendo que o desejava mais do que jamais tinha desejado qualquer outro homem.

Os dois se moveram juntos, inteiramente sintonizados com as necessidades um do outro, cada um tentando dar ao outro o máximo de prazer, e Hope sentiu o corpo estremecer com uma urgência crescente. Quando a imensa onda de prazer explodiu dentro dela, Hope soltou um grito, mas, assim que a sensação passou, a onda começou a crescer outra vez. Ela gozou várias vezes, numa sequência interminável de prazer, e quando Tru finalmente gozou também, estava exausta, o corpo encharcado de suor. Ficou ofegando enquanto Tru a abraçava. Mesmo nessa hora, ele não parou de correr as mãos pela sua pele, e à medida que as velas iam se consumindo, ela se deixou levar pela maré do que os dois tinham acabado de vivenciar juntos.

Mais tarde eles se amaram de novo, dessa vez mais devagar, mas com a mesma intensidade. Ela gozou com mais força ainda do que antes, e quando ele chegou ao clímax, Hope estava tremendo de exaustão. Sentia-se inteiramente esgotada, mas enquanto a tempestade lá fora prosseguia, inacreditavelmente sentiu o desejo começar a surgir outra vez. Não era possível uma terceira, pensou, mas era, sim, e só depois de gozar de novo é que finalmente conseguiu pegar num sono sem sonhos.

Pela manhã, Hope acordou com uma luz fraca entrando pela janela e um cheiro de café vindo da cozinha. Pegou um roupão no banheiro e percorreu o corredor, consciente de uma fome voraz. Só então lembrou que eles não tinham comido na noite anterior.

Tru estava sentado à mesa, e ela reparou que ele já tinha preparado ovos mexidos e frutas cortadas. Estava usando a mesma roupa que usara na véspera. Quando a viu, levantou-se e foi lhe dar um abraço.

– Bom dia – falou.

– Bom dia – disse ela. – Só não me beije. Ainda não escovei os dentes.

– Espero que não se importe de eu ter feito café.

– Está perfeito – disse ela, admirando a mesa. – Faz muito tempo que você acordou?

– Umas duas horas.

– Não dormiu?

– Dormi o suficiente. – Ele deu de ombros. – E descobri como usar sua cafeteira. Quer que eu sirva uma caneca para você?

– Com certeza – respondeu ela.

Hope lhe deu um beijo no rosto, sentou-se e colocou um pouco de ovo e frutas num prato. Pela janela, reparou que a chuva tinha parado, mas, a julgar pelo céu, a trégua era apenas temporária.

Tru voltou com o café e pôs a caneca ao lado dela.

– O leite e o açúcar estão na mesa – falou.

– Estou impressionada que tenha achado tudo.

– Eu também – disse ele, e sentou-se ao lado dela.

Ela pensou no carinho que sentia por ele e em como aquela manhã já parecia natural.

– Além de café, o que você ficou fazendo?

– Fui até a casa e trouxe umas toalhas. E algumas outras coisas também.

– Para que precisava de toalhas?

– Queria secar as cadeiras do deque.

– Elas vão molhar outra vez.

– Eu sei – disse ele. – Mas espero ter um tempinho antes de isso acontecer.

Ela o observou enquanto pegava o café.

– Você está sendo muito misterioso. Que conversa é essa?

Ele pegou a mão dela e beijou.

– Eu te amo – disse apenas.

Ouvir aquelas palavras em voz alta a deixou subitamente tonta, e Hope entendeu que sentia exatamente o mesmo por ele.

– Eu também te amo – murmurou.

– Então pode fazer uma coisa para mim?

– O que você quiser.

– Depois de tomar café, pode se sentar lá fora?

– Por quê?

– Quero fazer um desenho seu – respondeu ele.

Surpresa, Hope concordou com um meneio de cabeça.

Depois do café, ela foi lá para fora, e Tru indicou a cadeira com um gesto. Hope se sentou, segurando a caneca de café com as duas mãos. Sentia-se estranhamente encabulada.

– Quer que eu largue isto aqui? – perguntou, indicando a caneca.

– Tanto faz.

– Como quer que eu pose?

Ele abriu o caderno.

– Basta ser você mesma e fingir que eu não estou aqui.

Não foi fácil. Ninguém nunca a tinha desenhado antes. Ela cruzou uma perna por cima da outra, depois tornou a tentar com a outra perna. Mas o que fazer com o café? Mais uma vez pensou em pousar a caneca, mas em vez disso tomou um gole. Inclinou-se para a frente, então tentou se inclinar para trás. Virou-se para a casa em que Tru estava hospedado, depois para o mar, depois de novo para ele. Nada parecia certo, mas ela percebeu que ele a estava olhando com uma concentração muda.

– Como posso fingir que você não está aqui com você me olhando desse jeito?

– Não sei – respondeu ele com uma risada. – Nunca estive do outro lado.

– Grande ajuda – brincou ela, e encolheu uma das pernas debaixo do corpo para tentar ficar confortável.

Melhor, pensou. Felizmente, Scottie os havia seguido até lá fora, e ela decidiu se concentrar no cachorro, que estava enrodilhado abaixo da janela da cozinha.

A essa altura, Tru havia mergulhado no silêncio, e ela o observou pegar o lápis. Seus olhos se moviam dela para o desenho e de volta para ela, e Hope reparou nos movimentos seguros das mãos dele enquanto ia desenhando e esfumando com uma naturalidade experiente. De vez em quando, Tru estreitava os olhos ou enrugava a testa, e ela soube que ele não tinha consciência de estar fazendo aquilo. Por algum motivo, esse lampejo de vulnerabilidade por baixo da sua atitude segura a fez desejá-lo ainda mais.

Quando as nuvens começaram a escurecer de novo, ambos souberam que estava na hora de parar.

– Quer ver? Não está pronto, mas tem o suficiente para dar uma ideia geral.

– Depois de tomar um banho, talvez – relutou ela, e levantou-se da cadeira.

Tru recolheu o caderno e os lápis, parou logo depois da porta e a beijou com carinho. Puxou-a para si, e ela se encostou nele e respirou seu cheiro, perguntando-se outra vez que forças misteriosas os teriam aproximado.

JUNTOS

Depois do banho, Hope foi se sentar no sofá ao lado de Tru e ele lhe mostrou o desenho que tinha feito dela, assim como os outros do seu caderno. Ela os admirou sem pressa. Mais tarde, a chuva amainou um pouco e os dois saíram para almoçar num café em Ocean Isle Beach. Em seguida, o temporal tornou a aumentar, virando uma tormenta.

Quando ela finalmente precisou começar a se aprontar para o jantar de ensaio do casamento, Tru ficou sentado na beirada da cama observando-a com atenção. Havia algo no ato de uma mulher se maquiar que ele sempre achara sexy, e sentiu que ela gostava de tê-lo como espectador.

Na porta, quando chegou a hora de ela sair, os dois se beijaram demoradamente. Ele a abraçou com força para imprimir o corpo dela no seu e ficou parado nos degraus da frente acenando enquanto ela saía de carro. Ela lhe pedira que levasse Scottie para passear mais tarde, e disse que ele podia ficar no chalé se quisesse.

Ele foi rapidamente até a casa ao lado pegar um bife e alguns acompanhamentos, e preparou o jantar na cozinha de Hope. Enquanto comia, tentou imaginá-la entre as amigas e pensou se elas conseguiriam ler no rosto de Hope tudo que havia acontecido nos últimos dias.

Passou algum tempo acrescentando mais detalhes ao desenho dela que começara a fazer mais cedo e só parou ao enfim se dar por satisfeito. Mas ainda não estava pronto para largar os lápis, e iniciou outro desenho, os dois em pé juntos, na praia, de frente um para o outro, de perfil. Ela não precisava estar presente para isso; bastou imaginar a cena e o desenho avançou rapidamente. Quando parou por aquela noite, horas tinham transcorrido, e ele sentiu a ausência de Hope como uma dor.

Ela voltou para o chalé à meia-noite. Eles fizeram amor, mas ela ainda estava exausta da noite anterior, e pouco depois ele ouviu sua respiração mudar quando ela adormeceu nos seus braços. Já Tru achou difícil pegar no sono. O tempo dos dois juntos ali logo chegaria ao fim, mas ele sabia que ela era a mulher com quem queria passar o resto da vida.

Ficou olhando para o teto, tentando desesperadamente conciliar essas duas realidades.

Pela manhã, Tru estava mais calado do que o normal. Em vez de falar, ficou abraçado nela um tempão na cama, e ela sentiu todo o seu ser reverberar com a profundidade do que sentia por ele.

Mas aquilo lhe causava medo, da mesma forma que ela desconfiava que causasse medo em Tru. O que Hope queria era que tudo aquilo – aqueles últimos dias – durasse para sempre e que o tempo parasse em todos os outros lugares. Mas o tique-taque do relógio parecia ficar mais alto a cada minuto que passava.

Ainda chovia um pouco quando eles saíram da cama, mas mesmo assim decidiram dar outro passeio na praia. Hope achou duas capas de chuva no armário, e eles levaram Scottie. Ficaram andando de mãos dadas, e por um acordo tácito pararam no ponto em que haviam se encontrado pela primeira vez. Ele lhe deu um beijo, e quando ela se afastou segurou suas mãos.

– Acho que eu queria que isso tudo acontecesse desde o instante em que conheci você.

– Qual parte? Ir para a cama comigo ou se apaixonar?

– As duas coisas – admitiu ele. – E você, quando percebeu?

– Acho que eu soube que talvez fôssemos para a cama quando tomamos aquele vinho no deque depois do jantar. Mas só percebi que iria me apaixonar por você na noite em que você foi jantar no chalé. – Ela apertou a mão dele. – Desculpe ter virado a cara quando você tentou me beijar da primeira vez.

– Não precisa se desculpar.

Eles começaram o caminho de volta e pararam na casa em que Tru estava hospedado. Na secretária eletrônica havia um recado de seu pai dizendo que esperava chegar entre as duas e as três da tarde. O que seria perfeito, pensou Hope. Ela sairia mais ou menos a essa hora para o casamento. Embora a cerimônia começasse às seis, tinha de chegar cedo para as fotos.

Tru fez um pequeno tour pela casa com ela enquanto Scottie explorava o lugar por conta própria, e ela teve de reconhecer que era mais de bom gosto do que imaginara. Apesar do preconceito inicial, pôde se imaginar alugando a casa com amigos por uma semana e se esbaldando. Quando eles chegaram à suíte principal, apontou para a imensa banheira de hidromassagem.

– Vamos? – sugeriu.

Quando deu por si, os dois já tinham se despido e jogado as roupas e capas na secadora. Uma vez submersos na água cheia de espuma, ela se recostou em Tru e suspirou enquanto ele passava a esponja de banho com delicadeza por seus seios e barriga, braços e pernas.

Almoçaram cedo, de roupão, enquanto esperavam a secadora terminar. Em seguida, Hope tornou a vestir as roupas aquecidas pela máquina e os dois voltaram para a mesa, onde ficaram conversando até chegar a hora de ela voltar para o chalé e começar a se arrumar.

Como na véspera, Tru ficou sentado na cama olhando-a arrumar os cabelos e se maquiar. Ela então colocou o vestido de madrinha e os sapatos novos e, quando ficou pronta, deu uma rápida pirueta para ele.

– Está bom?

– Deslumbrante – disse ele, e seu olhar de admiração reiterou a sinceridade do elogio. – Estou muito tentado a beijar você, mas não quero estragar seu batom.

– Vou arriscar – disse ela, e se inclinou para beijá-lo. – Se não tivesse marcado de encontrar seu pai hoje, eu chamaria você para ir comigo.

– Eu teria de comprar uma vestimenta adequada.

– Aposto que fica lindo de terno. – Ela deu alguns tapinhas no peito dele e se sentou ao seu lado na cama. – Está nervoso de encontrar seu pai?

– Na verdade, não.

– E se ele não se lembrar muito bem da sua mãe?

– Então imagino que o nosso encontro vá ser breve.

– Você não tem mesmo o menor interesse em saber quem ele é? Em saber que tipo de homem é? E onde passou todos esses anos?

– Não especialmente.

– Não sei como consegue se manter tão distanciado em relação a tudo isso. Talvez queira ter algum tipo de relação com você. Nem que seja superficial.

– Já pensei nisso, mas duvido que seja o caso.

– Mas ele pagou sua passagem até aqui.

– E mesmo assim ainda não o encontrei. Se ele quisesse uma relação, desconfio que teria aparecido mais cedo.

– Então por que acha que ele quis trazer você aqui?

– Eu acho – respondeu Tru por fim – que ele quer me contar por que deixou a minha mãe.

Alguns minutos depois, Tru acompanhou Hope até o carro, segurando dois guarda-chuvas para ela não se molhar.

– Sei que parece bobo, mas vou sentir saudade de você – disse ela.

– Eu também – respondeu ele.

– Vai me contar o que acontecer com o seu pai?

– Claro. E pode deixar que levo o Scottie para passear também.

– Não sei a que horas eu volto. Talvez seja tarde. Pode me esperar no chalé, se quiser. Não vou ficar magoada se já estiver dormindo quando eu chegar.

– Divirta-se.

– Obrigada – disse ela, e sentou-se ao volante.

Embora ela tenha lhe lançado um aceno alegre ao dar ré, por algum motivo ele teve um mau pressentimento ao vê-la sumir de vista, e se perguntou por que essa sensação tinha surgido.

137

HORA DO PAI

Decidindo que era melhor deixar Scottie no chalé, Tru recolheu seu caderno e seus lápis e voltou para a casa ao lado, onde ficou esperando o pai chegar.

Continuou o desenho dele com Hope, e o trabalho foi fácil. Logo chegou ao ponto em que começou a se concentrar nos pequenos detalhes, sinal inconsciente de que o desenho estava ficando pronto. Perdido em sua tarefa, levou alguns segundos para perceber que alguém estava batendo na porta.

Seu pai.

Levantou-se da mesa e atravessou a sala. Ao tocar a maçaneta, fez uma pausa, preparando-se. Ao abrir a porta, viu o rosto do pai pela primeira vez. Para sua surpresa, reconheceu alguns dos próprios traços no homem em pé na sua frente: os mesmos olhos azul-escuros, a mesma covinha no queixo. Os cabelos do pai estavam ficando ralos, e os poucos que restavam já eram brancos, com apenas alguns fios escuros. Ele era ligeiramente encurvado, pálido, e tinha um físico frágil; o paletó que vestia parecia envolvê-lo como se tivesse sido comprado para alguém muito maior. Mesmo com o barulho da tempestade, pôde ouvir o chiado da sua respiração.

– Oi, Tru – disse ele por fim, com dificuldade.

Segurava um guarda-chuva numa das mãos e Tru reparou numa pasta junto à porta.

– Oi, Harry.

– Posso entrar?

– Claro.

O pai se abaixou para pegar a pasta e interrompeu o movimento com uma careta. Tru se esticou para pegá-la.

– Quer que eu pegue para você?

– Por favor – respondeu Harry. – Quanto mais velho eu fico, mais longe o chão parece estar.

– Entre.

Tru pegou a pasta enquanto o pai passava por ele, entrava lentamente na sala com seu passo arrastado e ia em direção à janela. Tru foi atrás e ficou em pé ao lado do homem, observando-o de rabo de olho.

– Aqui está uma baita tempestade, mas no continente está pior ainda – disse Harry. – Levei uma eternidade para chegar porque a estrada estava com muita água. Meu motorista teve de fazer vários desvios.

Como foi mais um comentário do que uma pergunta, Tru não disse nada. Em vez disso, ficou observando o pai e pensou que aquilo era como ver o futuro. *É assim que eu vou acabar ficando se viver tanto quanto ele*, pensou.

– A casa está satisfatória?

– É grande – respondeu Tru, lembrando-se da primeira descrição que Hope tinha feito do lugar. – Mas sim. É uma linda casa.

– Mandei construí-la alguns anos atrás. Minha mulher queria uma casa na praia, mas nós quase nunca a usamos. – Ele deu dois suspiros chiados antes de prosseguir. – Tinha comida suficiente na geladeira?

– Até demais – respondeu Tru. – Provavelmente vai sobrar muito depois que eu for embora.

– Tudo bem. Eu mando o serviço de limpeza cuidar disso. Fico feliz que tudo tenha chegado a tempo. Tinha esquecido inteiramente até você já estar no avião, mas não podia fazer grande coisa a respeito. Estava no CTI, e como eles lá não permitem telefonemas, pedi que minha filha cuidasse dos detalhes. Ela combinou com o administrador do imóvel que recebesse a entrega.

As palavras continuaram a rolar pela mente de Tru mesmo depois de o pai acabar de falar. *Mulher, CTI, filha...* Ele achou difícil se concentrar. Hope tinha razão ao prever que o encontro seria um pouco surreal.

139

– Entendi – foi tudo que conseguiu dizer.

– Queria também me desculpar por mandar um motorista buscá-lo em vez de ter alugado um carro para você. Talvez tivesse sido mais conveniente.

– Não me incomodei. Eu não teria sabido para onde ir. Você disse que estava no CTI?

– Tive alta ontem. Meus filhos tentaram me convencer a não vir, mas eu não podia perder a chance de conhecê-lo.

– Quer se sentar um pouco? – sugeriu Tru.

– Acho que eu deveria.

Eles atravessaram a sala até a mesa de jantar e Harry pareceu desabar sobre uma das cadeiras. À luz cinzenta que entrava pelas janelas, parecia ainda mais debilitado do que ao chegar.

Tru se acomodou ao seu lado.

– Posso perguntar por que estava no CTI?

– Câncer de pulmão. Estágio 4.

– Eu não entendo muito de câncer.

– Terminal – disse Harry. – Os médicos me deram uns dois meses. Talvez menos. Talvez um pouco mais. Acho que está nas mãos de Deus. Fiquei sabendo na primavera.

Tru sentiu uma pontada de tristeza ao ouvir aquilo, embora do tipo que se sente ao ouvir uma notícia ruim sobre um desconhecido, não um parente.

– Sinto muito.

– Obrigado – disse Harry. Apesar da informação que acabara de dar, ele sorriu. – Eu não tenho arrependimentos. Levei uma vida boa e, ao contrário de muita gente, tive a oportunidade de dizer adeus. Ou mesmo, no seu caso, de dizer olá. – Ele puxou um lenço do bolso do casaco e tossiu. Ao terminar, respirou com dificuldade duas vezes, o peito congestionado. – Quero lhe agradecer por ter feito a viagem até aqui – falou. – Quando mandei a passagem, não tinha certeza se aceitaria vir.

– No início eu também não tinha.

– Mas ficou curioso.

– Sim – admitiu Tru.

– Eu também – disse ele. – Desde que soube que você existia. Até o ano passado eu não sabia.

– Mas mesmo assim esperou para me conhecer.

– Sim.

– Por quê?

– Eu não queria complicar a sua vida. Nem a minha.

Foi uma resposta sincera, mas Tru não soube muito bem como interpretá-la.

– Como descobriu sobre mim?

– É uma longa história, mas vou fazer o possível para ser breve. Frank Jessup, um homem que eu conheci tempos atrás, por acaso foi à minha cidade. Eu não o via fazia quase quarenta anos, mas tínhamos mantido algum contato. Cartões de Natal, uma carta de vez em quando, não mais que isso. Enfim, quando estávamos almoçando, ele mencionou sua mãe e disse que havia boatos de que ela tivera um filho menos de um ano depois de eu deixar o Zimbábue. Não disse que era meu, mas acho que desconfiava. Depois da conversa, também fiquei desconfiado, então contratei um detetive particular e ele começou a trabalhar. Levou tempo. Muita gente ainda tem medo de falar sobre o seu avô, mesmo que ele não esteja mais vivo, e nós dois sabemos que o país virou um inferno, então os registros se perderam. Mas, para encurtar a história, o cara era bom e eu acabei mandando alguém até o refúgio em Hwange. Tiraram fotos de você, e quando as vi soube na hora. Você tem os meus olhos, mas herdou a estrutura do rosto da sua mãe.

Harry se virou para a janela e deixou o silêncio se prolongar. Tru pensou em algo que o homem dissera poucos minutos antes.

– O que você quis dizer quando falou que não queria complicar a minha vida? – perguntou ele.

O pai demorou alguns segundos para responder.

– As pessoas falam sobre a verdade como se ela fosse a solução para todos os problemas da vida. Eu estou vivo há tempo suficiente para saber que não é. Às vezes a verdade pode fazer mais mal do que bem.

Tru não disse nada. Sabia que seu pai estava tentando chegar a algum lugar.

– É nisso que eu venho pensando. Desde que me dei conta de que você tinha aceitado vir, venho me perguntando quanto deveria lhe contar. Existem alguns... aspectos do passado que podem ser dolorosos para você e partes que, em retrospecto, você talvez deseje que eu não tivesse contado. Então acho que o que eu vou dizer a seguir depende de você. Você quer toda a verdade ou só algumas partes selecionadas? Lembre--se, porém, de que não sou eu quem vai viver sabendo dessas coisas por muitos anos. Os meus arrependimentos vão ser muito mais breves. Por motivos óbvios.

Tru uniu as mãos e refletiu sobre a pergunta. As referências genéricas e a formulação cuidadosa o deixaram curioso, mas o alerta o fez hesitar. Quanto ele realmente queria saber? Em vez de responder na hora, levantou-se da mesa.

– Vou pegar um pouco d'água. Quer um copo?

– Prefiro um chá quente, se não for um problema.

– De jeito nenhum – disse Tru.

Ele encontrou uma chaleira num dos armários, encheu-a de água e pôs na boca do fogão. Em outro armário, achou caixas de chá. Encheu seu copo com água, bebeu, então o encheu outra vez. A chaleira não demorou muito para apitar, e ele preparou o chá e o levou até a mesa. Tornou a se sentar.

Durante esse tempo todo, Harry nada disse. Assim como Tru, não parecia inclinado a preencher o silêncio com conversa fiada. Interessante.

– Já decidiu? – perguntou ele então.

– Não – respondeu Tru.

– Tem alguma coisa que você queira saber?

Eu quero saber sobre a minha mãe, ele tornou a pensar. Mas o fato de estar ali, sentado à mesa ao lado daquele homem velho, o conduziu, em vez disso, a outra pergunta.

– Primeiro me fale sobre você – pediu.

O pai coçou uma mancha de idade na bochecha.

– Está bem – falou. – Eu nasci em 1914 no Colorado, numa casa feita de barro, acredite ou não. Tive três irmãs mais velhas. A Depressão veio quando eu era adolescente e foram tempos duros, mas minha mãe era professora e sempre enfatizou a educação. Estudei na Universidade do Colorado e consegui alguns diplomas. Depois me alistei no Exército. Acho que comentei na minha carta que fui do Corpo de Engenheiros do Exército, não? – Tru aquiesceu. – No início, a maior parte do meu trabalho foi no Colorado mesmo, mas aí veio a guerra. Passei um tempo no norte da África, na Itália, e então, por último, na Europa. Primeiro trabalhava principalmente com demolições, mas no final de 1944 e na primavera de 1945 me concentrei sobretudo na construção de pontes, sob as ordens de Montgomery. Os aliados a essa altura já avançavam rapidamente pela Alemanha e havia muitos rios no caminho, entre eles o Reno. Enfim, durante a guerra, fiquei amigo de um engenheiro britânico. Ele fora criado na Rodésia e tinha muitos contatos. Falou sobre as minas e os minerais que estavam só esperando para serem explorados, então depois da guerra fui com ele para lá. Ele me ajudou a arrumar um emprego na Mina Bushtick. Trabalhei alguns anos lá e conheci sua mãe.

Ele tomou um gole de chá, mas Tru sabia que estava pensando também em quanto deveria contar.

– Depois disso voltei para os Estados Unidos. Fui trabalhar na Exxon e conheci minha mulher, Lucy, na festa de Natal da firma. Ela era irmã de um dos executivos e nós nos demos bem. Começamos a namorar, casamos, tivemos filhos. Trabalhei em vários países ao longo dos anos, alguns seguros, outros nem tanto. Lucy e as crianças iam comigo ou então ficavam por aqui enquanto eu cumpria meu tempo no exterior. Uma família corporativa perfeita, por assim dizer, o que foi útil à minha carreira. Fui sendo promovido e trabalhei na mesma empresa até me aposentar. Terminei como um dos vice-presidentes e acumulei uma fortuna ao longo da vida. Nós nos mudamos para a Carolina do Norte onze anos atrás. Lucy foi criada aqui e quis voltar para casa.

Tru o observou e pensou na nova família, na nova vida que o pai havia criado após sua temporada na África.

– Quantos filhos você teve?

– Três. Dois meninos e uma menina. Todos agora na casa dos 30. Minha mulher e eu vamos comemorar quarenta anos de casados em novembro. Se eu chegar lá.

Tru tomou um gole d'água.

– Tem alguma coisa que você queira saber sobre mim?

– Eu acho que tenho uma boa noção sobre quem você é. O detetive me passou as informações.

– Então sabe que eu tenho um filho. Seu neto.

– Sei.

– Tem algum desejo de conhecê-lo?

– Tenho – respondeu Harry. – Mas provavelmente não é uma boa ideia. Sou um desconhecido e estou morrendo. Não vejo como isso seria bom para o menino.

Tru pensou que ele tinha razão. Mas...

– Mas no meu caso você pensou diferente. A realidade é a mesma, mas você chegou a outra conclusão.

– Você é meu filho.

Tru tomou um gole d'água.

– Fale sobre a minha mãe – pediu, por fim.

Harry abaixou o queixo e as palavras saíram mais suaves.

– Ela era linda. Uma das mulheres mais lindas que eu já vi. Era bem mais jovem do que eu, mas era... inteligente e madura para a idade. Podia falar demoradamente sobre poesia, arte, coisas sobre as quais eu nada sabia, com paixão e conhecimento de causa. E tinha uma risada maravilhosa, do tipo que envolve você. Eu acho que me apaixonei por ela na noite em que a conheci. Ela era... extraordinária.

Ele tornou a limpar a boca com o lenço.

– Nós passamos boa parte do ano seguinte juntos... Ela estudava na universidade e a mina tinha um laboratório lá. Nós nos víamos sempre que dava. Eu trabalhava muito, claro, mas arrumávamos tempo. Lembro que ela costumava andar para cima e para baixo com um livro de poesia de Yeats, não sei nem dizer quantas vezes lemos aqueles poemas em voz alta um para o outro. – Ele fez uma pausa, a respiração saía irregular. – Ela gostava de tomate. Comeu tomates em absolutamente todas as refeições que fizemos juntos. Sempre salpicados com um pouco de açúcar. Adorava borboletas e achava Humphrey Bogart em *Casablanca* o homem mais sexy que já tinha visto na vida. Eu já fumava desde antes de entrar para o Exército, mas quando ela me falou sobre Bogart, comecei a segurar o cigarro do mesmo jeito que ele fazia no filme. Entre o indicador e o polegar.

Harry girou a xícara, parecendo perdido em pensamentos.

– Eu a ensinei a dirigir, sabia? Ela não dirigia antes de nos conhecermos, e eu me lembro de pensar que isso era estranho, principalmente ela tendo crescido numa fazenda. E, com o tempo, comecei a perceber outra coisa nela. Abaixo da superfície, por mais inteligente e madura que ela fosse, comecei a notar uma insegurança profunda, muito embora isso não fizesse sentido para mim. Eu achava que sua mãe tinha tudo, e ela era tudo que eu jamais poderia querer. Mas quanto mais eu a conhecia, mais percebia quão cheia de segredos ela na verdade era. Durante muito tempo, eu soube pouco sobre o pai dela e o poder que ele tinha. Ela quase nunca falava nele. Mas lá pelo final do nosso relacionamento, ela me fez jurar muitas vezes que a levaria comigo quando eu voltasse para os Estados Unidos, e o jeito como me implorava às vezes me fazia pensar que desejava mais escapar da própria situação do que ficar comigo. Ela também nunca aceitou me apresentar ao pai nem me deixou conhecer a fazenda. Tínhamos sempre que nos encontrar em lugares afastados. E, por mais estranho que parecesse, ela nunca se referia a ele como pai ou papai. Era sempre o Coronel. E todas essas coisas acabaram me deixando com a pulga atrás da orelha.

– Em relação a quê?

– Acho que agora é o momento em que você precisa pensar de novo sobre quanto realmente quer saber. Última chance.

Tru comprimiu os lábios e meneou a cabeça.

– Continue.

– Quando ela finalmente começou a se abrir sobre o seu avô, descrevia duas pessoas inteiramente distintas. Em uma das versões ela o adorava e enfatizava quanto os dois precisavam um do outro, porém, em seguida, quando falava nele, me dizia que o odiava. Dizia que ele era mau, que ela queria se afastar o máximo possível dele e nunca mais vê-lo na vida. Eu não sei todos os detalhes sobre o que aconteceu naquela casa quando ela era pequena, e tampouco tenho certeza se quero saber. O que sei é que, quando o pai dela descobriu sobre mim, sua mãe entrou em pânico. Apareceu na minha casa, histérica, falando coisas desconexas, dizendo que tínhamos de sair do país imediatamente porque o Coronel estava uma fera... Não havia tempo nem de pegar minhas coisas. Não consegui acalmá-la, mas quando ela percebeu que eu não iria fazer o que estava pedindo, fugiu. Foi a última vez que eu a vi. Na época, não sabia que ela estava grávida. Talvez, se ela tivesse me contado, as coisas tivessem acontecido de outro jeito. Gosto de pensar que teria ido atrás dela e a ajudado a fugir. Mas nunca tive essa oportunidade.

Harry uniu as mãos e as pressionou uma contra a outra, como quem tenta encontrar forças.

– Eles apareceram na minha casa naquela mesma noite, depois que eu tinha ido dormir. Um grupo de homens. Me deram uma surra e enfiaram um capuz na minha cabeça antes de me jogar na mala de um carro. Me levaram para uma espécie de casa com um porão e me arrastaram para fora do carro. Quando dei por mim, estava rolando escada abaixo. Bati com a cabeça e apaguei. Ao recobrar a consciência, senti cheiro de umidade e mofo. Eles tinham me algemado a uns canos. E estava doendo para caramba, porque eu tinha deslocado o ombro na queda.

Ele respirou longamente, como quem reúne energia para um último esforço.

– Quando eles finalmente tiraram o capuz, alguém acendeu uma lanterna na minha cara. Eu não conseguia ver nada. Mas ele estava lá. O Coronel. Falou que eu tinha duas escolhas: podia ir embora da Rodésia na manhã seguinte ou então morrer naquele porão, algemado aos canos, sem comida nem água.

Ele se virou para Tru.

– Eu tinha estado na guerra. Tinha visto coisas horríveis. Tinha levado um tiro que me valeu uma condecoração, e houve momentos em que me perguntara como eu havia sobrevivido. Mas eu nunca tinha sentido mais medo do que naquele instante, porque sabia que ele era um assassino frio. Dava para ouvir na voz dele. No dia seguinte, peguei meu carro e só parei quando cheguei à África do Sul. Embarquei num voo de volta para os Estados Unidos. Nunca mais vi nem falei com a sua mãe.

Ele engoliu em seco.

– Passei a vida sabendo que era um covarde por ter feito o que fiz. Por tê-la deixado com ele. Por ter sumido completamente da vida dela. E não se passou um dia sequer em que eu não tenha me arrependido. Quer dizer... Eu amo a minha mulher, mas nunca senti por ela a mesma paixão profunda e abrasadora que senti por sua mãe. Eu deixei Evelyn com aquele homem, e no fundo do coração sei que foi a pior coisa que fiz. Você precisa saber também que não vim aqui atrás do seu perdão. Algumas coisas não podem ser perdoadas. Mas quero que acredite que, se eu tivesse sabido de você, as coisas poderiam ter sido diferentes. Entendo que são só palavras e que você não me conhece, mas é a verdade. E eu sinto muito pelo modo como tudo acabou acontecendo.

Tru não disse nada, percebendo que não era difícil encaixar a história que acabara de ouvir com o avô que conhecera. Aquilo lhe causou repulsa, mas, mais do que isso, ele sentiu que dava origem a uma intensa tristeza por sua mãe e alguma piedade pelo homem sentado ao seu lado àquela mesa.

O pai fez um gesto em direção à pasta.

– Poderia me passar isso daí?

Tru estendeu a mão para pegar a pasta, colocou-a em cima da mesa e observou o pai abri-la.

– Eu também queria lhe dar algumas coisas – disse ele. – Coloquei-as na mala do carro no dia em que fui embora da Rodésia, e com os anos acabei esquecendo completamente delas. Mas quando vi sua foto, pedi para um dos meus filhos achar o baú no sótão e descer com ele. Se você não tivesse vindo, estava planejando mandá-las pelo correio.

Dentro da pasta havia um envelope por cima de uma pilha de papéis de desenho amarelados nas bordas. O pai de Tru lhe entregou o envelope.

– Um dos meus amigos na época era fotógrafo e andava para todo lado com a câmera. Tem algumas de nós dois juntos, mas a maior parte é da sua mãe. Ele tentou convencê-la a virar modelo.

Tru tirou as fotos do envelope. Eram oito ao todo; a primeira que examinou mostrava a mãe e o pai sentados juntos em frente a um rio, ambos sorrindo. A segunda também era do casal, eles se olhavam de perfil, como no desenho que ele estava fazendo de Hope e de si. As outras todas

147

eram da sua mãe sozinha em poses e trajes variados contra um fundo liso, estilo fotográfico muito em voga no final dos anos 1940. Tru sentiu um aperto na garganta ao vê-la e experimentou uma sensação de perda repentina que até então não sentira.

Seu pai então lhe passou os desenhos. O primeiro era um autorretrato da mãe encarando o próprio reflexo no espelho. Apesar da beleza, sua expressão sombria lhe dava um aspecto atormentado. O seguinte era um desenho da mãe vista por trás. Ela estava enrolada num lençol e olhando por cima do ombro, o que fez Tru pensar se teria usado uma foto parecida como inspiração. Havia mais três autorretratos e várias cenas de paisagem semelhantes às que Tru tinha feito para Andrew. Uma delas, porém, retratava a casa principal da família antes do incêndio, com a varanda enfeitada por imponentes colunas. Ele se deu conta de que havia esquecido como a casa era naquele tempo.

Quando Tru finalmente pousou os desenhos, o pai pigarreou.

– Eu achava que ela era boa o bastante para abrir um estúdio, mas ela não estava interessada. Dizia que desenhava porque queria se perder no processo. Na época eu não entendia direito o que ela queria dizer, mas passei muitas tardes observando-a desenhar. Sua mãe tinha a mania encantadora de passar a língua pelos lábios quando estava trabalhando e nunca ficava completamente satisfeita com o resultado. Para ela, os desenhos nunca ficavam prontos.

Tru tomou um gole d'água enquanto refletia.

– Ela era feliz? – perguntou, por fim.

O pai sustentou seu olhar.

– Eu não sei como responder a essa pergunta. Gosto de pensar que ela foi feliz quando estávamos juntos. Mas...

Ele não completou a frase e Tru ficou pensando nas implicações do que tinha ouvido antes, nas palavras que ainda não haviam sido pronunciadas... sobre o que realmente acontecera naquela casa quando a mãe era pequena.

– Se você não se importar, eu gostaria de lhe fazer uma pergunta – disse o pai.

– Pois não?

– Tem algo que você queira de mim?

– Não sei se estou entendendo direito a pergunta.

– Você gostaria de manter um canal de comunicação aberto? Ou prefere que eu suma depois de nos despedirmos hoje? Eu já lhe disse que não tenho muito tempo, mas, depois de todos esses anos, achei que fosse melhor você mesmo decidir.

Tru encarou o velho sentado ao seu lado enquanto pensava.

– Sim – respondeu por fim, surpreendendo a si mesmo. – Eu gostaria de poder falar com você outra vez.

– Está bem. – O pai aquiesceu. – E com relação aos meus outros filhos? – indagou. – Ou à minha mulher? Gostaria de falar com eles?

Tru pensou a respeito antes de finalmente balançar a cabeça.

– Não – falou. – A menos que eles queiram falar comigo. Nós não nos conhecemos e, assim como você, acho que não quero complicar mais ainda a vida de nenhum de nós.

Ao ouvir isso, seu pai lhe abriu um meio sorriso.

– Justo. Mas eu tenho um favor a lhe pedir. Sinta-se à vontade para recusar, claro.

– Que favor?

– Você por acaso tem uma foto do meu neto para me mostrar?

O pai ficou por mais quarenta minutos. Disse que a mulher e os filhos haviam apoiado sua decisão de procurar Tru, apesar de não saberem o que pensar sobre um parente que nunca haviam encontrado, alguém surgido de um passado anterior a todos eles. Quando ele acrescentou que o caminho de volta até Charlotte era longo e que não queria deixá-los ainda mais preocupados, Tru entendeu que aquele era seu jeito de dizer que estava na hora de ir. Carregou a pasta e segurou o guarda-chuva para Harry enquanto desciam os degraus até o carro que ficara esperando em frente à casa.

Tru ficou observando o carro se afastar, então foi até o chalé soltar Scottie. Apesar da chuva, queria caminhar pela praia, pois precisava de espaço e de tempo para pensar.

Fora um encontro no mínimo surpreendente. Tru nunca havia imaginado o próprio pai como um homem de família, casado com a mesma mulher havia décadas. Ou que ele saíra do país com medo de morrer por causa do seu avô. Enquanto avançava pela areia, não conseguiu conter uma sensação crescente de repulsa pela figura masculina mais dominante da sua infância.

Havia também a família sobre a qual ele jamais ficara sabendo, seus dois meios-irmãos e sua meia-irmã, e embora ele houvesse preferido não conhecê-los, estava curioso a respeito deles. Quem eram? Que tipo de pessoa seriam? Duvidava que algum deles tivesse sentido necessidade de sair de casa logo após completar 18 anos, como ele; a vida deles certamente não tinha sido nem um pouco parecida com a sua. Durante algum tempo, tentou imaginar como teria sido a sua vida caso a mãe e o pai houvessem encontrado um jeito de ficar juntos, mas isso parecia improvável demais e ele desistiu.

Olhou para o mar agitado e pensou que ainda havia muitas perguntas sem resposta, muitas coisas que jamais saberia. Mesmo em relação à própria mãe. Tudo que sabia era que a sua curta vida tinha sido ainda mais trágica do que ele imaginara, e sentia-se grato por qualquer alegria que o pai tivesse proporcionado a ela.

Pegou-se desejando que o encontro com Harry houvesse acontecido anos antes, quando eles teriam tido mais tempo para se conhecer. Mas algumas coisas não eram para ser e, quando o sol começou a se pôr, Tru se virou para iniciar o caminho de volta até a casa. Foi andando devagar, mantendo-se distraidamente de olho em Scottie, sentindo-se pesado com as revelações da tarde e com uma indescritível sensação de pesar. Já estava quase escuro quando chegou. Deixou Scottie no deque de trás enquanto tomava uma ducha e vestia roupas secas, então pegou as fotos e os desenhos deixados pelo pai.

No chalé de Hope, sentou-se à mesa da cozinha para examinar as imagens. Desejou que ela estivesse ali; Hope saberia como ajudá-lo a encontrar sentido em tudo aquilo, e sem ela ele se sentia angustiado. Para se tranquilizar, retomou o desenho deles dois enquanto a chuva continuava a cair. Do lado de fora da janela, relâmpagos faiscavam, num reflexo de suas emoções turbulentas, e Tru pensou nos estranhos paralelos entre ele e o pai.

Harry havia deixado sua mãe na África e voltado para os Estados Unidos; dali a dois dias, Tru iria voltar para a África e deixar Hope nos Estados Unidos. Seu pai e sua mãe não tinham conseguido achar um jeito de ficar juntos, mas ele queria acreditar que seria diferente com Hope. Queria que os dois compartilhassem a vida, e à medida que desenhava, ficou pensando em como fazer isso acontecer.

Exausto, Tru só percebeu que Hope voltara do casamento ao senti-la deitar ao seu lado na cama. Passava da meia-noite, ela já havia tirado a roupa e estava com a pele quente. Sem dizer nada, começou a beijá-lo. Ele correspondeu com carícias e, quando começaram a fazer amor, sentiu o gosto salgado das lágrimas dela. Mas não disse nada. Ele próprio estava se segurando para não chorar ao pensar no que o dia seguinte poderia trazer. Depois ela se aninhou junto a ele, e ele a abraçou até ela adormecer com a cabeça em seu peito.

Ficou escutando o som da respiração de Hope na esperança de que aquilo o acalmasse. Mas não. Em vez de dormir, ficou deitado no escuro, olhando o teto, e sentiu-se estranha e completamente sozinho.

AMANHÃ NUNCA MAIS

Tru acordou ao amanhecer, bem na hora em que a luz da manhã começava a entrar pela janela, e ao estender a mão na direção de Hope descobriu que a cama estava vazia. Apoiou-se no cotovelo e esfregou os olhos sonolentos, surpreso e um pouco decepcionado. Queria ter passado a manhã sem pressa na cama com ela, sussurrando e fazendo amor, adiando a realidade de que aquele seria seu último dia juntos.

Levantando-se da cama, vestiu a calça jeans e a camisa que havia usado na véspera. Viu que a fronha estava borrada de rímel, vestígio das lágrimas da noite anterior, e sentiu uma onda de pânico ao pensar em perder Hope. Queria mais um dia, mais uma semana, mais um ano ao lado dela. Queria uma vida inteira e estava disposto a fazer o que ela quisesse para que ficassem juntos para sempre.

Ensaiou mentalmente o que lhe diria enquanto seguia em direção à cozinha. Sentiu cheiro de café, mas para sua surpresa Hope não estava lá. Ele se serviu de uma caneca e continuou a busca, espichando a cabeça para dentro da sala de jantar e da sala de televisão, sem resultado. Por fim, acabou encontrando-a no deque de trás, onde pôde vê-la pela janela sentada numa das cadeiras de balanço. Havia parado de chover e, ao vê-la fitando o mar, ele tornou a pensar que ela era a mulher mais linda que já tinha visto na vida.

Parou apenas um segundo antes de empurrar a porta para abri-la.

O ruído fez Hope se virar. Embora ela tivesse aberto um sorriso hesitante, estava com os olhos vermelhos. A profunda tristeza na sua expressão o fez se perguntar quanto tempo fazia que ela estava ali sozinha com os próprios pensamentos, ruminando as impossibilidades da situação dos dois.

– Bom dia – disse ela com uma voz suave.

– Bom dia.

Quando eles se beijaram, Tru sentiu nela uma hesitação que não esperava e que de repente tornou irrelevante todos os discursos que havia ensaiado. Teve a sensação de que, mesmo que dissesse as palavras, Hope não estava mais pronta para ouvi-las. Percebeu com apreensão que algo havia mudado, embora não soubesse ao certo o quê.

– Não acordei você, acordei? – perguntou ela.

– Não – respondeu ele. – Não ouvi você sair do quarto.

– Eu tentei não fazer barulho.

As palavras soaram mecânicas.

– Estou surpreso que já esteja acordada. Você chegou tão tarde.

– Acho que não era mesmo para eu dormir... – Ele a observou tomar um gole de café antes de continuar. – Você dormiu bem?

– Não muito – admitiu ele.

– Nem eu. Estou acordada desde as quatro. – Ela acenou com a caneca em direção à outra cadeira de balanço. – Sequei o assento, mas você talvez queira dar outra enxugada só por garantia.

– Está bem.

Ele pegou a toalha que ela havia deixado sobre o assento e a passou sobre as ripas de madeira antes de se sentar na pontinha da cadeira de balanço. Estava com o estômago embrulhado. Pela primeira vez em dias, o céu exibia pedaços de azul, embora uma colcha de retalhos de nuvens brancas ainda se estendesse acima do mar e o finalzinho da tempestade se perdesse ao longe. Hope tornou a se virar para o mar, como se não conseguisse olhar para ele, e não disse nada.

– Estava chovendo quando você acordou? – perguntou ele, quebrando o silêncio.

Sabia que era conversa fiada, mas não tinha certeza do que mais poderia dizer. Ela fez que não com a cabeça.

– Não. Parou em algum momento durante a noite. Provavelmente não muito depois de eu chegar.

Ele virou a cadeira de frente para a dela para ver se ela faria o mesmo com a sua. Não. Também não disse nada. Ele pigarreou.

– E o casamento, como foi?

– Lindo – respondeu ela, ainda se recusando a encará-lo. – Ellen estava esplendorosa e bem menos estressada do que pensei que estaria. Principalmente depois do telefonema dela no outro dia.

– A chuva não atrapalhou?

– Eles acabaram fazendo a cerimônia na varanda. As pessoas tiveram de ficar apertadas, mas de algum modo isso tornou tudo mais intimista. E a recepção correu sem nenhum percalço. A comida, a banda, o bolo... Todo mundo se divertiu muito.

– Que bom que correu tudo bem.

Ela pareceu perdida em pensamentos por alguns segundos antes de finalmente se virar de frente para ele.

– E com seu pai, como foi? Fiquei pensando nisso desde que saí ontem.

– Foi... – Tru hesitou enquanto tentava encontrar a palavra certa. – Foi interessante.

– Como ele está? Como ele é?

– Não é como eu imaginava.

– Como assim?

– Eu acho que estava esperando um cara mais solto na vida. Mas ele não é nem um pouco assim. Tem 70 e poucos anos e é casado há quase quarenta com a mesma mulher. Tem três filhos adultos e trabalhava para um dos gigantes do petróleo. Ele me fez pensar em muitos dos turistas americanos que frequentam a reserva.

– Ele contou o que aconteceu entre ele e a sua mãe?

Tru aquiesceu, então começou pelo princípio. Pela primeira vez naquela manhã, Hope pareceu sair da concha e usar o momento presente para escapar da prisão de seus pensamentos sombrios. Fascinada pelo relato, não conseguiu esconder quão chocada estava quando ele terminou.

– E ele teve certeza de que foi seu avô que o sequestrou? – indagou. – Ele nunca o tinha visto, então não pode ter reconhecido a voz.

– Foi meu avô – disse Tru. – Não existe qualquer dúvida na minha mente. Assim como não existia na dele.

– Que... horror.

– Meu avô podia ser um homem horrível.

– Como você está se sentindo em relação a isso? – perguntou Hope com uma voz suave.

– Já faz muito tempo.

– Isso não responde à minha pergunta.

– Mas é a verdade.

– Mudou o que você pensa do seu pai?

– De certa forma – respondeu ele. – Sempre imaginei que ele simplesmente tivesse ido embora sem ligar para a minha mãe. Mas eu estava errado.

– Se importaria de me mostrar as fotos e os desenhos?

Tru entrou para buscá-los na mesa de cabeceira. Entregou-lhe a pilha, tornou a se sentar em sua cadeira de balanço e ficou observando Hope examiná-los.

– Sua mãe era muito bonita – comentou ela.

– Era, sim.

– Dá para ver que ela estava apaixonada por ele. E que ele sentia o mesmo por ela.

Tru aquiesceu, com os pensamentos mais focados em Hope do que nos acontecimentos da véspera. Estava tentando memorizar tudo em relação à aparência dela, cada pormenor, cada gesto. Quando ela terminou de olhar as fotos, pegou o primeiro dos desenhos, o da mãe dele olhando para o próprio reflexo no espelho.

– Ela era muito talentosa – falou. – Mas acho o seu trabalho melhor.

– Ela era jovem ainda. E tinha mais habilidade natural do que eu.

Quando terminou de examinar a pilha de desenhos, ela tomou outro gole do café, esvaziando a caneca.

– Eu sei que você acabou de acordar, mas topa caminhar pela praia? – sugeriu. – Preciso levar Scottie para passear daqui a pouco.

– Claro – respondeu ele. – Vou pegar minhas botas.

Quando ele ficou pronto, Scottie já estava junto ao portão com o rabo abanando. Tru abriu o portão para deixar Hope ir na frente e, uma vez

155

na praia, Scottie saiu correndo em direção a um bando de aves. Os dois o seguiram devagar; a manhã estava mais fria do que nos dias anteriores. Durante algum tempo, nenhum dos dois pareceu querer romper o silêncio. Quando Tru segurou a mão de Hope, ela hesitou antes de por fim relaxar. Ela estava erguendo defesas, e Tru recebeu aquilo com dor.

Eles continuaram andando em silêncio por muito tempo. Hope só olhava para ele de vez em quando; parecia estar concentrada em algo ao longe ou então no meio do mar. Assim como na maior parte da semana, a praia estava vazia e silenciosa. Não havia barcos, e até mesmo as gaivotas e andorinhas-do-mar pareciam ter fugido. Confirmando a sensação de apreensão que tivera mais cedo, Tru agora podia sentir, com toda certeza, que algo tinha acontecido, que havia alguma outra coisa que ela estava com medo de lhe contar. Teve a forte premonição de que o que ela queria dizer, fosse o que fosse, iria ao mesmo tempo surpreendê-lo e magoá-lo, e sentiu-se desanimar. Desesperado, tornou a pensar em tudo que queria lhe falar, mas, antes que ele conseguisse dizer as palavras, ela o encarou.

– Desculpe estar tão calada – falou ela, forçando um sorriso. – Não estou uma companhia muito boa hoje.

– Tudo bem – disse ele. – Você foi dormir tarde.

– Não é isso – disse ela. – É que...

Ela não completou a frase, e Tru sentiu um respingo de água do mar que o deixou com frio.

Ela pigarreou.

– Quero que você saiba que eu não fazia a menor ideia de que isso iria acontecer.

– Não sei do que você está falando.

A voz dela ficou mais baixa e seus dedos se tensionaram dentro da mão dele.

– Josh apareceu no casamento.

Tru sentiu um nó na barriga, mas não disse nada. Hope continuou.

– Depois do telefonema no outro dia, ele comprou uma passagem para Wilmington. Acho que não gostou da minha voz. Chegou pouco antes da cerimônia... Simplesmente apareceu, e notou que eu não fiquei

nada contente. – Ela deu alguns passos, observando a areia diante de si.
– No início, não foi muito difícil me esquivar dele. Depois da cerimônia,
o grupo de madrinhas teve de posar para várias fotos, e o meu lugar no
jantar era com os noivos na mesa principal. Fiquei com minhas amigas
durante a maior parte da noite, mas lá pelo final da festa saí para tomar
um ar e ele me achou. – Ela respirou fundo, como se estivesse reunindo
as palavras de que precisava. – Pediu desculpas, disse que queria conversar, e...

À medida que ela falava, Tru sentiu tudo começar a lhe escapar por
entre os dedos.

– E? – indagou, de modo suave.

Ela parou de andar e se virou para ele.

– Quando ele apareceu, tudo em que consegui pensar foi nesta semana e em quanto ela significou para mim. Semana passada eu nem sabia
da sua existência, então parte de mim não consegue evitar se perguntar
se estou maluca. Porque eu tenho certeza que amo você.

Tru engoliu em seco e reparou que os olhos dela brilhavam, marejados.

– Até mesmo agora, aqui com você, tudo em que consigo pensar é
como isso tudo parece certo. E não quero deixar você.

– Então fique comigo – pediu ele. – Nós vamos dar um jeito.

– Não é tão simples, Tru. Eu amo o Josh também. Sei que deve ser
doloroso para você ouvir isso, e a verdade é que eu não sinto por ele a
mesma coisa que sinto por você. – Os olhos dela o fitaram com súplica.
– Vocês são tão diferentes... – Ela parecia tentar tocar algo fora do seu
alcance. – Minha sensação é estar em guerra comigo mesma... como se
eu fosse duas pessoas distintas, que querem coisas totalmente diferentes.
Mas...

Quando ela pareceu incapaz de prosseguir, Tru segurou seus braços.

– Hope, eu não consigo imaginar uma vida sem você. Nem quero essa
vida. Eu quero você, só você, para sempre. Você conseguiria mesmo desistir do que existe entre nós sem se arrepender?

Ela ficou ali petrificada, com a angústia estampada no rosto.

– Não. Sei que existe uma parte de mim que vai se arrepender disso
para sempre.

Ele a encarou, tentando ler seus sentimentos, mas já sabendo o que ela estava tentando lhe dizer.

– Você não vai contar para ele sobre nós, vai?

– Eu não quero magoá-lo...

– Mas mesmo assim está disposta a esconder segredos dele?

Ele se arrependeu das palavras na mesma hora que as pronunciou.

– Não é justo você dizer isso – exclamou ela, desvencilhando-se. – Acha que eu queria estar nesta situação? Eu não vim para cá para deixar minha vida ainda mais complicada do que já estava. Não vim para cá porque queria me apaixonar por outro homem. Mas, qualquer que seja a minha decisão, alguém vai sair machucado e eu nunca, nunca quis que isso acontecesse.

– Tem razão – murmurou ele. – Eu não deveria ter dito isso. Não foi justo, me desculpe.

Os ombros dela afundaram e a raiva aos poucos cedeu lugar novamente à incerteza.

– Dessa vez o Josh parecia diferente. Assustado. Sério... – refletiu ela, quase para si mesma. – Eu só não sei...

De repente Tru entendeu que era agora ou nunca, e tornou a segurar a mão dela.

– Queria falar sobre isso antes com você. Ontem à noite, quando não consegui dormir, pensei bastante. Sobre você e eu. Sobre nós. E talvez você ainda não esteja pronta para ouvir isso, mas... – Ele engoliu em seco, os olhos cravados nos de Hope. – Quero que você volte comigo para o Zimbábue. Sei que é pedir muito, mas você poderia conhecer o Andrew e nós poderíamos criar uma vida lá. Se não gostar de eu passar tanto tempo na selva, posso encontrar alguma outra coisa para fazer.

Hope piscou sem dizer nada, tentando assimilar o que Tru estava falando. Abriu a boca para responder, então tornou a fechá-la ao mesmo tempo que soltava a mão da dele. Virou-se para o mar e então, por fim, balançou a cabeça.

– Eu não quero que você mude quem é por minha causa – insistiu. – Ser guia é importante para você...

158

– Mas você é mais – disse ele, e pôde ouvir o desespero na própria voz. Sentiu o futuro e todas as suas esperanças começarem a recuar. – Eu te amo. Você não me ama?

– É claro que amo.

– Então, antes de dizer não, pode pelo menos pensar no assunto?

– Eu já pensei – disse ela, tão baixinho que ele quase não conseguiu escutar sua voz por cima do barulho das ondas. – Ontem, voltando do casamento, vim pensando exatamente nisso. Em simplesmente... fugir com você para a África. Ir embora sem pensar duas vezes. E parte de mim queria fazer isso. Me imaginei explicando a situação para os meus pais e tive certeza de que eles me dariam sua bênção. Mas...

Ela ergueu os olhos para ele com o rosto marcado pela angústia.

– Como posso deixar meu pai sabendo que ele só tem mais uns poucos anos de vida? Preciso passar esses últimos anos ao lado dele, tanto por mim quanto por ele. Porque eu sei que nunca vou me perdoar se não fizer isso. E minha mãe vai precisar de mim, mesmo ela achando que não.

– Você poderia voltar quantas vezes quisesse. Uma vez por mês, se fosse preciso. Ou mais, até. Dinheiro não é problema.

– Tru...

Ele sentiu uma onda de pânico.

– E se eu me mudar para cá? – sugeriu ele. – Para a Carolina do Norte?

– E Andrew?

– Eu voltaria todo mês. Poderia vê-lo mais do que o vejo hoje em dia. O que você quiser que eu faça eu farei.

Ela o encarou agoniada, com a mão tensa dentro da sua.

– E se você não puder? – perguntou. As palavras saíram quase num sussurro. – E se tiver uma coisa que você nunca vai poder me dar?

As palavras dela o fizeram se encolher como se ele tivesse levado um tapa. Na mesma hora, ele compreendeu o que ela vinha tentando tanto não lhe dizer. Que estar com ele significava desistir de ter filhos. Ela não tinha lhe contado sobre o seu sonho da vida inteira? Sobre a sua imagem tão sonhada de segurar no colo o bebê que houvesse acabado de dar à luz, de criar uma vida humana junto com o homem que amava? Mais do que tudo, Hope queria ser mãe, queria parir um filho, e essa era a única coisa que ele não podia lhe dar. No rosto dela, a súplica muda por perdão era tão intensa quanto a dor.

Sem conseguir olhar para ela, Tru virou as costas. Sempre havia acreditado que, em se tratando de amor, tudo era possível, que qualquer obstáculo podia ser removido. Isso não era uma verdade que todos consideravam um fato? Enquanto lutava contra o caráter implacável do que Hope acabara de dizer, ela envolveu o próprio corpo com os dois braços.

– Eu me odeio por isso – disse ela, chorando, e sua voz falhou. – Me odeio pelo fato de existir essa parte de mim que precisa ter um filho. Eu gostaria de conseguir imaginar uma vida sem filhos, mas não consigo. Sei que seria possível adotar, e que hoje em dia existem até tecnologias incríveis da medicina, mas... – Ela balançou a cabeça e expirou demoradamente. – Simplesmente não seria a mesma coisa. Odeio que seja desse jeito para mim, mas é.

Durante muito tempo, nenhum dos dois disse nada, e ambos ficaram encarando as ondas. Por fim, Hope falou, com uma voz entrecortada:

– Eu nunca quero pensar que abri mão do meu sonho por sua causa. Nunca quero ter motivo para guardar ressentimento de você... Essa possibilidade me deixa apavorada. – Ela balançou a cabeça. – Sei como isso parece egoísta, quanto estou magoando você. Mas, por favor, não me peça que vá com você, porque senão eu vou.

Tru pegou a mão dela, levou-a aos lábios e a beijou.

– Você não é egoísta – falou.

– Mas você me despreza.

– É claro que não.

Ele a tomou nos braços e a puxou para si.

– Eu vou te amar para sempre. Não tem nada que você algum dia possa fazer ou dizer que vá mudar isso.

Hope balançou a cabeça, tentando impedir as lágrimas de rolarem, mas sem conseguir.

– Tem mais uma coisa – disse ela, e sua voz ficou mais embargada quando ela começou a chorar para valer. – Uma coisa que eu não contei.

Ele se preparou por dentro. De algum modo, já sabia o que ela iria dizer.

– Josh me pediu em casamento ontem à noite – contou Hope. – Ele me disse que está pronto para começar uma família.

Tru não falou nada. Sentiu-se tonto e afundou nos braços dela como se seus braços e pernas tivessem virado chumbo. Embora quisesse consolá-la, sentiu um torpor se espalhar pelo próprio corpo.

– Tru, me desculpe – disse ela. – Não soube como contar isso a você ontem à noite. Mas eu ainda não dei uma resposta a ele. Quero que você saiba disso. E quero que entenda que eu não tinha ideia de que ele faria algo assim.

Tru engoliu em seco para tentar manter as emoções sob controle.

– Realmente faz diferença você não saber que ele iria pedir?

– Não sei – disse ela. – No momento, eu tenho a sensação de não estar entendendo nada. Tudo que sei é que eu nunca quis que terminasse desse jeito. Eu nunca quis magoar você.

Foi como se uma dor física o percorresse, começando no peito e se irradiando para fora até fazer as pontas dos seus dedos latejarem.

– Eu não posso forçar você a ficar comigo – sussurrou ele. – Por mais que eu queira, não posso fazer isso. E não vou nem tentar, mesmo que isso signifique nunca mais ver você. Mas queria pedir uma coisa.

– Qualquer coisa – sussurrou ela.

Ele engoliu em seco.

– Tente se lembrar de mim.

Hope produziu um ruído engasgado, e Tru entendeu que ela não conseguia responder. Em vez disso, o que ela fez foi comprimir os lábios e aquiescer. Tru a puxou mais para perto e a sentiu desabar junto ao seu corpo, como se as pernas dela não conseguissem mais sustentá-la. Quando ela começou a soluçar, ele se sentiu ruir. Atrás deles, as ondas seguiam quebrando, indiferentes ao mundo que diminuía a velocidade até se imobilizar entre os dois.

Ele a queria, e apenas ela, para sempre. Só que não era possível. Não mais, pois apesar do amor que sentiam um pelo outro, Tru já sabia qual seria a resposta de Hope para Josh.

De volta ao chalé, Hope tirou da geladeira tudo que poderia estragar e pôs num saco de lixo. Quando ela foi tomar banho, Tru levou o lixo para os latões do lado de fora. A cabeça dele girava, e quando ele voltou para a cozinha ouviu o barulho do chuveiro aberto. Revirou as gavetas até achar papel e uma caneta. Arrasado, tentou organizar os pensamentos pondo as palavras no papel. Havia tanta coisa que ele queria dizer...

Ao terminar, voltou para a casa do pai e pegou dois desenhos. Colocou-os junto com a carta no porta-luvas do carro dela, sabendo que quando ela os encontrasse o tempo dos dois juntos já pertenceria ao passado.

Quando Hope finalmente reapareceu, já veio trazendo a mala. De calça jeans, blusa branca e com as sandálias compradas poucos dias antes, estava linda de doer. Tru tinha se sentado à mesa outra vez, e, após apagar todas as luzes, ela foi se sentar no colo dele. Abraçou-o, e os dois passaram algum tempo abraçados sem dizer nada. Quando ela se afastou, estava cabisbaixa.

– Acho que é melhor eu ir andando – falou, por fim.

– Eu sei – sussurrou ele.

Ela se levantou, prendeu Scottie na guia e foi até a porta devagar.

Estava na hora. Tru pegou a mala dela e também a caixa de recordações que ela havia separado no início da semana. Acompanhou-a até a porta da frente e parou ao seu lado enquanto ela a destrancava, sentindo o cheiro de flores silvestres do xampu que ela havia usado.

Pôs as coisas dela na mala enquanto ela acomodava Scottie no banco de trás. Depois de fechar as portas, ela foi até ele devagar. Ele tornou a abraçá-la, e nenhum dos dois conseguiu dizer nada. Quando ela enfim se afastou, ele tentou sorrir, embora tudo por dentro estivesse se quebrando.

– Se você algum dia tiver planos de fazer um safári, não deixe de me avisar. Posso indicar as reservas que deve visitar. Não precisa ser no Zimbábue. Tenho contatos na região toda. Você sempre pode me encontrar pelo refúgio de Hwange.

– Está bem – disse ela com voz hesitante.

– E se quiser só conversar ou me encontrar, eu dou um jeito. As companhias aéreas tornaram o mundo um lugar bem menor. Se precisar de mim, eu venho. Está bem?

Ela aquiesceu, sem conseguir encará-lo, e ajeitou a alça da bolsa no ombro. A vontade de Tru era lhe implorar que fosse com ele; queria lhe dizer que um amor como o que eles tinham jamais poderia se repetir. Pôde sentir as palavras se formarem, mas elas permaneceram dentro dele.

Beijou-a uma última vez, com suavidade e delicadeza, então abriu a porta para ela. Quando ela já estava sentada ao volante, fechou a porta, e suas esperanças e seus sonhos se estilhaçaram junto com aquele som. Ouviu o motor ganhar vida e a viu baixar o vidro.

Ela estendeu a mão para fora e segurou a dele.

– Nunca vou esquecer você – falou.

E então, de uma hora para outra, soltou sua mão. Engatou a ré e começou a se afastar da casa. Como num transe, Tru seguiu o carro.

Um raio de sol escapou por entre as nuvens e iluminou o carro dela como um canhão de luz à medida que começava finalmente a avançar. Ela não olhou na sua direção. Ele continuou a segui-la, atraído até a rua.

O carro agora já ia diminuindo ao longe. Afastou-se 50 metros, depois ainda mais, e apesar de a imagem dela não ser mais visível pelo para-brisa traseiro Tru continuou olhando. Sentia-se oco, uma casca vazia.

As luzes do freio piscaram uma vez, e então de repente se firmaram, vermelhas. O carro parou, e ele viu a porta do motorista se abrir. Hope saltou e se virou na direção dele. Parecia muito distante, e quando lhe soprou um último e delicado beijo ele não conseguiu se forçar a retribuir o gesto. Ela aguardou um instante, então tornou a entrar no carro e fechou a porta. O carro recomeçou a avançar.

– Volte para mim – sussurrou ele, ao mesmo tempo que a via chegar à esquina que levava à estrada principal para sair da ilha.

Mas ela não podia escutá-lo. À sua frente, o carro diminuiu a velocidade, mas não parou. Sem conseguir mais olhar, Tru curvou o corpo para a frente e levou as mãos aos joelhos. Embaixo dele, o asfalto estava manchado por suas lágrimas.

Quando ele tornou a se endireitar, o carro havia desaparecido por completo e a estrada estava deserta.

CONSEQUÊNCIAS

Hope jamais se lembraria da viagem de carro de volta a Raleigh. Tampouco se lembraria muito bem do almoço com Josh naquele mesmo domingo. Ele havia lhe telefonado várias vezes desde o casamento e deixado recados no apartamento dela suplicando por um encontro. Com relutância, ela aceitou encontrá-lo num café da cidade, mas, enquanto ele falava do outro lado da mesa, tudo em que conseguia pensar era no jeito como Tru ficara parado no meio da rua olhando-a ir embora. Abruptamente, Hope disse a Josh que precisava de uns dias para pensar nas coisas e saiu do restaurante antes mesmo de a comida chegar, sentindo o olhar perplexo dele acompanhá-la enquanto se retirava às pressas.

Algumas horas depois, ele apareceu no apartamento dela e os dois conversaram na soleira da porta. Ele tornou a pedir desculpas e Hope deu um jeito de disfarçar sua agitação. Depois de aceitar encontrá-lo na quinta-feira, fechou a porta e se apoiou nela, totalmente esgotada. Foi se deitar no sofá da sala com a intenção de tirar um cochilo, porém, sem saber como, só acordou na manhã seguinte. A primeira coisa em que pensou foi que Tru já estava no avião de volta para o Zimbábue e que o abismo entre eles aumentava a cada minuto.

Mal conseguiu dar conta do trabalho. Fez tudo no piloto automático, e, com exceção de uma adolescente que sofrera um acidente de carro horroroso, não se lembrava de nenhum dos pacientes. Se as outras enfermeiras perceberam quão distante ela estava, não comentaram nada.

Na quarta-feira, havia planejado visitar os pais depois do trabalho. Sua mãe tinha deixado recado na secretária eletrônica uns dois dias antes dizendo que faria um ensopado, e Hope resolveu comprar uma torta de mirtilo no caminho, numa confeitaria da cidade. O único problema era que a confeitaria só aceitava dinheiro vivo e, em meio ao torpor dos últimos dias, ela esquecera de passar no banco. Lembrando-se que guardava um pouco de dinheiro no porta-luvas para alguma emergência, voltou ao carro e abriu o compartimento. Enquanto procurava o dinheiro, derrubou algumas das coisas que estavam lá dentro, e foi só quando as estava recolhendo que reconheceu o retrato de si mesma que Tru desenhara.

Ver aquilo a deixou sem ar. Soube que ele devia ter posto no porta-luvas na manhã em que ela partira. Ficou olhando para o desenho e sentiu as mãos começarem a tremer, até que se lembrou que ainda precisava pagar a torta. Com cuidado, pousou o desenho no banco do carona e tornou a entrar apressada na loja para concluir a compra.

De volta ao carro, não deu a partida. Em vez disso, tornou a pegar o desenho. Ao examinar a imagem, reconheceu uma mulher irremediavelmente apaixonada pelo homem que a havia desenhado e sentiu um desejo intenso de ser abraçada por ele só mais uma vez. Queria respirar o cheiro de Tru, sentir a textura áspera da sua barba por fazer, fitar o rosto do homem que intuitivamente a havia compreendido de um jeito que ninguém o fizera. Queria estar com o homem que havia lhe roubado o coração.

Hope colocou o desenho no colo e reparou em outro papel de desenho no porta-luvas aberto. Estava dobrado com todo cuidado e, em cima dele, havia um envelope com o nome dela escrito. Ela o pegou com as mãos trêmulas.

Desdobrando o desenho primeiro, viu os dois em pé na praia, encarando-se de perfil. Aquilo a fez perder o fôlego, e ela teve apenas uma vaga noção do outro carro estacionando na vaga ao lado, com o rádio aos berros. Inundada por lembranças, ficou olhando a imagem de Tru. Forçou-se a largar o desenho.

O envelope lhe pareceu pesado. Ela não queria abri-lo, não ali. Seria melhor esperar até mais tarde, quando estivesse sozinha em casa.

Mas a carta a chamava, então ela rompeu o lacre, tirou-a do envelope e começou a ler.

Querida Hope,

Não sei se você quer ler isto, mas na confusão que me domina estou me agarrando a qualquer coisa. Junto com esta carta, vai encontrar dois desenhos. Talvez já os tenha visto. Pode ser que reconheça o primeiro. Fiquei trabalhando no segundo enquanto você estava no jantar de ensaio e no casamento. Tenho a sensação de que farei outros desenhos de você quando voltar para casa, mas esses eu gostaria de guardar para mim, se você não se importar. Caso contrário, por favor me avise. Posso mandá-los para você ou então jogá-los fora, e não tentarei fazer outros. Espero que acredite que eu sou, e sempre serei, alguém em quem você pode confiar.

Quero que saiba que, embora imaginar uma vida sem você seja insuportável, eu entendo os seus motivos. Vi sua expressão radiante quando você falou em ter filhos, e nunca vou esquecer isso. Sei quanto essa escolha foi difícil para você. Para mim ela foi devastadora, mas não consigo fazer meu coração culpá-la. Afinal, eu tenho um filho, e não posso imaginar a vida sem ele.

Depois que você for embora, desconfio que eu vá caminhar pela praia, como fiz todos os dias desde que cheguei aqui, mas nada será como antes. Pois a cada passo vou me pegar pensando em você. Vou sentir você ao meu lado e dentro de mim. Afinal, você já se tornou uma parte minha, e tenho certeza de que isso nunca vai mudar.

Nunca imaginei me sentir assim. Como poderia? Durante a maior parte da vida, e com exceção do meu filho, sempre tive a sensação de estar fadado a viver sozinho. Não estou sugerindo que levei uma vida de ermitão, porque não é o caso, e você já sabe que o meu trabalho exige certo grau de sociabilidade. Mas nunca fui alguém que se sentiu incompleto sem outra pessoa deitada na cama ao meu lado; nunca me senti apenas metade de algo melhor. Até você aparecer. E quando isso aconteceu, entendi que vinha enganando a mim mesmo e que, na verdade, já sentia a sua falta durante todos esses longos anos.

Não sei o que isso significa para o meu futuro. Só sei que não serei o mesmo que era antes, porque isso não é mais possível. Não sou ingênuo a ponto de pensar que as lembranças serão suficientes, e nos momentos tranquilos talvez estenda a mão para o papel de desenho e tente capturar o que restou de você. Espero que não me negue isso.

Gostaria que as coisas pudessem ter sido diferentes para nós, mas parece que o destino tinha outros planos. Mesmo assim, você precisa saber o seguinte: o amor que eu sinto por você é real, e toda a tristeza que agora vem junto com ele é um preço que eu pagaria mil vezes. Pois ter conhecido você e tê-la amado, mesmo que por um tempo curto, deu à minha vida outro sentido – e sei que sempre dará.

Não estou pedindo o mesmo a você. Sei o que vai lhe acontecer agora, a vida nova que vai ter, e não existe espaço nela para uma terceira pessoa. Eu aceito isso. O filósofo chinês Lao-Tsé disse certa vez que ser profundamente amado por alguém nos dá força, e amar profundamente alguém nos dá coragem. Agora entendo o que ele quis dizer. Por você ter entrado na minha vida, posso encarar os anos que vêm pela frente com o tipo de coragem que nunca soube possuir. Amar você me tornou mais do que eu era.

Você sabe onde estou e onde estarei, se algum dia quiser entrar em contato. Pode ser que demore. Já comentei que o mundo anda mais devagar na selva. E algumas correspondências nunca chegam ao destino. Mas acredito de pés juntos que você e eu compartilhamos algo tão especial que, se você me procurar, o universo dará um jeito de me avisar. Afinal, é por sua causa que eu agora acredito em milagres. Em se tratando de nós dois, quero acreditar que tudo será sempre possível.

Com amor,

Tru

Hope leu a carta uma segunda vez, depois uma terceira, antes de recolocá-la enfim no envelope. Imaginou Tru escrevendo-a sentado na cozinha, e embora quisesse lê-la de novo duvidava que fosse conseguir chegar à casa dos pais se fizesse isso.

Guardou os desenhos e a carta no porta-luvas, mas não deu a partida no carro imediatamente. Em vez disso, apoiou a cabeça no encosto para tentar acalmar o turbilhão de emoções que sentia. Por fim, após um tempo que pareceu interminável, obrigou-se a seguir viagem.

Foi com as pernas bambas que ela andou até a porta da casa dos pais. Forçou um sorriso ao entrar e observou o pai se levantar com esforço da espreguiçadeira para recebê-la. A casa estava tomada pelo cheiro vindo da cozinha, mas Hope estava sem nenhum apetite.

À mesa, contou algumas histórias do casamento. Quando lhe perguntaram sobre o resto da semana, não comentou nada sobre Tru. Também não contou aos pais que Josh a pedira em casamento.

Depois da sobremesa, recolheu-se à varanda da frente dizendo que precisava de um pouco de ar fresco.

A essa altura o céu já estava repleto de estrelas, e quando ela ouviu a porta de tela se abrir com um rangido, viu o pai emoldurado pelas luzes que vinham da sala. Ele sorriu e tocou-a no ombro, então avançou com cuidado, arrastando os pés até a cadeira ao seu lado. Estava segurando uma caneca de café descafeinado e, após se acomodar, bebeu um gole.

– Sua mãe ainda faz o melhor ensopado de carne que eu já comi.

– Hoje estava muito bom – concordou Hope.

– Você está se sentindo bem? Pareceu meio calada durante o jantar.

Ela encolheu uma das pernas debaixo do corpo.

– Estou. Acho que ainda estou me recuperando do fim de semana.

O pai pousou a caneca na mesa ao lado dele. No canto da varanda, uma mariposa dançava em volta da lâmpada e os grilos haviam começado sua cantoria noturna.

– Fiquei sabendo que o Josh apareceu no casamento. – Quando a filha se virou para encará-lo, ele deu de ombros. – Sua mãe me contou.

– Como ela ficou sabendo?

– Não sei muito bem – respondeu ele. – Imagino que alguém tenha comentado.

– É – disse Hope. – Ele apareceu lá.

– E vocês conversaram?

– Um pouco – respondeu ela. Até a semana anterior, não poderia ter imaginado esconder do pai o pedido de casamento, mas, no ar abafado e úmido daquela noite de setembro, não conseguiu articular as palavras.

– Nós vamos jantar amanhã à noite – falou.

Ele encarou a filha, tentando lê-la com seu olhar suave.

– Espero que fique tudo bem – falou. – O que quer que isso signifique para você.

– Eu também.

– Ele tem umas explicações a dar, se quer saber o que eu acho.

– Eu sei – disse ela.

Hope ouviu o relógio de pé badalar na sala. Mais cedo, em casa, tinha pegado um atlas empoeirado na estante e calculado a diferença de fuso horário em relação ao Zimbábue. Fez as contas para a frente e chegou à conclusão de que lá agora era o meio da noite. Imaginou que Tru devesse estar em Bulawayo com Andrew. Perguntou-se o que os dois teriam planejado fazer ao acordar no dia seguinte. Será que ele iria levar Andrew até a selva para ver os animais ou será que eles iriam jogar bola? Ou simplesmente dar um passeio? Perguntou-se se Tru ainda estaria pensando nela da mesma forma que ela não conseguia parar de pensar nele. No silêncio, as palavras da carta que ele havia escrito tentavam abrir caminho à força até a superfície.

Sabia que o pai estava esperando que ela dissesse alguma coisa. No passado, sempre que tivera problemas ou preocupações, havia recorrido a ele. Seu pai tinha um jeito de ouvir que sempre a reconfortava. Possuía uma empatia natural e raramente dava conselhos. Em vez disso, perguntava o que ela achava que deveria fazer, incentivando-a silenciosamente a confiar na própria intuição e no próprio julgamento.

Mas agora, depois de ler o que Tru tinha escrito, ela não conseguia evitar pensar que havia cometido um erro terrível. Sentada ali junto do pai, começou a rever em câmera lenta a última manhã que haviam passado juntos. Lembrou-se do rosto de Tru no deque, da sensação da mão dele segurando a dela ao passearem pela praia. Lembrou-se da expressão arrasada no rosto dele quando ela lhe contou sobre o pedido de Josh.

Porém essas não foram as lembranças mais intensas. Pensou, isso sim, no modo como ele havia lhe implorado que voltasse com ele para o

Zimbábue; viu-o dobrar o corpo enquanto ela fazia aquela última curva, para longe de uma possível vida juntos.

Sabia que podia mudar as coisas. Não era tarde demais. Podia marcar um voo para o Zimbábue no dia seguinte e ir ao encontro de Tru, diria que agora sabia que era o destino dos dois envelhecerem juntos. Eles poderiam fazer amor num lugar exótico e ela se tornaria outra pessoa, alguém cuja vida só havia fantasiado.

Quis dizer essas coisas para o pai. Quis lhe contar tudo. Quis ouvir dele que a sua felicidade era tudo o que lhe importava, mas antes de conseguir falar sentiu um sopro de brisa, e na mesma hora visualizou Tru sentado ao seu lado na Almas Gêmeas, com o vento a bagunçar seus fartos cabelos.

Ela tinha feito a coisa certa, não tinha?

Não tinha?

Os grilos continuavam a cantar e a noite a cair, densa, com um peso quase sufocante. O luar se entremeava aos galhos das árvores. Na rua, um carro passou com os vidros abaixados e o rádio ligado. Hope se lembrou do jazz que estava tocando no rádio quando Tru a abraçou na cozinha.

– Esqueci de perguntar – falou seu pai, por fim. – Sei que choveu quase a semana inteira. Mas você chegou a ir à Almas Gêmeas?

Quando Hope ouviu essas palavras, a represa de repente se rompeu, e ela abafou um choro que logo deu lugar a soluços.

– O que foi que eu falei? – indagou o pai, atarantado, mas ela mal conseguiu escutá-lo. – O que houve? Fale comigo, meu amor...

Ela balançou a cabeça, sem conseguir responder. Em meio à confusão, sentiu o pai tocar seu joelho. Mesmo sem abrir os olhos, soube que ele a estava olhando com alarme e preocupação. Mas tudo em que conseguia pensar era Tru, e não houve nada que pudesse fazer para conter as lágrimas.

PARTE II

AREIA NA AMPULHETA

Outubro de 2014

*A*s *lembranças são um portal para o passado, e quanto mais estimadas as memórias, mais o portal se abre.* Pelo menos era isso que o pai de Hope costumava dizer, e como muitas das outras coisas que ele lhe dissera, o passar do tempo parecia ampliar a sabedoria da frase.

Mas afinal, pensou ela, o tempo tinha o dom de mudar tudo. Ao refletir sobre a própria vida, parecia impossível acreditar que quase um quarto de século havia transcorrido desde aqueles dias em Sunset Beach. Muita coisa acontecera desde então, e ela com frequência tinha a sensação de que havia se tornado uma pessoa inteiramente diferente daquela que era.

Ela estava sozinha. A noite acabara de cair e o vento frio era um sinal evidente de que o inverno chegara. Hope estava sentada na varanda de trás de sua casa em Raleigh, na Carolina do Norte. A lua banhava o gramado com uma luz fantasmagórica e prateava as folhas que balançavam na brisa. O farfalhar fazia parecer que as vozes do passado a estavam chamando, como tantas vezes acontecia ultimamente. Ela pensou nos filhos e, à medida que movia a cadeira de balanço lentamente para a frente e para trás, as lembranças foram se sucedendo num caleidoscópio de imagens. No escuro, recordou o fascínio que sentira ao segurar cada um deles no hospital; sorriu ao vê-los pequenos correndo pelados no corredor depois do banho. Pensou em seus sorrisos banguelas quando perderam os dentes de leite e tornou a experimentar o misto de orgulho e preocupação que sentira enquanto eles atravessavam os turbulentos anos da adolescência. Eram bons filhos. Ótimos filhos. Para sua surpresa, ela constatou que conseguia até pensar em Josh com um carinho que antes parecia impossível. Eles haviam se divorciado fazia oito anos mas, aos 60, Hope gostava de acreditar ter chegado à idade em que era fácil perdoar.

Jacob passara em sua casa na sexta-feira à noite e Rachel lhe levara bagels no domingo de manhã. Nenhum dos filhos demonstrara a menor curiosidade diante do seu anúncio de que iria alugar outra vez um chalé no litoral, assim como tinha feito no ano anterior. A falta de interesse deles não era nada anormal. Assim como muitos jovens, estavam envolvidos demais com as próprias vidas. Rachel tinha se formado em maio daquele ano, Jacob um ano antes, e ambos tinham conseguido arrumar empregos antes mesmo de pegarem os diplomas. Jacob vendia publicidade numa estação de rádio da cidade, enquanto Rachel trabalhava para uma empresa de marketing on-line. Ambos moravam sozinhos, tinham o próprio apartamento e pagavam as próprias contas – algo meio raro hoje em dia, na opinião de Hope. A maioria dos amigos de seus filhos voltara para a casa dos pais depois da graduação, e no seu íntimo Hope considerava a independência dos filhos ainda mais digna de nota do que o fato de terem se formado na faculdade.

Antes mesmo de fazer a mala, mais cedo naquele dia, Hope fora ao cabeleireiro. Desde que se aposentara, dois anos antes, vinha frequentando um salão caro perto de uma loja de departamentos chique. Era o luxo que se permitia. Passara a conhecer algumas mulheres que faziam o cabelo mais ou menos com a mesma regularidade que ela, e ficava sentada na cadeira, escutando os papos de salão sobre maridos, filhos, as férias que cada uma havia tirado no verão. Essas conversas fáceis eram um bálsamo para Hope, e ela se pegou pensando nos pais.

Agora já fazia tempo que os dois tinham partido. Seu pai morrera de ELA dezoito anos antes; sua mãe sobrevivera mais quatro tristes anos. Hope ainda sentia saudade, mas, com o passar dos anos, a dor da perda havia se amenizado até se transformar em algo mais administrável, um sofrimento difuso que só vinha quando ela estava se sentindo particularmente para baixo.

Com o cabelo pronto, ela saíra do salão e reparara nos BMW e nas Mercedes, nas mulheres saindo da loja de departamentos carregadas de sacolas cheias. Pensou se aquelas compras de fato teriam sido necessárias ou se eram uma espécie de vício, em que tirar algo da prateleira proporcionava um alívio momentâneo para a ansiedade ou a depressão. Em uma certa época da vida, Hope às vezes fizera compras pelos mesmos motivos, mas esses dias já tinham ficado para trás havia muito tempo e ela não podia evitar pensar que o mundo tinha mudado nas últimas décadas. As pessoas pareciam mais materialistas, mais focadas em mostrar umas às outras que tinham dinheiro, mas ela aprendera que uma vida plena raramente tinha a ver com essas coisas. Tinha a ver, isso sim, com experiências e relacionamentos; com saúde, família, com amar alguém e ser amado. Ela fizera o possível para transmitir esses valores aos filhos, mas quem poderia saber se de fato havia sido bem-sucedida?

Ultimamente, não conseguia encontrar respostas. Nos últimos tempos, havia se pegado pensando no *porquê* de muitas coisas, e embora algumas pessoas alegassem ter todas as respostas – os programas diurnos de televisão estavam repletos de especialistas desse tipo –, Hope raramente se deixava convencer. Se havia uma pergunta que ela poderia ter pedido a qualquer um deles que respondesse, era simplesmente: *Por que o amor sempre parece exigir sacrifício?*

Ela não sabia. O que sabia era o que pudera observar no casamento, como mãe e como filha adulta de um pai condenado a definhar aos poucos. Entretanto, por mais que refletisse a respeito, não conseguia identificar o motivo. O sacrifício era um componente necessário do amor? Seriam essas duas palavras, na realidade, sinônimos? Seria a primeira uma prova da segunda, e vice-versa? Não queria pensar que o amor tivesse um custo intrínseco, que exigia decepção, dor ou angústia, mas havia momentos em que não conseguia evitar achar isso.

Apesar dos imprevistos em sua vida, Hope não era infeliz. Entendia que a vida não era fácil para ninguém e sentia-se segura de ter feito o melhor. Como todo mundo, porém, tinha arrependimentos, que havia revisitado com maior frequência nos últimos dois anos. Eles surgiam de modo inesperado e geralmente nos momentos mais estranhos: quando estava pondo dinheiro no cesto de coleta da missa, por exemplo, ou varrendo um pouco de açúcar que havia caído no chão. Quando isso acontecia, pegava-se recordando coisas que desejava poder modificar, discussões que deveriam ter sido evitadas, palavras de perdão que não tinham sido ditas. Parte dela queria poder voltar os ponteiros do relógio e tomar decisões diferentes, mas quando era sincera consigo mesma, ela se perguntava o que poderia de fato ter mudado. Erros eram inevitáveis, e ela havia chegado à conclusão de que os arrependimentos podiam trazer lições importantes se a pessoa estivesse disposta a aprender com eles. E, nesse sentido, dava-se conta de que o pai só estava correto até certo ponto em relação às memórias. No fim das contas, elas não eram apenas portais para o passado. Queria acreditar que pudessem ser também portais para um tipo novo e diferente de futuro.

Hope estremeceu quando um vento gelado varreu a varanda de trás. Então soube que estava na hora de entrar.

Fazia mais de vinte anos que morava naquela casa. Ela e Josh a haviam comprado pouco depois de se casarem e, ao apreciar o ambiente conhecido, ela tornou a pensar em quanto adorava aquele lugar. Era uma casa em estilo georgiano, com grandes colunas na frente e sancas na maioria dos cômodos do piso principal. Mesmo assim, provavelmente estava na hora de vendê-la. A casa era um exagero, grande demais para ela, e tentar tirar a poeira de todos os cômodos parecia um trabalho de Sísifo. A escada também estava se tornando um desafio, mas quando ela mencionara a ideia de vender, Jacob e Rachel relutaram em abrir mão da casa da sua infância.

Vendendo ou não, o imóvel precisava de reparos. O piso de tábuas corridas estava gasto e arranhado; na sala de jantar, o papel de parede havia desbotado e precisava ser trocado. A cozinha e os banheiros, apesar de ainda funcionarem, eram decididamente antiquados e precisavam de uma reforma. Havia muito a fazer; ela se perguntou quando, ou mesmo se, teria disposição para isso.

Percorreu a casa apagando as luzes. Nas luminárias, alguns interruptores eram particularmente difíceis de girar, e aquilo levou mais tempo do que ela imaginava.

Sua mala estava junto à porta, com a caixa de madeira que ela havia pegado no sótão. A visão daqueles objetos a fez pensar em Tru, mas a verdade é que ela nunca tinha deixado de pensar nele. Ele devia estar com 66 agora. Pensou se teria se aposentado como guia e se continuaria morando no Zimbábue; talvez tivesse se mudado para a Europa, para a Austrália ou para algum outro lugar mais exótico ainda. Pensou se ele moraria perto de Andrew e se teria se tornado avô nos anos que os dois haviam passado afastados. Pensou se ele teria se casado outra vez, quem teria namorado ou mesmo se ainda se lembrava dela. Pensando bem, será que ele ainda estava vivo? Gostava de pensar que teria sabido instintivamente caso ele houvesse partido deste mundo, que os dois estavam de algum modo ligados, mas reconhecia que isso poderia ser apenas um desejo. O que mais fazia, porém, era questionar se as últimas palavras da carta dele podiam mesmo ser verdade: se para eles tudo seria sempre possível.

No quarto, vestiu o pijama que Rachel tinha lhe dado no último Natal. Era aconchegante e quentinho, exatamente o que ela queria. Enfiou-se na cama e ajeitou as cobertas, torcendo pelo sono que tantas vezes lhe fugia ultimamente.

No ano anterior, na praia, ficara acordada pensando em Tru. Desejara que ele voltasse para ela, e relembrara com vívida intensidade os dias que os dois tinham passado juntos. Lembrara-se de seu encontro na praia e do café que haviam tomado naquela primeira manhã; recordara pela centésima vez o jantar no Clancy's e o passeio de volta até o chalé. Sentira seu olhar pousado nela quando os dois tomaram vinho no deque e ouvira o som da sua voz quando ele lera a carta sentado no banco na Almas Gêmeas. Mais do que tudo, recordara o jeito carinhoso e sensual com que eles haviam feito amor; a intensidade da expressão dele, as palavras que ele havia lhe sussurrado.

Pensou em como aquilo ainda parecia próximo, o peso tangível dos sentimentos dele por ela; ou mesmo a culpa implacável. Algo havia de fato se quebrado dentro de Hope naquela manhã em que ela fora embora, mas ela queria acreditar que, nessa ruptura, um elemento mais forte acabara criando raízes. Depois disso, sempre que a vida parecia insuportavelmente difícil, ela pensava em Tru e lembrava a si mesma que, se algum dia chegasse ao ponto de precisar dele, ele iria aparecer. Ele tinha dito isso na sua última manhã juntos, e essa promessa lhe bastava para seguir em frente.

Naquela noite na praia, sem conseguir dormir, Hope havia se pegado tentando reescrever a história de um jeito que lhe trouxesse paz. Imaginou-se dando meia-volta com o carro na esquina e correndo de volta para ele; imaginou-se sentada à mesa diante de Josh lhe dizendo que tinha conhecido outra pessoa. Imagens oníricas de um reencontro posterior no aeroporto, onde ela teria ido buscar Tru na chegada do voo do Zimbábue; nessa fantasia, eles se abraçavam na área do desembarque e se beijavam no meio das pessoas. Ele colocava o braço em volta dos ombros de Hope enquanto eles andavam até o carro. Ela podia ver o modo casual como ele atirava a bolsa de viagem na mala do carro como se isso de fato houvesse acontecido. Imaginava-os fazendo amor no apartamento onde ela morou tantos anos atrás.

Depois disso, no entanto, suas visões haviam se tornado vagas. Ela não conseguia visualizar o tipo de casa que os dois teriam escolhido; quando os imaginava na cozinha, era ou no chalé que os pais tinham vendido tempos antes ou na casa em que morava com Josh. Não conseguia imaginar como Tru ganharia a vida; quando tentava, via-o voltando no final do dia usando o mesmo tipo de roupa que havia usado na semana em que ela o conhecera, como se estivesse chegando de um safári. Sabia que ele ia a Bulawayo regularmente visitar Andrew, mas não tinha referências sequer para imaginar como poderia ser sua casa ou seu bairro. E Andrew continuava para sempre um menino de 10 anos, com os traços perpetuamente congelados no tempo, assim como Tru permanecia para sempre um homem de 42.

Por estranho que fosse, quando ela imaginava uma vida com Tru, Jacob e Rachel estavam sempre presentes. Se ela e Tru estivessem comendo à mesa, Jacob estaria se recusando a dividir as batatas fritas com a irmã; se Tru estivesse desenhando na varanda de trás do chalé de seus pais, Rachel estaria fazendo uma pintura a dedo na mesa de piquenique. No auditório da escola, ela estaria sentada ao lado de Tru enquanto Jacob e Rachel cantavam no coro; no Halloween, ela e Tru estariam andando atrás das crianças vestidas como Woody e Jessie de *Toy Story 2*. Seus filhos sempre, sempre faziam parte da vida que ela imaginava com Tru, e embora ela não apreciasse a intrusão, Josh também fazia. Jacob, em especial, tinha uma forte semelhança com o pai e Rachel crescera pensando em um dia se tornar médica.

Hope acabara saindo da cama. Estava frio na praia, e ela pusera um casaco, pegara a carta que Tru tinha lhe escrito tanto tempo antes, e fora se sentar na varanda de trás. Quisera lê-la, mas não conseguira reunir coragem para tal. Em vez disso, ficara encarando a escuridão do mar enquanto apertava na mão o envelope gasto, tomada por uma onda de solidão.

Pensara consigo mesma que estava sozinha ali na praia, longe de todo mundo que conhecia. Apenas Tru estava com ela. Só que ele nunca esteve lá de verdade.

Hope voltara da semana na praia no ano anterior com um misto de esperança e apreensão. Nesse ano, falou para si mesma, as coisas seriam diferentes. Havia decidido que essa seria sua última ida ao chalé, e pela manhã, após colocar a caixa no banco de trás do carro, puxou sua mala com um passo decidido. Seu vizinho, Ben, estava limpando o gramado e foi ajudá-la a pôr a bagagem no porta-malas. Ela sentiu-se grata pela ajuda. Na idade em que estava, era mais fácil se machucar e mais demorado ficar boa. No ano anterior, havia escorregado na cozinha e, embora não tivesse caído, o ato de se escorar a deixara com o ombro dolorido por semanas.

Ela percorreu sua lista mental antes de entrar no carro: portas trancadas, todas as luzes apagadas, latões de lixo junto ao meio-fio e Ben encarregado de recolher a correspondência e os jornais. A viagem levaria pouco menos de três horas, mas não havia motivo para pressa. Afinal, era o dia seguinte que importava. O simples fato de pensar nisso a deixou nervosa.

Felizmente, o tráfego estava bom durante a maior parte do trajeto. Ela passou por terras cultivadas e cidadezinhas, manteve a velocidade constante até chegar aos arredores de Wilmington, onde almoçou num bistrô que recordava do ano anterior. Em seguida, passou no mercado para fazer compras, parou na imobiliária para pegar as chaves e iniciou o trecho final da viagem. Encontrou a rua transversal que procurava e fez algumas curvas antes de finalmente encostar em frente à casa.

O chalé se parecia com o que seus pais tinham antigamente, com a pintura desbotada, degraus que subiam até a porta de entrada e uma varanda na frente, castigada pelo tempo. Ver aquele lugar a fez sentir muitas saudades da antiga casa da família. Como ela desconfiava, os novos donos não tinham perdido tempo em derrubá-la e construir outra mais nova e maior, parecida com aquela em que Tru ficara hospedado.

Desde então, ela raramente tinha ido a Sunset Beach, pois não se sentia mais em casa ali. Como muitas das cidadezinhas espalhadas pelo litoral, o lugar mudara muito com o tempo. A ponte pênsil fora substituída por outra, mais moderna, casas grandes agora eram a norma, e o Clancy's, depois de ficar mal das pernas por um ou dois anos, também deixara de existir no início do século. Quem lhe contara sobre o fechamento do restaurante fora sua irmã Robin; dez anos antes, durante uma viagem a Myrtle Beach, ela e o marido tinham feito um desvio para ir até Sunset Beach, porque ela também ficara curiosa com as mudanças trazidas pelo tempo.

Ultimamente, Hope preferia Carolina Beach, uma ilha um pouco mais ao norte e mais perto de Wilmington. A primeira vez que a visitara fora por sugestão de sua terapeuta, em dezembro de 2005, quando seu divórcio estava na pior fase. Josh fizera planos de levar Jacob e Rachel para passar uma semana no oeste dos Estados Unidos durante as férias de inverno. As crianças estavam no início da adolescência, viviam de mau humor, e a implosão do casamento dos pais havia aumentado ainda mais o estresse pelo qual vinham passando. Embora Hope reconhecesse que as férias poderiam proporcionar uma bem-vinda distração para os filhos, sua terapeuta observou que passar o fim de ano sozinha em casa não seria bom para o seu próprio estado mental. Fora ela quem lhe sugerira Carolina Beach; no inverno, falou, a ilha era tranquila e relaxante.

Hope havia reservado uma casa sem nem visitá-la, e o pequeno chalé na praia se revelara exatamente aquilo de que precisava. Foi lá que deu início ao seu processo de cura; foi lá que conseguiu o distanciamento necessário para adentrar a fase seguinte da sua vida.

Na época, ela sabia que não se reconciliaria com Josh. Já fazia muitos anos que vinha chorando por ele, e embora o último caso extraconjugal do marido tivesse sido a gota d'água, o primeiro ainda era o mais doloroso de recordar. As crianças ainda não estavam nem na escola, e suas demandas eram constantes; enquanto isso, seu pai havia piorado significativamente. Quando Hope descobriu o caso, Josh pediu desculpas e prometeu terminar. Apesar disso, manteve contato com a mulher – ao mesmo tempo que o pai de Hope ia ficando cada vez mais doente. Ela passou meses com a sensação de estar à beira de ataques de pânico, e foi a primeira vez que pensou em terminar o casamento. Em vez disso, sem conseguir encarar a perspectiva de tamanha mudança e temendo o efeito devastador que a separação teria nos filhos, aguentou firme e se esforçou ao máximo para perdoar. No entanto, novas traições se sucederam. Houve mais choro, muitas discussões, e quando ela por fim disse a Josh que queria o divórcio, eles já estavam dormindo em quartos separados havia quase um ano. No dia em que ele saiu de casa, disse-lhe que ela estava cometendo o maior erro da sua vida.

Apesar das melhores intenções de Hope, o divórcio gerou amargura e rancor. Ela ficou chocada com a raiva e a tristeza que sentiu, e Josh se mostrou igualmente raivoso e na defensiva. Enquanto os acordos relacionados à guarda dos filhos foram razoavelmente fáceis, destrinchar as finanças fora um pesadelo. Hope tinha ficado em casa quando as crianças eram pequenas, e só quando ambas entraram para a escola voltou a trabalhar, mas não mais como enfermeira de emergência. Em vez disso, arrumara um emprego em meio expediente numa clínica de medicina da família, assim podia estar em casa quando os filhos chegassem da escola. Embora o horário fosse mais tranquilo, a remuneração era menor, e o advogado de Josh insistiu no argumento de que, como ela possuía a formação necessária para ter um salário melhor, qualquer pensão alimentícia deveria ser drasticamente reduzida. Como muitos homens, Josh tampouco acreditava em divisão igualitária dos bens. A essa altura, os dois já estavam se comunicando principalmente por meio dos respectivos advogados.

Ela se sentira esgotada pelas emoções, por sentimentos de fracasso, perda, raiva, determinação e medo, mas ao caminhar pela praia naquele feriado de Natal, sua principal preocupação eram os filhos. Queria ser a melhor mãe que conseguisse, mas sua terapeuta vivia a lembrá-la de que, se não cuidasse de si mesma primeiro, não seria capaz de proporcionar o apoio firme de que as crianças necessitavam.

Bem lá no fundo, ela sabia que a terapeuta tinha razão, mas a ideia lhe parecia quase uma blasfêmia. Tornara-se mãe havia tanto tempo que nem sequer sabia ao certo quem era. Durante essa estadia em Carolina Beach, porém, fora aceitando gradualmente a ideia de que a sua saúde emocional era tão importante quanto a dos filhos. Não mais importante, mas não menos importante também.

Compreendeu que não seguir o conselho da terapeuta poderia ser um caminho sem volta. Tinha visto mulheres perderem ou ganharem muito peso durante um divórcio; ouvira-as falar sobre noites de sexta e sábado em bares, e confessar terem ido para a cama com desconhecidos, homens de quem mal conseguiam se lembrar. Algumas logo se casavam de novo, e isso era quase sempre um erro. Mesmo as que não cometiam excessos desenvolviam hábitos autodestrutivos. Hope tinha visto amigas divorciadas passarem das duas taças de vinho no fim de semana para três ou quatro várias vezes por semana. Uma dessas mulheres, sem papas na língua, tinha dito que só a bebida lhe permitira sobreviver ao divórcio.

Hope não queria cair na mesma cilada, e aquela temporada na praia clareou seus pensamentos. Na volta para Raleigh, ela se inscreveu numa academia e começou a fazer aulas de spinning. Incluiu a ioga na rotina, passou a preparar refeições saudáveis para si e para os filhos, e mesmo nas noites em que não conseguia dormir, forçava-se a ficar na cama, respirando profundamente, tentando controlar a mente. Aprendeu a meditar e passou a se dedicar a resgatar amizades com as quais perdera o contato nos anos anteriores.

Também tinha jurado a si mesma nunca falar mal de Josh – coisa que não fora fácil, mas que provavelmente havia preparado o terreno para a relação que os dois tinham agora. A maioria das suas amigas não entendia por que ela ainda dedicava algum tempo de sua vida ao ex-marido, levando em conta todo o sofrimento que ele havia lhe causado. Os motivos eram multifacetados, e Hope os mantinha em segredo. Quando lhe perguntavam, ela simplesmente respondia que, por mais horrível que Josh tivesse sido como marido, sempre fora um bom pai. Ele havia passado muito tempo com as crianças quando elas eram pequenas, frequentado atividades extracurriculares e sido treinador de seus times esportivos juvenis, e passava os fins de semana com a família em lugar dos amigos. Esse último quesito tinha sido uma exigência de Hope antes de aceitar se casar.

No entanto, ela não havia aceitado o pedido de Josh na hora. *Vamos ver como as coisas andam por um tempo*, dissera. Quando estava indo embora, ele parou um pouco junto à porta.

– Tem alguma coisa diferente em você – dissera-lhe.

– Tem razão – concordara ela. – Eu estou diferente.

Oito semanas haviam se passado antes de ela por fim aceitar o pedido, e, ao contrário de todas as amigas, insistiu num casamento simples uns dois meses depois, com apenas os amigos mais chegados e a família. Cada um levou um prato no jantar de comemoração, um de seus cunhados tirou as fotos e os convidados acabaram a noite dançando numa boate da cidade. O noivado curto e o casamento discreto surpreenderam Josh. Ele não conseguia imaginar por que Hope não havia querido o tipo de casamento que todas as amigas tinham insistido em ter. Ela lhe dissera que não queria jogar dinheiro fora, mas na verdade desconfiava que já estivesse grávida. E na verdade estava mesmo, de Jacob. Por um instante pensara que o filho talvez pudesse ser de Tru, mas isso era impossível. As datas não batiam, e Tru não podia ser pai. Mas nesse momento ela entendera que não tinha a menor vontade de sorrir durante o romantismo de fachada de um casamento de conto de fadas. A essa altura, afinal, já entendia o que era o romantismo, e sabia que pouco tinha a ver com fantasia. O romantismo de verdade era espontâneo, imprevisível e podia ser tão simples quanto ouvir um homem ler uma carta de amor encontrada numa caixa de correio solitária numa tarde chuvosa de setembro.

No chalé, Hope começou a se acomodar. Pôs a caixa de madeira em cima da mesa da cozinha, guardou as compras, tirou suas coisas da mala e pôs na gaveta, para não ter de passar a semana catando-as lá dentro. Depois mandou uma mensagem de texto para os filhos avisando que tinha chegado bem. Então vestiu um casaco, saiu para o deque dos fundos e desceu devagarinho a escada até a areia. Sentia as costas e as pernas enrijecidas por causa da viagem de carro, e embora quisesse dar um passeio, não conseguiria ir muito longe. Queria poupar energia para o dia seguinte.

O céu estava azul-cobalto, mas havia uma brisa gelada, e ela protegeu as mãos dentro dos bolsos do casaco. O ar recendia a maresia, puro e primitivo. Perto de uma picape parada junto à linha d'água havia um homem sentado numa cadeira de jardim ladeado por uma série de varas de pesca cujas linhas desapareciam mar adentro. Estava praticando pesca de praia, e Hope pensou: será que ele vai ter alguma sorte? Nunca em toda a sua vida ela vira alguém na praia de fato pescar um peixe na água rasa, mas muita gente parecia apreciar aquele passatempo.

No bolso, sentiu o telefone vibrar. Torcendo para ser um dos filhos, viu que na verdade era uma ligação perdida de Josh. Tornou a guardar o celular. Ao contrário de Jacob e Rachel, ele, sim, tinha ficado interessado em seus motivos para ir passar uns dias na praia. Achava que ela detestasse a praia, já que nunca queria passar as férias lá quando os dois eram casados. Toda vez que Josh sugerira alugarem uma casa na praia, Hope oferecera uma alternativa: irem à Disney, a Williamsburg, acampar nas montanhas. Eles foram esquiar na Virgínia Ocidental e no Colorado, visitaram Nova York, o parque de Yellowstone e o Grand Canyon; no fim, acabaram comprando um chalé perto de Asheville, que ficara com Josh depois do divórcio. Durante anos, a ideia de ir à praia fora simplesmente dolorosa demais. Na mente de Hope, a praia e Tru estavam para sempre ligados.

Mesmo assim, ela mandara os filhos para colônias de férias perto de Myrtle Beach e acampamentos de surfe em Nags Head. Tanto Jacob quanto Rachel se identificaram naturalmente com o surfe e, por ironia, foi depois de um dos programas de surfe da filha que Josh e Hope começaram a curar as feridas do divórcio. Durante o acampamento, Rachel reclamara de dificuldade para respirar e taquicardia; na volta para casa, os pais a levaram para se consultar com um cardiologista pediátrico, e no dia seguinte a menina foi diagnosticada com um defeito congênito. Necessitaria de uma cirurgia de peito aberto.

Na época, Hope e Josh não se falavam havia quatro meses, mas ambos deixaram de lado o antagonismo pelo bem da filha. Revezaram-se em dormir no hospital, e nem sequer uma vez levantaram a voz um para o outro. A comunhão desse sofrimento compartilhado acabou assim que Rachel teve alta, mas foi o bastante para dar início a um relacionamento que permitia aos dois falar sobre os filhos de maneira cordial. Com o passar do tempo, Josh se casou novamente com uma mulher chamada Denise e, para a surpresa de Hope, algo semelhante à amizade começou aos poucos a ressurgir.

Isso teve a ver em parte com o novo casamento de Josh. Quando a relação começou a azedar, ele passou a ligar para Hope. Ela tentou lhe oferecer o máximo de apoio possível, mas o divórcio de Josh e Denise acabou se revelando ainda mais hostil do que o deles.

O estresse da separação havia cobrado um preço alto a Josh, e ele não parecia mais o homem com quem Hope havia se casado. Tinha engordado e sua pele agora era pálida e toda manchada; havia perdido quase todo o cabelo e sua postura antes atlética ficara encurvada. Certa vez, depois de passar alguns meses sem vê-lo, Hope demorara alguns segundos para reconhecê-lo ao vê-lo lhe acenar do outro lado do salão de jantar no country club que os dois frequentavam. Não o achava mais atraente; na verdade, sob mais de um aspecto, sentia pena dele.

Não muito tempo antes de se aposentar, ele havia aparecido na porta da casa dela de blazer e calça social. Seu aspecto recém-saído do banho fora um sinal de que aquela não era uma visita normal, e ela o direcionou para o sofá com um gesto da mão. Fizera questão de se sentar na outra ponta.

Ele demorou algum tempo para chegar ao assunto. Começou com uma conversa mole sobre os filhos, depois falou um pouco de trabalho. Perguntou a Hope se ela ainda fazia as palavras cruzadas do *The New York Times*, hábito que desenvolvera pouco depois de as crianças começarem a escola e que, de forma lenta mas inexorável, terminara virando um pequeno vício. Ela lhe respondeu que acabara de concluir uma, poucas horas antes, e ao vê-lo unir as mãos lhe perguntou sobre o que ele estava querendo falar.

– Estive pensando que você é a única amiga de verdade que eu tenho hoje em dia – disse ele por fim. – Tenho colegas de trabalho, mas não consigo conversar com eles do mesmo jeito que converso com você.

Ela não disse nada. Ficou só esperando.

– Nós somos amigos, não somos?

– Sim – disse ela. – Eu acho que somos.

– Passamos por muita coisa juntos, não é?

– Sim – assentiu ela.

– Ando pensando muito nisso ultimamente... em você e eu. No passado. No tempo que nos conhecemos. Já parou para pensar que faz trinta anos que nós nos conhecemos?

– Não posso dizer que eu tenha pensado muito nisso.

– É... tá. – Embora ele tenha meneado a cabeça, ela sabia que desejava outra resposta. – Acho que o que estou querendo dizer é que eu sei que cometi muitos erros em relação a nós dois. Eu sinto muito pelas coisas que fiz. Não sei o que estava passando pela minha cabeça na época.

– Você já se desculpou – disse ela. – Além do mais, isso tudo ficou no passado. Já faz tempo que nos divorciamos.

– Mas nós éramos felizes, não? Quando éramos casados?

– Às vezes – reconheceu ela. – Nem sempre.

Ele tornou a menear a cabeça, e o gesto teve um quê de súplica.

– Você acha que algum dia poderíamos tentar de novo? Uma segunda vez?

Ela não teve certeza de ter escutado direito.

– Casar, você quer dizer?

Ele ergueu as duas mãos.

– Não, casar não. Mas tipo... namorar. Por exemplo, posso levar você para jantar sábado à noite? Só para ver como funciona. Pode ser que não dê em nada, mas, como eu disse, você é minha melhor amiga hoje em dia e...

– Eu não acho que isso seja uma boa ideia – Hope o interrompeu.

– Por quê?

– Acho que você deve estar passando por um mau momento – disse ela. – E quando estamos passando por momentos ruins, às vezes até as más ideias podem parecer boas. É importante que as crianças saibam que nós ainda nos damos bem e eu não iria querer colocar isso em risco.

– Eu também não quero pôr isso em risco. Estava só pensando se você estaria disposta a dar outra chance para nós dois. Para mim.

Nessa hora, ela se perguntou se o conhecia tão bem quanto pensava.

– Não posso – falou, por fim.

– Por quê?

– Porque estou apaixonada por outra pessoa.

Enquanto ela caminhava pela praia, o ar úmido e frio começou a fazer seus pulmões arderem e ela decidiu dar meia-volta. Ao ver o chalé ao longe, a lembrança de Scottie lhe passou pela cabeça. Se ele estivesse ali, ela sabia que teria ficado decepcionado e a teria encarado com aqueles olhos doces e tristonhos.

Seus filhos se lembravam pouco de Scottie. Embora o cão ainda estivesse vivo quando os dois eram pequenos, Hope certa vez tinha lido que a parte do cérebro que processa as memórias de longo prazo só alcança o desenvolvimento pleno por volta dos 7 anos, e Scottie àquela altura já tinha morrido. Eles se lembravam, isso sim, de Junior, outro terrier escocês que fizera parte de suas vidas até Jacob e Rachel saírem de casa para a faculdade. Embora Hope tratasse Junior com todo o carinho, no seu íntimo reconhecia que Scottie seria sempre o seu preferido.

Pela segunda vez no passeio, sentiu o celular vibrar. Embora Jacob ainda não tivesse respondido, Rachel acabara de mandar uma mensagem dizendo *divirta-se! algum cara gatinho? te amo*, com um emoji sorridente. Hope sabia que os jovens de hoje em dia tinham seu próprio protocolo para mensagens de texto – que incluía respostas curtas, acrônimos, erros de ortografia e gramática e um uso pesado de emojis. Ela ainda preferia o jeito antiquado de se comunicar, seja pessoalmente, por telefone ou por carta, mas os filhos eram de outra geração, e ela havia aprendido a fazer o que fosse mais fácil para eles.

Perguntou-se o que eles achariam se soubessem o verdadeiro motivo que a levara até Carolina Beach. Muitas vezes tinha a sensação de que os filhos não conseguiam imaginá-la querendo mais da vida do que fazer palavras cruzadas, ir ao salão de vez em quando e esperar pela visita deles. Mas enfim reconhecia que eles nunca tinham conhecido a verdadeira Hope, a mulher que ela havia sido em Sunset Beach tanto tempo antes.

Seu relacionamento com Rachel era diferente daquele que tinha com Jacob. Na opinião dela, o filho se identificava mais com o pai. Os dois eram capazes de passar um sábado inteiro assistindo a futebol americano; iam pescar juntos, gostavam de filmes de ação e de tiro ao alvo. Podiam passar horas falando sobre o mercado de ações e investimentos. Com a mãe, Jacob praticamente só falava da namorada e muitas vezes parecia não saber o que dizer além disso.

Com Rachel, Hope tinha uma relação mais próxima, sobretudo depois da cirurgia pela qual a filha passara quando era adolescente. Embora o cardiologista responsável pelo caso tivesse garantido que consertar o seu complicado defeito era um procedimento relativamente seguro, Rachel ficara apavorada. Hope sentira tanto medo quanto a filha, mas dera o melhor de si para lhe transmitir segurança. Nos dias anteriores à cirurgia, Rachel havia chorado muitas vezes com medo de morrer, e mais copiosamente ainda ao pensar que ficaria com uma feia cicatriz no peito caso sobrevivesse. Consumida pela ansiedade, começara a tagarelar como num confessionário: contara à mãe que seu namorado de três meses havia começado a pressioná-la para transar e que ela provavelmente diria sim, muito embora não quisesse; confessara que vivia preocupada com o peso e que vinha comendo compulsivamente e vomitando havia meses. Dissera que passava o tempo inteiro preocupada com quase tudo: a aparência, se os outros gostavam dela ou não, as notas, e se ela seria admitida na faculdade que desejava cursar, e ainda faltavam muitos anos para essa decisão. Não parava de roer as cutículas, arrancando-as até sangrarem. De vez em quando, admitira, chegava a pensar em se matar.

Embora Hope soubesse que os adolescentes tinham talento para guardar segredos dos pais, o que escutou naqueles dias, tanto antes quanto depois da operação, deixou-a profundamente alarmada. Depois da alta de Rachel, arrumou uma boa terapeuta para a filha e, algum tempo depois, um psiquiatra que lhe receitou antidepressivos. E de forma lenta, porém segura, Rachel começou a se sentir mais à vontade consigo mesma e sua ansiedade e sua depressão intensas por fim cederam.

Mas aqueles dias terríveis tinham sido também o início de uma nova fase no relacionamento das duas, uma fase na qual Rachel aprendera que podia ser franca com a mãe sem se sentir julgada, sem temer que Hope fosse ter uma reação exagerada. Ao começar a faculdade, tinha a sensação de poder contar qualquer coisa à mãe. Embora grata por essa sinceridade, Hope reconhecia que em alguns temas, sobretudo relacionados à quantidade de álcool que os universitários pareciam consumir todos os fins de semana, um pouco menos de franqueza teria significado menos aflição para ela.

Talvez a intimidade entre as duas fosse o motivo para a mensagem de texto de Rachel. Assim como qualquer amiga fiel, a moça estava verbalizando sua preocupação com o status de relacionamento da mãe ao perguntar sobre os "caras gatinhos".

– Você já pensou em, quem sabe, conhecer alguém? – perguntara-lhe a filha pouco mais de um ano antes.

– Na verdade, não.

– Por quê? Ninguém nunca convida você para sair?

– Já recebi alguns convites de alguns homens. Mas eu disse não.

– Porque eles eram babacas?

– De jeito nenhum. A maioria parecia bem legal.

Essa resposta tinha feito Rachel enrugar a testa.

– Então por quê? Porque você teve medo? Por causa do que aconteceu com papai e Denise?

– Eu tinha vocês dois e o meu trabalho, e isso me bastava.

– Mas você já se aposentou, eu e o Jacob já saímos de casa, e não gosto de pensar em você sozinha o tempo todo. Quer dizer... E se o homem perfeito estiver por aí, esperando você aparecer?

O sorriso de Hope teve um quê de melancolia.

– Nesse caso, acho que vou ter que tentar encontrá-lo, não é?

Por mais aterrorizante que a cirurgia de Rachel tivesse sido para Hope, a morte em câmera lenta do pai fora, sob alguns aspectos, ainda mais difícil de suportar.

Os primeiros poucos anos depois de Sunset Beach não tinham sido tão ruins. Seu pai ainda conseguia andar, e a cada mês que passava Hope se lembrava de se agarrar com mais firmeza à convicção de que ele havia contraído uma versão da ELA de progressão mais lenta. Houve períodos em que parecera até melhorar, mas então, no intervalo de seis ou sete semanas, foi como se um interruptor houvesse sido acionado: a locomoção se tornou difícil, depois instável sem apoio e, por fim, totalmente impossível.

Junto com as irmãs, Hope se disponibilizou a ajudar o máximo possível. Elas instalaram barras de segurança no banheiro e nos corredores da casa e encontraram uma van de segunda mão para deficientes com um elevador para a cadeira de rodas. Esperavam que isso fosse permitir ao pai circular pela cidade, mas sua capacidade para dirigir durou menos de sete meses, e sua mãe ficava nervosa demais para dirigir a van. As irmãs a venderam com prejuízo, e no último ano de vida o pai não se aventurou a ir mais longe do que a varanda da frente ou o deque de trás da casa, com exceção de quando saía para ir ao médico.

Mas ele não ficou sozinho. Como era amado pela família e adorado por ex-alunos e colegas de trabalho, a casa vivia cheia de visitas. Seguindo o costume do sul do país, todos chegavam com algum prato de comida, e no fim de semana a mãe de Hope suplicava às filhas que levassem um pouco, pois a geladeira estava abarrotada.

Porém esse período relativamente animado foi curto, e se encerrou por completo quando seu pai começou a perder a capacidade de falar. Ele passou os últimos meses preso a um cilindro de oxigênio e sofrendo crises violentas de tosse, pois os músculos estavam demasiado enfraquecidos para expectorar o muco. Hope recordava as incontáveis vezes que dera tapinhas nas costas do pai enquanto ele lutava para respirar. Ele havia perdido tanto peso que ela às vezes tinha a sensação de que iria quebrá-lo ao meio, mas depois de algum tempo ele enfim conseguia tossir a secreção e logo em seguida sorver longas e arquejantes inspirações, com o rosto branco feito papel.

As últimas semanas foram como um delírio febril ininterrupto e prolongado: elas contrataram enfermeiras primeiro num esquema de meio período, depois em tempo integral. Seu pai começou a precisar ser alimentado apenas com líquidos, por meio de canudos. Ficou tão fraco que consumir nem que fosse meio copo demorava quase uma hora. Então veio a incontinência, à medida que o corpo ia definhando depressa.

Nesse período, Hope ia visitá-lo todos os dias. Como falar tinha se tornado um desafio para ele, apenas ela falava. Falava-lhe sobre os netos ou confidenciava-lhe as dificuldades que vinha tendo com Josh. Contou-lhe que uma vizinha tinha visto seu marido num hotel com uma corretora de imóveis da cidade; confirmou-lhe que Josh recentemente confessara o caso, mas que continuava em contato com a tal mulher e que ela não sabia muito bem o que fazer.

Por fim, durante um dos períodos de lucidez do pai, seis anos depois de sua última estadia em Sunset Beach, Hope lhe contou sobre Tru. Enquanto a filha falava, ele não desgrudou os olhos dos seus, e quando ela chegou à parte em que começara a chorar na sua frente na varanda, ele moveu a mão pela primeira vez em semanas. Ela lhe estendeu a sua e a segurou.

Seu pai suspirou, uma expiração longa e difícil, e emitiu alguns sons no fundo da garganta. Foram sons ininteligíveis, mas ela o conhecia bem o suficiente para saber o que ele tinha dito.

– Tem certeza de que é tarde demais?

Seis dias depois disso, seu pai morreu.

Centenas de pessoas compareceram ao funeral e depois se dirigiram para a casa da família. Mais tarde, quando foram embora, a casa ficou silenciosa como se também tivesse morrido. Hope sabia que cada um reagia de um jeito diferente ao estresse e ao luto, mas ficou chocada com a espiral descendente em que a mãe embarcou – aparentemente irrefreável e de uma intensidade brutal. Sua mãe passou a ter acessos angustiantes de um choro imprevisível e começou a beber muito. Parou de arrumar a casa e deixava roupas sujas jogadas pelo chão. Uma camada de poeira cobria as estantes e a louça ficava suja na pia até Hope aparecer e lavá-la. A comida apodrecia na geladeira e a TV vivia ligada, aos berros, o tempo inteiro. A mãe então começou a se queixar de várias mazelas: sensibilidade à luz, dor nas articulações, ondas de dor na barriga e dificuldade para engolir. Toda vez que Hope ia visitá-la, encontrava-a inquieta e com frequência incapaz de concluir o próprio raciocínio. Em outras ocasiões, recolhia-se ao quarto escuro e trancava a porta. O silêncio lá dentro era muitas vezes mais perturbador ainda do que os acessos de choro.

A passagem do tempo só fez piorar as coisas. Sua mãe acabou ficando tão isolada dentro de casa quanto seu pai havia ficado. Só saía para ir ao médico. Quatro anos após a morte do marido, precisou de uma cirurgia de hérnia. A operação era considerada simples e, segundo todos os relatos, correu bem. A hérnia foi retirada e os sinais vitais de sua mãe permaneceram estáveis durante todo o procedimento. No pós-operatório, porém, ela não acordou da anestesia. Morreu dois dias depois.

Hope conhecia o cirurgião, o anestesista e as enfermeiras. Todos haviam realizado outras operações no mesmo dia, tanto antes quanto depois da de sua mãe. Nenhum outro paciente sofrera qualquer efeito adverso. Hope já havia passado tempo suficiente no mundo da medicina para saber que coisas ruins às vezes aconteciam e que nem sempre havia uma explicação simples; parte de si pensou que a mãe simplesmente quisera morrer e dera um jeito de conseguir.

A semana passou como se fosse um borrão. Em transe, ela pouco se lembrava do velório ou do funeral. Nas semanas seguintes, nem ela nem as irmãs tiveram força emocional suficiente para começar a mexer nas coisas da mãe. Em vez disso, Hope às vezes percorria a casa em que fora criada, incapaz de conceber a ideia de viver sem os pais. Embora fosse adulta, levaria anos para deixar de pensar que podia pegar o telefone e ligar para um dos dois.

A perda e a melancolia foram diminuindo aos poucos, até serem enfim substituídas por lembranças mais amorosas. Ela recordava as férias que a família passara reunida e as caminhadas que gostava de fazer com o pai. Lembrava-se de jantares, festas de aniversário, encontros de cross--country e trabalhos escolares com a mãe. Suas recordações preferidas eram dos pais juntos, o modo como eles costumavam namorar quando pensavam que as filhas não estavam prestando atenção. Mas o sorriso muitas vezes ia embora com a mesma rapidez com que surgira, pois isso também a fazia pensar em Tru e na oportunidade que deixara passar de uma vida com ele.

De volta ao chalé, Hope se demorou alguns minutos esquentando as mãos acima de uma das bocas do fogão. *Está frio demais para outubro*, pensou. Sabendo que a temperatura cairia ainda mais assim que o sol se pusesse, cogitou acender a lareira – era uma lareira a gás com lenha de mentira, de modo que bastaria acionar um interruptor –, mas em vez disso decidiu aumentar o termostato da calefação e preparar um chocolate quente. Na infância, não havia nada que a reconfortasse mais quando estava com frio, mas ela havia parado de tomar chocolate no início da adolescência. Muitas calorias – era a sua preocupação na época. Ultimamente, porém, não se preocupava mais com esse tipo de coisa.

Isso lhe lembrou a própria idade, algo em que preferia não pensar. Seja justo ou não, eles viviam numa sociedade que, no caso das mulheres, valorizava mais a juventude e a beleza. Gostava de pensar que parecia jovem para a idade, mas também admitia que talvez estivesse enganando a si mesma.

Pensou que isso na verdade não fazia diferença. Estava ali na praia por motivos importantes. Enquanto bebericava o chocolate, ficou observando a luz cada vez mais fraca dançar sobre a água do mar e refletiu sobre os últimos 24 anos. Será que Josh algum dia sentira que ela nutria sentimentos por outro homem? Por mais que ela houvesse se esforçado para esconder, ficava pensando se o seu amor secreto por outro teria de alguma forma minado o seu casamento. Será que Josh algum dia intuíra que, quando os dois estavam na cama, ela às vezes fantasiava com Tru? Teria o marido sentido a existência dessa parte dela que estava sempre fechada para ele?

Não queria pensar que sim, mas será que isso poderia ter contribuído para os muitos casos extraconjugais de Josh? Não que estivesse disposta a assumir toda a culpa pelo modo como ele agira, nem mesmo a maior parte. Josh era adulto, e inteiramente responsável pelo próprio comportamento, mas... *E se...?*

A questão a atormentava desde que ela descobrira o primeiro caso. Sempre soubera que não havia se comprometido com ele por completo, assim como sabia agora que o casamento estava condenado desde o instante em que aceitara o pedido dele. Hoje em dia, tentava compensar isso com amizade, muito embora não tivesse o menor desejo de reavivar algo entre os dois. Na cabeça dela, aquilo era um jeito de remediar, ou mesmo de se redimir, ainda que Josh talvez nunca viesse a compreender de verdade.

Ela jamais lhe confessaria sua culpa; nunca mais queria magoar ninguém na vida, nunca. Mas não confessar significava que não havia chance de perdão. Ela aceitava isso, da mesma forma que aceitava a culpa por outros erros que cometera. Nos momentos tranquilos, dizia a si mesma que a maioria seria considerada pequena em comparação com o segredo que ela havia guardado do marido, mas um deles não parava de atormentá-la.

Por esse motivo fora até a praia, e a imagem espelhada dos dois grandes erros de sua vida lhe parecia ao mesmo tempo irônica e profunda.

A Josh, ela nada tinha dito sobre Tru na esperança de não fazê-lo sofrer.

A Tru, tinha dito a verdade sobre Josh, mesmo sabendo que as palavras lhe partiriam o coração.

A CAIXA

Ao acordar, Hope se deparou com um céu azul além das cortinas de voile branco. Olhou pela janela e viu que o sol fazia a praia brilhar, tornando-a quase ofuscante. O dia ia ser lindo, a não ser pela temperatura. Uma frente fria que vinha descendo do Vale do Ohio ainda estava prevista para durar mais alguns dias, com rajadas de vento que provavelmente lhe tirariam o fôlego quando ela fosse passear na praia. Nos últimos anos, ela havia começado a entender por que a Flórida e o Arizona eram destinos tão valorizados pelos aposentados.

Esticou as pernas enrijecidas, levantou-se, ligou a cafeteira, tomou uma ducha e se vestiu. Apesar de não estar com fome, fritou um ovo para o café da manhã e obrigou-se a comê-lo. Então pôs o casaco e as luvas e saiu para a varanda de trás com uma segunda caneca de café, para observar o mundo ganhar vida devagar.

Havia pouca gente na praia: um homem seguindo um cachorro da mesma forma que ela costumava seguir Scottie e uma corredora ao longe que deixara junto à linha d'água um longo rastro de pegadas. A mulher corria com passadas saltitantes que faziam o rabo de cavalo balançar num ritmo animado, e ao observá-la Hope recordou como gostava de correr. Havia largado a atividade quando as crianças eram pequenas, e por algum motivo nunca retomara. Pensou naquele momento que isso tinha sido um erro. Hoje em dia, sua condição física era fonte de constante preocupação, e ela às vezes ansiava pela despreocupação com a qual antigamente lidava com o próprio corpo. A idade revela muitas coisas sobre nós mesmos, filosofou.

Tomou um gole de café e se perguntou o que o dia iria trazer. Já estava ansiosa, mesmo alertando a si mesma de que não tivesse muitas esperanças. No ano anterior, fora à praia impulsionada pela animação de seu plano, apesar da improbabilidade de sucesso. Mas aquele tinha sido o começo e este ano seria o fim... E responderia de uma vez por todas à pergunta: será que milagres podem mesmo acontecer?

Ao terminar o café, Hope entrou na casa e verificou o relógio. Estava na hora de começar os preparativos.

Em cima da bancada havia um rádio, que ela ligou. A música sempre fizera parte do ritual, e ela girou o dial até encontrar uma estação que tocava uma música instrumental suave. Aumentou o volume e recordou que ela e Tru estavam ouvindo rádio na noite em que fizeram amor pela primeira vez.

Na geladeira, achou a garrafa de vinho aberta na véspera e se serviu uma taça pequena, não muito mais do que um gole. Assim como a música, o vinho fazia parte do ritual que ela executava toda vez que abria a caixa, mas, como precisava dirigir, sabia que não ia beber nem o pouco que havia servido.

Levou a taça até a mesa e se sentou. A caixa estava no mesmo lugar em que a tinha deixado no dia anterior. Pousou a taça e puxou a caixa para si. Era uma caixa de madeira densa, em tons de chocolate e caramelo, com grandes dobradiças de latão dourado. Como de hábito, ela se demorou admirando os intrincados entalhes da tampa e das laterais: criativos e estilizados elefantes e leões, zebras e rinocerontes, girafas e guepardos. Encontrara a caixa numa barraca de uma feira em Raleigh, e ao saber que fora feita no Zimbábue sentiu que precisava comprá-la.

Josh, contudo, não ficara nem um pouco impressionado.

– Por que cargas-d'água alguém compraria um troço desses? – indagara ele com um muxoxo. Na ocasião, o marido estava comendo um cachorro-quente, enquanto Jacob e Rachel brincavam no pula-pula. – E onde vai colocar isso?

– Ainda não decidi – respondera ela.

Chegando em casa, levara a caixa para a suíte principal e a guardara debaixo da cama até o marido sair para trabalhar na segunda-feira. Então, após enchê-la, escondera-a no fundo de uma caixa com antigas roupas de bebê, no sótão, onde sabia que Josh jamais a encontraria.

Desde seus dias em Sunset Beach, Tru nunca havia tentado entrar em contato com ela. Durante os primeiros anos, ela ficara preocupada de encontrar uma carta na caixa de correio ou de ouvir a voz dele na secretária eletrônica. Quando o telefone tocava à noite, às vezes ficava tensa, preparando-se para o caso de ser ele. Por estranho que fosse, o alívio por não ser vinha sempre acompanhado por uma onda de decepção. Mas ele escrevera que não havia lugar para três pessoas na vida que ela estaria levando e, por mais doloroso que fosse, ele tinha razão.

Mesmo nos piores momentos de seu casamento com Josh, ela não havia tentado entrar em contato com Tru. Pensara em fazê-lo, chegara perto disso algumas vezes, mas nunca sucumbira à tentação. Teria sido fácil correr para ele, mas... E depois? Ela não conseguia encarar a ideia de ter de se despedir uma segunda vez, e tampouco estava disposta a correr o risco de destruir sua família. Apesar das falhas de Josh, seus filhos continuavam sendo prioridade, e eles precisavam de toda a atenção dele.

Assim, ela mantivera Tru vivo na lembrança, da única maneira que podia. Guardara as recordações na caixa e, de vez em quando, em momentos em que ninguém iria incomodá-la, as examinava. Sempre que a televisão passava algum programa sobre os majestosos animais selvagens da África, Hope fazia questão de sintonizar no canal; no fim da década de 1990, esbarrou por acaso nos romances de Alexander McCall Smith e foi fisgada na hora, pois muitas das histórias eram ambientadas em Botsuana. Não era o Zimbábue, mas era quase, pensou, e os livros a ajudaram a conhecer um pouco um mundo sobre o qual ela nada sabia. Ao longo dos anos, houve também matérias ocasionais sobre o país nas grandes revistas de notícias e no *News & Observer* de Raleigh. Ela soubera que o governo havia confiscado terras e se perguntou o que teria acontecido com a fazenda em que Tru fora criado. Lera também sobre a hiperinflação no Zimbábue, e a primeira coisa em que pensou foi como isso poderia afetar o turismo e se ele conseguiria continuar trabalhando como guia. De vez em quando recebia catálogos de viagem pelo correio e os folheava até a parte que descrevia os safáris. Embora a maioria fosse na África do Sul, às vezes lia sobre o refúgio de Hwange. Quando isso acontecia, ficava estudando as fotos para tentar entender melhor o mundo que Tru chamava de lar. E mais tarde, na cama, reconhecia para si mesma que os sentimentos que nutria por ele continuavam tão reais e tão fortes quanto eram tanto tempo atrás, na primeira vez que havia sussurrado que o amava.

Em 2006, quando o divórcio de Josh foi finalizado, Tru devia estar com 58 anos. Hope tinha 52. Jacob e Rachel eram adolescentes e Josh já estava namorando Denise. Embora fizesse dezesseis anos que ela não via Tru, torceu para ainda dar tempo de consertar as coisas. A essa altura, já era possível encontrar alguma coisa na internet, mas as informações sobre o refúgio de Hwange não incluíam nada sobre os guias, a não ser a menção de que eram os mais experientes do Zimbábue. Havia um endereço de e-mail, mas a mulher que respondera à sua mensagem dissera a Hope que não conhecia Tru e que ele não trabalhava mais na reserva fazia muitos anos. Também não conhecia Romy, o amigo de quem ele tinha lhe falado. Mesmo assim, deu-lhe o nome do antigo gerente, que havia sido transferido para outra reserva alguns anos antes, junto com outro endereço de e-mail. Hope escreveu para esse homem e, embora ele não soubesse do paradeiro de Tru, deu-lhe o nome de outro gerente de reserva que havia trabalhado em Hwange nos anos 1990. Não tinha um telefone nem um endereço de e-mail, mas passou-lhe um endereço postal, com o alerta de que talvez também não estivesse atualizado.

Hope escreveu para esse terceiro gerente e ficou esperando ansiosamente uma resposta. Tru tinha lhe avisado que o tempo na selva se movia devagar e que o serviço postal nem sempre era confiável. Semanas se passaram sem resposta, depois meses, e Hope já tinha desistido de pensar que algum dia teria notícias dele quando uma carta apareceu na sua caixa de correio.

As crianças ainda não tinham chegado da escola e ela abriu o envelope com um rasgo e devorou às pressas as palavras escritas. Ficou sabendo que Tru fora embora de Hwange, e o gerente ouvira dizer que ele talvez houvesse aceitado outro emprego em Botsuana. Não sabia ao certo em qual reserva, porém. Ele dizia também ter quase certeza de que Tru tinha vendido a casa em Bulawayo depois que o filho fora cursar universidade em algum lugar da Europa. Não sabia o nome da universidade nem em que país ficava.

Com essas poucas informações, Hope começou a entrar em contato com reservas em Botsuana. Eram dezenas. Mandou vários e-mails, mas não descobriu nada sobre Tru.

Não se deu o trabalho de tentar contatar universidades na Europa, pois seria como tentar achar uma agulha no palheiro. Com as alternativas se esgotando, recorreu à Air Zimbabwe na esperança de encontrar algum funcionário casado com uma mulher chamada Kim. Quem sabe por meio da ex conseguisse descobrir onde Tru estava? Mas isso também não deu em nada. Um homem chamado Ken trabalhara lá até 2001 ou 2002, mas já saíra da empresa e ninguém tivera notícias dele desde então.

Depois disso, Hope tentou uma abordagem mais genérica. Entrou em contato com várias agências públicas do Zimbábue perguntando sobre uma grande fazenda de propriedade de uma família chamada Walls. Tinha deixado essa opção para o fim, pois desconfiava de que Tru houvesse reduzido mais ainda seu contato com a família depois das revelações do pai biológico. Os funcionários do governo não foram nada prestativos, mas ao final dessas conversas ela pôde supor que a fazenda tivesse sido confiscada pelo governo e redistribuída. Não havia informação alguma sobre a família.

Sem mais ideias, Hope decidiu tornar mais fácil para Tru encontrá-la, na eventualidade remota de ele estar à sua procura. Em 2009, abriu uma conta no Facebook, que passou muito tempo conferindo diariamente. Teve notícias de velhos e novos amigos, de parentes, de gente que conhecia do trabalho. Mas Tru não tentou entrar em contato com ela nem sequer uma vez.

A compreensão de que ele pelo visto tinha desaparecido e de que os dois nunca mais iriam se ver deixara-a deprimida por meses e a fizera refletir sobre todas as outras perdas em sua vida. Mas aquele era um tipo diferente de tristeza, que ficava mais forte a cada ano que passava. Agora que os filhos estavam crescidos, ela passava os dias e as noites sozinha. A vida lhe estava escorrendo pelos dedos e muito em breve chegaria ao fim. Mesmo sem querer pensar isso, Hope começou a se perguntar se estaria sozinha quando desse o último suspiro.

Às vezes tinha a sensação de que a sua casa estava lenta porém inexoravelmente se transformando no seu túmulo.

No chalé, Hope tomou um pequeno gole de vinho. Embora fosse leve e adocicado, aquilo lhe pareceu algo estranho pela manhã. Nunca na vida havia bebido vinho assim tão cedo, e duvidava que fosse tornar a fazê-lo. Mas nesse dia achava que merecia.

Por mais que aquelas lembranças a fizessem viajar no tempo, por mais que elas a amparassem, estava cansada de se sentir aprisionada por elas. Queria passar os anos que lhe restavam acordando de manhã sem pensar se Tru daria um jeito de reencontrá-la; queria passar o máximo de tempo que pudesse com Jacob e Rachel. Mais do que tudo, ansiava por paz de espírito. Queria que transcorresse um mês sem que sentisse necessidade de examinar o conteúdo da caixa à sua frente; queria se concentrar, isso sim, em riscar alguns dos itens da sua grande lista de coisas a fazer. Participar da plateia do programa de Ellen DeGeneres. Visitar o castelo de Biltmore no Natal. Apostar num cavalo num páreo do Kentucky Derby. Assistir a uma partida de basquete entre os times da UNC e de Duke no Cameron Indoor Stadium – esse último item ia ser dureza: era quase impossível arrumar ingressos. Mas o desafio fazia parte da diversão, não é?

Não muito tempo depois de sua estadia na praia no ano anterior, num dia em que estava se sentindo particularmente de baixo astral, ela havia deletado sua página no Facebook. Desde então, deixara também a caixa no sótão, por mais forte que fosse a vontade de examinar seu conteúdo. Agora, porém, a caixa a estava chamando e ela finalmente abriu a tampa.

No alto estava o desbotado convite de casamento de Ellen. Hope olhou a caligrafia, lembrando-se de quem ela era nessa época e recordando as preocupações que a atormentavam quando chegara à praia naquela semana. Às vezes desejava poder conversar com a mulher que tinha sido, mas não sabia ao certo o que diria. Quem sabe pudesse tranquilizar a versão mais jovem de si mesma contando-lhe que ela teria filhos, mas acrescentando que criá-los não seria nem um pouco parecido com o ideal que ela havia imaginado? Que, por mais que ela os amasse, haveria incontáveis momentos em que eles a deixariam com raiva ou decepcionada? Que a sua preocupação com eles às vezes a soterraria? Ou será que diria à versão mais jovem de si mesma que, depois de ter filhos, haveria momentos em que ela desejaria ser verdadeiramente livre outra vez?

E o que poderia dizer em relação a Josh?

Imaginou que isso agora não tivesse mais importância, e que tampouco valia a pena perder tempo pensando nessas questões. Mas ainda assim o convite a fez refletir. A vida parecia um número infinito de peças de dominó dispostas para tombarem no maior chão do mundo, uma peça conduzindo inevitavelmente à seguinte. Se o convite não tivesse chegado, Hope jamais teria batido boca com Josh, nem ido passar a semana sem ele em Sunset Beach. Nunca teria sequer conhecido Tru, aliás. O convite, pensou ela, era o dominó que, ao cair, pusera em movimento o resto de sua vida. A coreografia que conduzira à mais profunda experiência de amor que ela vivera lhe parecia ao mesmo tempo inevitável e improvável, mas ela se perguntou novamente qual seria o objetivo daquilo.

Pôs o convite de lado e pegou o primeiro dos desenhos. Tru a havia desenhado na manhã depois de os dois irem para a cama pela primeira vez, e Hope sabia que não tinha mais a aparência da mulher do desenho. Na imagem, sua pele lisa e sem marcas reluzia com o último suspiro da juventude. Os fartos cabelos estavam realçados por reflexos mais claros, os seios eram firmes e empinados, as pernas, tonificadas e sem manchas.

Ele a havia retratado de um modo que nenhuma fotografia jamais conseguira. E ao seguir olhando o desenho, ela refletiu que nunca estivera tão bonita. Porque ele a desenhara do modo que a via.

Pousou o desenho sobre o convite de casamento e estendeu a mão para pegar o segundo. Tru o terminara enquanto ela estava no casamento, e ao longo dos anos, sempre que revisitava o conteúdo da caixa, ela se demorava observando-o. Os dois estavam em pé na praia, perto da linha do mar. Ao fundo via-se o píer, e o sol se refletia no oceano enquanto eles se olhavam de perfil. Ela o enlaçava pelo pescoço e ele a segurava pela cintura. Ela tornou a pensar que ele a havia desenhado mais bonita do que de fato era, mas foi a imagem dele que lhe chamou a atenção. Examinou os vincos no canto dos olhos e a covinha no queixo; acompanhou com o dedo o formato dos ombros sob o tecido solto da camisa. Mais do que tudo, porém, maravilhou-se com a expressão que ele havia desenhado no próprio rosto a encará-la: a de um homem profundamente apaixonado pela mulher que estava abraçando. Puxou o desenho mais para perto e pensou se ele teria tornado a olhar para outra mulher daquele jeito. Jamais saberia, e embora houvesse uma parte de si que desejava a felicidade dele, outra parte queria acreditar que os sentimentos que os dois tinham tido um pelo outro eram inteiramente únicos.

Pôs de lado esse desenho também. Em seguida vinha a carta que Tru tinha lhe escrito, a que ela havia encontrado no porta-luvas. O papel estava amarelado nas bordas e os vincos apresentavam pequenos rasgos; a carta tinha ficado tão frágil quanto ela. Pensar isso fez surgir um bolo em sua garganta enquanto ela traçava uma linha entre seu nome no alto e o dele no final, conectando-os mais uma vez. Leu as palavras que já conhecia de cor, de cujo poder nunca se cansava.

Levantando-se da mesa, andou até a janela da cozinha. Enquanto a mente vagueava, deu-se conta de que era possível ver Tru passando a pé pelo chalé com uma vara no ombro e uma caixa de pesca na outra mão, e viu-o se virar para encará-la. Ele acenou, e ela reagiu estendendo a mão para tocar o vidro.

– Eu nunca deixei de te amar – sussurrou, mas o vidro estava frio, e a cozinha, silenciosa.

E, ao piscar, ela percebeu que a praia estava inteiramente deserta.

Faltavam vinte minutos e um objeto. Era a xerox de uma carta que ela havia escrito no ano anterior. Tinha deixado a original na Almas Gêmeas na sua última estadia na praia, e ao desdobrar a cópia pensou como esse gesto tinha sido bobo. Uma carta não significa nada se o destinatário nunca a receber, e Tru jamais saberia da sua existência. No texto, porém, ela havia feito uma promessa a si mesma, promessa que pretendia cumprir. Nem que fosse apenas por isso, torceu para que a carta lhe desse a força de que precisava para finalmente dizer adeus.

Esta é uma carta para Deus e para o Universo.

Preciso da sua ajuda, nesta que, imagino, vá ser minha última tentativa de me desculpar por uma decisão tomada muito tempo atrás. Minha história é ao mesmo tempo simples e complicada. Para registrar com precisão tudo que aconteceu, eu precisaria de um livro, então em vez disso vou me ater apenas ao básico:

Em setembro de 1990, durante uma visita a Sunset Beach, conheci um homem do Zimbábue chamado Tru Walls. Na época, ele trabalhava como guia de safáris num dos acampamentos do refúgio de Hwange. Tinha também uma casa em Bulawayo, mas fora criado numa fazenda perto de Harare. Tinha 42 anos, era divorciado e pai de um menino de 10 anos chamado Andrew. Nós nos conhecemos numa quarta-feira de manhã, e na quinta à noite eu já estava apaixonada por ele.

Vocês podem achar isso impossível e que talvez eu estivesse confundindo uma paixonite com amor. Tudo que posso dizer é que mil vezes considerei essa possibilidade e mil vezes a rejeitei. Se vocês o conhecessem, entenderiam por que ele conquistou meu coração; se tivessem nos visto juntos, saberiam que o que sentimos um pelo outro foi indiscutivelmente real. Durante o curto período que passamos juntos, gosto de pensar que nos tornamos almas gêmeas, ligadas para sempre. Mas no domingo tudo acabou. E quem terminou fui eu, por motivos que passei décadas questionando.

Foi a decisão certa na época; foi também a decisão errada. Eu faria a mesma coisa outra vez; e faria tudo diferente. Essa confusão me acompanha até hoje, mas aprendi a aceitar que nunca vou me livrar desses questionamentos.

Nem preciso dizer que minha decisão o deixou arrasado. A culpa que sinto em relação a isso me assombra até hoje. Agora cheguei a um ponto da vida em que parece importante me redimir sempre que possível. E é aí que Deus e o Universo podem ajudar, pois meu pedido é simples.

Eu gostaria de rever Tru para poder me desculpar. Quero seu perdão, se é que isso é possível. Nos meus sonhos, tenho esperança de que isso me traga paz de espírito; preciso que ele entenda quanto eu o amava na época e quanto o amo hoje. E quero que ele saiba que eu sinto muito.

Talvez vocês estejam se perguntando por que não tentei entrar em contato com ele por meios mais convencionais. Eu tentei: passei anos tentando encontrá-lo, sem sorte. Tampouco acredito de verdade que esta carta vá chegar até ele, mas, se chegar, perguntarei se ele se lembra do lugar que visitamos juntos na quinta-feira à tarde, pouco antes de começar a chover.

É lá que eu vou estar no dia 16 de outubro de 2014. Se ele se lembrar do lugar com a mesma reverência que eu, saberá também a que hora do dia estarei lá.

Hope

Hope espiou o relógio e soube que a Almas Gêmeas estava à sua espera. Tornou a guardar os objetos na caixa e fechou a tampa com um gesto decidido, já sabendo que não a devolveria ao sótão nem levaria seu conteúdo para casa. A caixa em si seria deixada ali no chalé, na cornija da lareira, e o dono poderia fazer o que quisesse com ela. Tirando o convite de casamento, o resto do conteúdo seria deixado na Almas Gêmeas até o final da semana. Ela precisava de um ou dois dias para apagar as identidades, mas esperava que outros visitantes pudessem apreciar aqueles documentos da mesma forma que ela e Tru um dia haviam apreciado a carta de Joe para Lena. Queria que as pessoas soubessem que o amor muitas vezes fica à espreita, pronto para florescer quando menos se espera.

O caminho de carro foi fácil, por uma estrada que ela conhecia como a palma da sua mão. Atravessou a ponte nova de Sunset Beach, passou pelo píer até chegar à ponta oeste da ilha e achou um lugar para estacionar.

Agasalhou-se e saiu andando lentamente pelas dunas baixas, aliviada ao ver que, por mais que a ilha houvesse mudado, a praia continuava a mesma. Tempestades e furacões, bem como correntes marinhas, não paravam de alterar as ilhas de barreira do litoral da Carolina do Norte, mas Sunset Beach parecia relativamente imune, muito embora Hope tivesse ouvido dizer no ano anterior que agora se podia chegar andando a Bird Island, mesmo quando a maré não estava baixa.

A areia esponjosa a deixou ofegante, e suas pernas pareciam de chumbo. Chegando ao extremo oeste de Sunset Beach, olhou por cima do ombro. Não viu mais ninguém andando na mesma direção, apenas uma faixa de areia solitária com ondas suaves batendo. Um pelicano marrom voava baixo acima das ondas, e ela ficou olhando até ele se tornar apenas um pontinho distante.

Ela se recompôs e recomeçou a caminhada, atravessando a vala de areia dura que poucas horas antes estava submersa. Assim que chegou a Bird Island, o vento que vinha soprando sem parar cessou, como se estivesse lhe dando boas-vindas à sua casa. O próprio ar ali parecia mais fino e translúcido, e o sol, agora em ascensão, a fez estreitar os olhos ao se refletir no prisma do mar. No súbito silêncio, Hope entendeu que vinha mentindo para si mesma desde que chegara. Não estava fazendo aquela caminhada para dizer adeus. Tinha ido até ali porque continuava querendo acreditar no impossível. Tinha ido até ali porque uma parte dela ainda se agarrava irracionalmente à crença em que a Almas Gêmeas detinha a chave para o futuro deles dois. Tinha ido até ali naquele dia porque ansiava, com cada célula do seu corpo, por acreditar que Tru de algum modo ficara sabendo da sua carta e estaria lá, à sua espera.

De um ponto de vista lógico, entendia a loucura que significava desejar tal coisa, mas não conseguia se livrar da sensação de que ele estaria lá. A cada passo que dava, a presença dele parecia mais próxima. Escutou sua voz no rugido incessante do mar e, apesar do frio, sentia-se cada vez mais aquecida. A areia a puxava, tornando cada passo mais difícil, mas ela aumentou o ritmo. A respiração saía em pequenos arquejos; o coração começou a se acelerar, mas mesmo assim ela prosseguiu. Andorinhas-do-mar e gaivotas se amontoavam em bandos, enquanto maçaricos entravam e saíam das ondas mansas. Sentiu por aquelas aves uma súbita afinidade, pois sabia que elas seriam as únicas testemunhas de um reencontro que havia demorado 24 anos para acontecer. Elas a veriam se jogar nos braços dele; ouviriam-no declarar que nunca deixara de amá-la. Ele a faria rodar e a beijaria, e os dois voltariam, apressados, para o chalé, loucos para recuperar o tempo perdido...

Foi despertada de seu devaneio por uma rajada de vento repentina. Uma rajada forte o suficiente para fazê-la perder o equilíbrio.

Quem eu estou enganando?

Ela era uma boba, uma boba que acreditava em contos de fadas, enfeitiçada por lembranças que agora a mantinham aprisionada. Não havia ninguém em pé junto ao mar ou se aproximando ao longe. Ela estava sozinha ali, e a certeza que tinha em relação à presença de Tru se esvaiu tão depressa quanto havia surgido. *Ele não vai estar aqui*, falou, repreendendo a si mesma. Não poderia estar, pois não sabia sobre a carta.

Ofegante, ela diminuiu o passo e concentrou cegamente a energia em pousar um pé na frente do outro. Minutos se passaram. Dez, depois quinze. A essa altura, sua sensação era de avançar poucos centímetros a cada passo. Por fim, pôde ver a bandeira americana ao longe, dobrando-se e desdobrando-se na brisa, e soube que estava na hora de começar a se afastar da linha do mar.

Logo após a curva da duna, viu a caixa de correio e o banco, solitários e abandonados como sempre. Seguiu na direção do banco, e assim que chegou quase desabou sobre ele.

Tru não estava por perto.

O dia fora ficando cada vez mais claro, e ela protegeu os olhos da luz. No ano anterior, quando tinha ido até lá, o tempo estava nublado, como na ocasião em que estivera ali com Tru. Isso a fizera ter uma sensação de *déjà vu*, mas nesse dia o sol alto e forte parecia zombar da sua tolice.

O ângulo da duna a impedia de ver o trecho de areia da praia que acabara de atravessar, de modo que ela fixou o olhar na direção oposta. Na bandeira. Nas ondas. Nas aves marinhas e no capim-navalha que cobria as dunas a ondular suavemente. Maravilhou-se ao perceber quão pouco a paisagem se modificara desde a primeira vez que o pai a levara ali, em comparação com todas as mudanças dentro dela. Tinha vivido uma vida quase inteira, mas não fizera nada de extraordinário. Não deixara uma marca permanente no mundo nem jamais viria a deixar, mas se o amor era tudo que realmente importava, compreendia que fora particularmente abençoada.

Decidiu descansar antes de voltar. Antes, porém, iria checar a caixa de correio. Foi com os dedos formigando que a abriu e pegou o maço de cartas. Levando-as de volta até o banco, usou o cachecol para impedi-las de voar.

Passou a meia hora seguinte imersa na leitura das missivas deixadas por outras pessoas. Quase todas falavam de perda, como se obedecessem a algum tipo de tema predefinido. Duas cartas eram de um pai e uma filha que haviam escrito para uma esposa e mãe falecida quatro meses antes, de câncer no ovário. Outra fora escrita por uma mulher chamada Valentina, que lamentava a perda do marido; outra ainda descrevia a perda de um neto que sucumbira a uma overdose. Uma carta particularmente bem-escrita falava sobre os temores associados à perda de um emprego e à eventual perda do imóvel em que a pessoa morava por falta de pagamento da hipoteca. Três eram de viúvas recentes. E, embora Hope desejasse que não fosse assim, todas serviam como lembrete do fato de que Tru também tinha ido embora para sempre.

Ela pôs de lado a pilha que tinha lido; restavam apenas duas cartas. Pensando que seria bom terminar, pegou mais um envelope. Já estava aberto, e ela tirou a carta lá de dentro e a desdobrou sob o sol. Estava escrita num papel pautado amarelo e, ao ler o nome no alto, ela não conseguiu acreditar no que estava vendo.

Hope

Piscou, sem tirar os olhos do próprio nome.

Hope

Não podia ser, mas... *mas era*, e ela sentiu uma onda de vertigem. Reconheceu a caligrafia; já a tinha visto mais cedo naquela mesma manhã, na carta escrita por Tru tanto tempo atrás. Teria reconhecido aquela letra em qualquer lugar do mundo, mas se era mesmo isso, onde ele estava?

Por que não estava ali?

Seus pensamentos estavam a mil e nada fazia sentido algum, exceto a carta que ela segurava na mão. Havia uma data no alto: dia 2 de outubro, ou seja, doze dias antes...

Doze dias?

Será que ele havia chegado doze dias antes da data?

Ela não conseguia entender, e sua incompreensão deu lugar a mais perguntas ainda. Será que ele havia entendido errado a data? Será que ficara sabendo da carta dela ou aquilo tudo não passava de uma coincidência? Será que a carta era mesmo para ela? Será que ela havia mesmo reconhecido a letra? E se havia...

Onde ele estava?

Onde ele estava?

Onde ele estava?

Suas mãos começaram a tremer e ela fechou os olhos para tentar desacelerar os pensamentos e aquela sucessão de perguntas. Respirou várias vezes, demorada e profundamente, dizendo a si mesma que estava imaginando aquilo tudo. Quando abrisse os olhos, haveria outro nome no alto da carta; quando realmente a examinasse, veria que a letra na verdade não tinha nada a ver com a de Tru.

Após recuperar um pouco do autocontrole, baixou os olhos para o papel.

Hope

Constatou que também não havia se enganado em relação à caligrafia. Era a letra dele, de mais ninguém, e ela sentiu um aperto na garganta ao enfim começar a ler.

Hope

O destino que mais importa na vida é o destino do amor.

Escrevo estas palavras sentado num quarto em que estou hospedado há mais de um mês. Fica numa pousada chamada Stanley House, situada no centro histórico de Wilmington. Os donos são muito gentis, o lugar na maior parte do tempo é tranquilo e a comida é boa.

Sei que esses detalhes podem parecer irrelevantes, mas estou nervoso, então vou começar pelo mais óbvio: fiquei sabendo da sua carta no dia 23 de agosto, e dois dias depois peguei um avião para a Carolina do Norte. Sabia onde você queria me encontrar e imaginei que fosse estar lá na maré baixa, mas por motivos que explicarei melhor mais tarde não sabia a data exata em que você estaria lá. Só tinha referências vagas nas quais me basear, e foi por isso que decidi ficar na pousada. Se iria passar um tempo na Carolina do Norte, queria um lugar mais confortável do que um hotel, mas sem o trabalho de alugar um imóvel. Para dizer a verdade, eu nem sabia muito bem como fazer isso num país estrangeiro. Tudo que sabia era que tinha de vir, porque havia prometido a você que viria.

Apesar da falta de detalhes, imaginei que você fosse escolher uma data no mês de setembro. Afinal, foi quando nos conhecemos. Estive na Almas Gêmeas todos os dias desse mês que passou. Fiquei olhando e esperando você aparecer, sem sucesso, me perguntando o tempo todo se tínhamos nos desencontrado ou se você tinha mudado de ideia. Perguntei-me se o destino havia conspirado para nos manter mais uma vez separados. Quando setembro deu lugar a outubro, tomei a decisão de lhe deixar uma carta, na esperança de que talvez você um dia tome conhecimento dela do mesmo modo inexplicável que tomei conhecimento da sua.

Pois eu soube também que você queria se desculpar pelo que aconteceu entre nós, por ter tomado a decisão que tomou tanto tempo atrás. Eu disse a você na época, e hoje continuo a pensar assim, que não há necessidade alguma de se desculpar. Conhecer você e me apaixonar por você foi uma experiência que eu reviveria mil vezes em mil outras vidas, se algum dia tivesse a oportunidade.

Você está e sempre esteve perdoada.

Tru

Após terminar de ler, Hope continuou olhando o papel, com o coração batendo forte dentro do peito. O mundo parecia estar se fechando, desabando por todos os lados. A carta não dava nenhuma pista, não dizia se ele ainda estava lá, não dava nenhum meio de entrar em contato caso ele houvesse voltado para a África...

– Você já foi? – indagou ela em voz alta. – Por favor, não me diga que já foi embora...

Na hora em que disse essas palavras, ela ergueu os olhos da carta e viu um homem em pé a não mais de três metros de distância. A contraluz o deixava na sombra e dificultava distinguir seus traços, mas ela havia visualizado aquela imagem tantos milhares de vezes ao longo dos anos que mesmo assim o reconheceu. Abriu a boca, e quando ele deu um passo na sua direção viu que ele havia começado a sorrir.

– Eu não fui embora – disse-lhe Tru. – Ainda estou aqui.

REENCONTRO

Hope olhou para ele, sentindo-se petrificada no banco. Sabia que aquilo não podia estar acontecendo, que não havia como Tru estar de fato ali, mas ainda assim não conseguia conter a avalanche de emoções que a atingiu. O assombro e a alegria vieram acompanhados por um choque absoluto que a deixou sem palavras, e uma pequenina parte de si temeu que, se dissesse alguma coisa, a ilusão iria se estilhaçar.

Ele estava ali. Ela podia vê-lo. Escutara-o falar, e com o som da voz dele as lembranças do tempo que passaram juntos se materializaram com uma força vívida. A primeira coisa que ela pensou foi que ele havia mudado pouco nos anos que passara sem vê-lo. Continuava esbelto, os ombros largos não estavam curvados pela idade, e embora os cabelos estivessem menos cheios e um pouco grisalhos, tinham o mesmo visual despojado e bagunçado que ela sempre havia adorado. Ele estava vestido da mesma forma que na época, com uma camisa de botão cuidadosamente para dentro da calça jeans e botas nos pés; ela se lembrava de ele ser imune ao frio, mas nesse dia estava usando também uma parca que descia até o quadril, embora não tivesse se dado o trabalho de abotoá-la.

Parecendo tão estupefato quanto ela, Tru não chegou mais perto. Depois de algum tempo, porém, foi ele quem rompeu o feitiço.

– Oi, Hope.

Ouvi-lo dizer seu nome fez o coração dela esmurrar o peito.

– Tru? – respondeu ela num sussurro.

Ele se moveu em sua direção.

– Estou vendo que achou a carta que deixei para você.

Só então ela se deu conta de que ainda estava segurando o papel.

– Achei – aquiesceu ela. Dobrou-a, e distraidamente a pôs no bolso do casaco; sua mente era um emaranhado de imagens em colisão, passado e presente. – Você estava atrás de mim na praia? Eu não o vi.

Ele apontou com o polegar por cima do ombro.

– Vim a pé de Sunset Beach, mas também não vi você. Quer dizer, só vi quando a caixa de correio apareceu. Desculpe se a assustei.

Ela fez que não com a cabeça ao mesmo tempo que se levantava do banco.

– Ainda não consigo acreditar que você está aqui... Tenho a sensação de estar sonhando.

– Você não está sonhando.

– Como você sabe?

– Porque não tem como nós dois estarmos sonhando a mesma coisa – respondeu ele, com suavidade e um sotaque igualzinho ao que ela recordava. – Há quanto tempo.

– É.

– Você continua linda – disse ele, com um toque de assombro na voz.

Ela sentiu o sangue lhe inundar as faces, sensação que quase havia esquecido.

– Que nada... – Afastou do rosto uma mecha de cabelo soprada pelo vento. – Mas obrigada.

Ele cruzou a distância que os separava e segurou com delicadeza sua mão. O calor da mão dele a invadiu, e embora ele estivesse perto o bastante para beijá-la, não o fez. O que fez foi alisar sua pele vagarosamente com o polegar, causando uma sensação elétrica.

– Como você está? – indagou ele.

Todas as células do corpo dela pareciam vibrar.

– Eu... – Ela uniu os lábios antes de prosseguir. – Na verdade, eu não sei como estou. A não ser que estou... chocada.

Os olhos dele encontraram os dela, apagando os anos perdidos.

– Tem tanta coisa que eu quero perguntar – disse ele.

– Eu também – sussurrou ela.

– Que bom rever você.

Quando ele disse isso, a visão dela começou a afunilar como um telescópio e o mundo ao redor encolheu até ficar da dimensão daquele único instante: Tru em pé na sua frente, depois de tantos anos de separação; então, sem dizer mais nada, eles se uniram. Ele a abraçou e puxou-a para si, e ela teve imediatamente a sensação de estar com 36 anos outra vez, dissolvendo-se no abrigo do corpo dele enquanto a luz do sol de outono caía ao seu redor.

Os dois ficaram assim durante um longo tempo, até Hope enfim recuar e olhar para ele. Olhar de verdade. Embora as rugas do rosto estivessem mais fundas, a covinha no queixo e a cor dos olhos eram as mesmas de que se lembrava. Ela se pegou estranhamente aliviada por ter ido ao cabeleireiro recentemente e por ter se demorado cuidando da aparência naquela manhã. A colisão entre a lembrança e a sensação imediata confundia os seus pensamentos e ela inexplicavelmente sentiu os olhos marejados. Enxugou-os, envergonhada.

– Está tudo bem? – perguntou ele.

– Tudo. – Ela fungou. – Desculpe estar chorando, mas é... é que... eu nunca acreditei de verdade que você fosse estar aqui.

Ele abriu um sorriso de ironia.

– Reconheço que foi uma sequência um tanto extraordinária de acontecimentos a me trazer de volta até você.

Apesar do choro, a estrutura da frase a fez dar uma risadinha abafada. Ele falava como sempre havia falado, o que tornou um pouco mais fácil para ela se acalmar.

– Como achou a minha carta? – quis saber ela. – Você veio aqui no ano passado?

– Não – respondeu ele. – E na verdade eu não achei a carta, nem sequer a li. Me falaram sobre ela. Mas... mais importante do que isso, como você está? O que aconteceu com você durante todos esses anos?

– Estou bem – respondeu ela, automaticamente. – Eu... – De repente, não soube o que dizer e não completou a frase. O que dizer a um antigo amor depois de 24 anos? Quanto ela vinha sonhando com aquele momento desde o instante em que os dois tinham se despedido? – Aconteceu muita coisa – foi tudo que lhe ocorreu dizer.

– É mesmo?

Ele ergueu uma das sobrancelhas, brincando, e ela não pôde evitar sorrir. Os dois sempre tinham sentido uma descontração natural um com o outro, e isso pelo menos não havia mudado.

– Eu não saberia nem por onde começar – reconheceu ela.

– Que tal de onde paramos?

– Não sei muito bem o que isso quer dizer.

– Está certo. Vamos começar assim: imagino que tenha se casado.

Ele devia ter imaginado, porque ela nunca havia entrado em contato. Mas não havia tristeza nem amargura em seu tom, apenas curiosidade.

– Sim – admitiu ela. – Josh e eu nos casamos, mas... – Ela não estava pronta para entrar em detalhes. – Não deu certo. Nós nos divorciamos faz oito anos.

Ele baixou os olhos para a areia, em seguida tornou a erguê-los.

– Deve ter sido difícil para você. Eu sinto muito.

– Não precisa – disse ela. – O casamento deu o que tinha de dar, e estava na hora de acabar. E você? Chegou a se casar de novo?

– Não – respondeu ele. – As coisas acabaram nunca acontecendo assim. Sou só eu hoje em dia.

Embora fosse um sentimento egoísta, ela sentiu uma onda de alívio.

– Mas você ainda tem o Andrew, não? Ele agora deve estar com mais de 30.

– Trinta e quatro – respondeu Tru. – Nós nos vemos algumas vezes por ano. Ele mora na Antuérpia.

– É casado?

– Sim – disse Tru. – Casou faz três anos.

Incrível, pensou ela. Aquilo era difícil de imaginar.

– Ele já tem filhos?

– Annette, a mulher dele, está esperando o primeiro.

– Quer dizer que você em breve vai ser avô?

– Acho que sim – disse ele. – E você? Teve os filhos que queria ter?

Ela aquiesceu.

– Dois. Um menino e uma menina. Bem, na verdade suponho que

agora sejam um homem e uma mulher. Eles têm 20 e poucos anos. Jacob e Rachel.

Ele apertou suavemente a mão dela.

– Fico feliz por você.

– Obrigada. São meu maior motivo de orgulho – afirmou ela. – Você ainda trabalha como guia?

– Não – respondeu ele. – Me aposentei há três anos.

– Sente falta?

– Nem um pouco – respondeu ele. – Passei a gostar de dormir até depois do amanhecer sem ficar com medo de acordar com leões na porta de casa.

Ela sabia que aquela era uma conversa trivial, que se mantinha na superfície das coisas, mas era natural e descontraída, como as que ela costumava ter com as amigas mais próximas. Elas podiam passar meses, às vezes um ano inteiro sem se falar, e depois retomar exatamente onde tinham parado da última vez. Não imaginara que fosse ser assim com Tru, mas essa agradável surpresa foi interrompida por uma rajada de vento ártico. O ar penetrou seu casaco e levantou a areia das dunas. Por cima do ombro dele, ela viu o cachecol se mover sobre o banco e os cantos das cartas debaixo dele esvoaçarem.

– Espere um instantinho. É melhor eu recolocar as cartas no lugar antes que o vento as leve embora.

Ela andou depressa até a caixa de correio. Suas pernas, que na chegada pareciam pesadas, agora davam a impressão de terem rejuvenescido, como se o tempo estivesse andando para trás. O que de certa forma era verdade.

Quando estava fechando a porta da Almas Gêmeas, reparou que Tru tinha ido atrás dela.

– Vou guardar a carta que você me escreveu – disse ela. – A menos que você não queira.

– Por que não iria querer? Eu a escrevi para você.

Ela enrolou o cachecol no pescoço.

– Por que não comentou na carta que ainda estava aqui? Você poderia simplesmente ter escrito: *Espere por mim*.

– Eu não sabia ao certo por quanto tempo permaneceria aqui. Quando escrevi, não sabia em que data você viria, e a primeira carta que você escreveu não estava mais na caixa quando cheguei.

Ela inclinou a cabeça.

– Quanto tempo você estava pensando em ficar?

– Até o final do ano.

No início, ela pensou que não tivesse escutado direito e não conseguiu responder. Então perguntou:

– Estava planejando vir aqui todos os dias até janeiro? Depois voltar para a África?

– Você está certa até a metade. Eu pretendia ficar até janeiro. Mas não, depois disso eu não ia voltar para a África. Enfim, não imediatamente.

– Para onde estava planejando ir?

– Pretendia ficar aqui nos Estados Unidos.

– Por quê?

Ele pareceu não entender a pergunta.

– Para poder procurar você – respondeu, por fim.

Hope abriu a boca para tentar responder, mas novamente nenhuma palavra saiu. Aquilo não fazia o menor sentido, pensou. Ela não merecia tamanha devoção. Ela o havia deixado. Vira-o desabar e continuara indo embora de carro; optara por destruir as esperanças de Tru e construir uma vida com Josh.

Ao vê-lo olhando para ela, porém, deu-se conta de que o amor dele permanecia intacto, mesmo ele ainda não tendo entendido quanta saudade ela sentira. Ou quanto continuava gostando dele. Na própria mente, ouviu uma voz alertando-a para tomar cuidado, para ser totalmente honesta em relação a tudo, de modo que ele não se magoasse outra vez. Mas na emoção do reencontro a voz soou distante, um eco que foi diminuindo até virar um sussurro.

– O que você vai fazer hoje à tarde? – indagou ela.

– Nada. O que você tinha em mente?

Em vez de responder, ela sorriu, sabendo exatamente para onde ir.

Eles começaram a voltar pelo mesmo caminho que vieram, e depois de algum tempo chegaram à vala de areia que separava Bird Island de Sunset Beach. Ao longe, podiam ver o contorno do píer, cujos detalhes se perdiam no brilho do sol refletido no mar. As ondas, longas e suaves, batiam na praia num ritmo constante. Mais à frente, Hope reparou que agora havia mais gente na praia, pequenas silhuetas a se mover junto à linha d'água. O ar estava frio e trazia um cheiro de pinheiro e de vento, e a baixa temperatura a fez sentir os dedos começarem a formigar.

Eles caminhavam num ritmo lento, mas Tru não parecia se importar. Ela reparou que ele mancava de leve, mas de modo perceptível o suficiente para fazê-la se perguntar o que teria lhe acontecido. Talvez não fosse nada, quem sabe um pouco de artrite ou apenas a consequência de uma vida ativa, mas aquilo a fez lembrar que, apesar da história que tinham em comum, eles eram sob muitos aspectos dois desconhecidos. Ela havia guardado uma lembrança, mas que não necessariamente correspondia ao homem que ele era agora.

Ou será que correspondia?

Caminhando ao lado dele, ela não soube responder. Tudo que sabia era que estar na sua companhia era tão natural e reconfortante quanto antigamente, e ao olhá-lo de relance desconfiou de que ele estivesse sentindo a mesma coisa. Assim como ela, ele havia posto as mãos nos bolsos, estava com as bochechas coradas de frio e exibia um ar satisfeito, como um homem que acabara de chegar em casa após uma longa viagem. Como a maré estava subindo devagar, eles caminhavam bem no limite da areia dura, ambos atentos a ondas que pudessem molhar seus sapatos.

Começaram a conversar e as palavras fluíram fácil, como um velho hábito recém-redescoberto. Ela foi quem mais falou. Contou-lhe sobre a morte dos pais, falou brevemente sobre o trabalho, o casamento e o posterior divórcio de Josh, mas se pegou falando sobretudo sobre Jacob e Rachel. Narrou incontáveis casos da infância e da adolescência dos filhos e confessou como ficara apavorada quando Rachel tivera de fazer a cirurgia de coração. Muitas vezes pôde ler no semblante dele reações de afeto ou preocupação que deixavam evidente a sua empatia. É claro que não conseguiu se lembrar de tudo; alguns detalhes da própria vida tinham se perdido na memória, mas ela teve a sensação de que Tru compreendia instintivamente os padrões e temas principais do seu passado. Quando estavam passando debaixo do píer, já desconfiava que houvesse pouca coisa na sua vida como mãe que ele ainda não soubesse.

Quando eles pisaram a areia mais macia e começaram a seguir em direção ao caminho que atravessava as dunas, ela passou na frente, percebendo que, ao contrário da árdua caminhada até a Almas Gêmeas, mal sentira a volta. Seus dedos estavam aquecidos e relaxados dentro dos bolsos do casaco, e apesar de praticamente só ela ter falado, não estava ofegante.

Após percorrer todo o caminho, eles chegaram à rua, e ela reparou num carro estacionado na vaga ao lado do seu.

– É seu? – perguntou a Tru.

– Alugado – respondeu ele.

Fazia sentido ele ter alugado um carro, imaginou ela, mas não pôde evitar reparar que seus respectivos carros estavam próximos um do outro, como se atraídos pelas mesmas forças mágicas que tinham permitido a eles dois se reencontrarem. Achou isso estranhamente tocante.

– Que tal você me seguir? – sugeriu ela. – É meio longe.

– Vá em frente.

Hope apertou o botão para destrancar as portas e se sentou ao volante. O interior estava frio e, após dar a partida no motor, ela ligou a calefação no máximo. Do lado de fora do vidro, viu Tru entrar no carro alugado. Ela deu ré e parou na rua para aguardá-lo. Ao ver que ele estava pronto, tirou o pé do freio e começou a avançar em direção a uma tarde que ela não poderia ter previsto e a um futuro que não conseguia imaginar.

Sozinha dentro do carro, sentiu os pensamentos começarem a viajar e não parou de olhar pelo retrovisor para se certificar de que Tru não tinha desaparecido. Para ter certeza de que não estava tendo uma alucinação. Parte dela ainda não conseguia acreditar que ele ficara sabendo da sua carta.

Mas ele ficara, pensou.

Lá estava ele. Tinha voltado porque ela quisera que ele voltasse. E ainda gostava dela.

Hope inspirou fundo e foi se acalmando à medida que o carro começava a esquentar. Tru foi seguindo-a pelas curvas e por cima da ponte. Eles pegaram a rodovia, onde por sorte a maioria dos sinais estava verde, e então, por fim, viraram na entrada que levava a Carolina Beach. Após mais uma pequena ponte e algumas curvas, ela parou em frente ao chalé que havia alugado.

Deixou espaço para Tru colocar o carro dele e observou-o finalmente estacionar. Saltou, escutando os estalos do motor que esfriava. Dentro do carro, Tru estava virado, procurando alguma coisa no banco de trás, e dava para ver os cabelos grisalhos dele através do vidro.

Enquanto ela esperava, finas nuvens esgarçadas passaram flutuando no céu e abrandaram a luz ofuscante. A brisa seguia firme, e depois do calor do carro ela sentiu um súbito calafrio. Ao cruzar os braços, ouviu um cardeal cantar numa árvore, e quando pousou os olhos no passarinho lembrou-se da carta de Joe para Lena que Tru tinha lido na primeira visita dos dois à Almas Gêmeas, tanto tempo antes. *Os cardeais ficam com o mesmo companheiro a vida toda*, pensou. Essa ideia a fez sorrir.

Tru desceu do carro, movendo-se de modo tão gracioso quanto antigamente. Segurando uma bolsa de lona, estreitou os olhos para o chalé.

– É aqui que você está hospedada?

– Aluguei por uma semana.

Ele tornou a examinar o chalé, então virou-se novamente para ela.

– Lembra o chalé dos seus pais.

Ela sorriu, tomada por uma sensação de *déjà vu*.

– Foi exatamente o que eu pensei na primeira vez em que vi a casa.

O sol de outono começava a baixar quando Tru a seguiu até a porta da frente. Uma vez lá dentro, Hope pôs o chapéu, as luvas e o cachecol em cima da mesa de canto e pendurou o casaco no armário. Tru pendurou a parca ao lado do casaco dela. A bolsa de lona foi pousada sobre a mesa de canto junto às suas coisas. Havia uma familiaridade reconfortante na naturalidade com que os dois entraram na casa, pensou Hope, como se tivessem passado a vida inteira fazendo aquilo.

Pôde sentir uma corrente de ar entrando pelas janelas. Embora houvesse ajustado o termostato mais cedo, a casa lutava contra o clima e ela esfregou os braços para manter o sangue circulando. Observou Tru olhar em volta para avaliar o ambiente e teve a sensação de que os olhos dele continuavam a não deixar nenhum detalhe escapar.

– Não consigo acreditar que você está mesmo aqui – falou para ele. – Nunca em toda a minha vida pensei que fosse vir.

– Mas mesmo assim estava me esperando na caixa de correio.

Ela recebeu o comentário dele com um sorriso encabulado, e correu os dedos por entre os cabelos bagunçados pelo vento.

– Eu fui praticamente a única a falar, então agora quero saber de você.

– Eu não tive uma vida muito interessante.

– Duvido – retrucou ela, com uma expressão cética. Tocou-lhe o braço. – Está com fome? Quer que eu prepare um almoço?

– Só se você for comer também. Tomei café da manhã tarde, então não estou faminto.

– Nesse caso, que tal uma taça de vinho? Acho que isso merece uma pequena celebração.

– Concordo – disse ele. – Quer ajuda?

– Não, mas se você pudesse acender a lareira seria ótimo. É só acionar o interruptor junto ao parapeito. É automática. E depois pode se acomodar. Volto num minuto.

Hope foi até a cozinha e espiou dentro da geladeira. Pegou a garrafa de vinho, serviu duas taças e voltou para a sala. A lareira já estava acesa, e Tru estava sentado no sofá. Após lhe entregar uma taça, ela pousou a sua sobre a mesa de centro.

– Quer uma manta? Mesmo com a lareira, ainda estou meio com frio.

– Eu estou bem – disse ele.

Ela pegou uma colcha na cama, então sentou-se no sofá e a ajeitou sobre si antes de pegar o vinho. O calor da lareira já estava se espalhando pela sala.

– Que bom isso – comentou ela, e pensou que ele continuava tão bonito como quando haviam se conhecido. – Totalmente inacreditável, mas muito bom.

Ele riu, um ronco grave e conhecido.

– Isso é mais do que bom. É um milagre. – Ele ergueu a taça. – À... à Almas Gêmeas – falou.

Após brindarem, cada um tomou um gole. Ao baixar sua taça, Tru abriu um leve sorriso.

– Estou surpreso por você não estar em Sunset Beach.

– Lá não é mais a mesma coisa – disse ela.

E nunca mais foi desde que eu conheci você, arrematou em silêncio.

– Já tinha vindo aqui antes?

Ela fez que sim com a cabeça.

– Vim pela primeira vez depois que me separei do Josh. – Ela lhe contou um pouco do que havia passado na época e como a visita a tinha ajudado a clarear os pensamentos, então continuou. – Naquele tempo, eu mal conseguia manter minhas emoções sob controle. Mas passar esse tempo sozinha me fez pensar em quanto as crianças também estavam sofrendo com o divórcio, mesmo que não estivessem demonstrando. Eles precisavam mesmo de mim, e vir para cá me ajudou a recolocar o foco nisso.

– Pelo que você diz, foi uma excelente mãe.

– Eu tentei. – Ela deu de ombros. – Mas também cometi erros.

– Acho que isso faz parte do pacote. Pelo menos em se tratando de criar filhos. Ainda me pergunto se eu deveria ter passado mais tempo com o Andrew.

– Ele disse alguma coisa?

– Não, mas não diria, de qualquer forma. Só que os anos correram depressa demais. Um dia ele era um menininho, e quando dei por mim estava indo embora estudar em Oxford.

– Você ficou em Hwange até essa época?

– Fiquei.

– Mas depois foi embora.

– Como você sabe?

– Eu o procurei – disse ela. – Quer dizer, antes de pôr a carta na caixa de correio.

– Quando?

– Em 2006. Depois que me divorciei de Josh... Deve ter sido um ano depois da minha primeira vinda a Carolina Beach. Lembrei onde você trabalhava e entrei em contato com a reserva. Tentei outros lugares também. Mas não consegui encontrá-lo.

Ele pareceu refletir sobre o que acabara de ouvir e, por um instante, seus olhos perderam o foco. Ela teve a sensação de que havia algo que ele queria dizer, mas não conseguia. Em vez disso, alguns segundos depois, ele abriu um sorriso suave.

– Queria ter sabido – falou, por fim. – E queria que você tivesse me encontrado.

Eu também, pensou ela.

– O que houve? Pensei que você gostasse de trabalhar em Hwange.

– Eu gostava – disse ele. – Mas passei muito tempo lá, e estava na hora de mudar.

– Por quê?

– A diretoria da reserva mudou, e muitos dos outros guias já tinham ido embora, inclusive meu amigo Romy. Ele tinha se aposentado alguns anos antes. A reserva estava passando por um período de transição, e como Andrew tinha ido embora para a faculdade, não havia nada que me prendesse na região. Pensei que, se eu quisesse recomeçar em algum lugar, melhor naquela hora do que depois. Então vendi minha casa em Bulawayo e me mudei para Botsuana. Tinha achado um emprego em outra reserva que parecia interessante.

Quer dizer que ele foi para Botsuana, afinal, pensou ela.

– Todas elas me parecem interessantes.

– Um grande número de fato é – concordou ele. – Você acabou fazendo um safári? Disse que queria fazer um dia.

– Ainda não. Mas ainda espero fazer. – Então, voltando ao que ele tinha dito antes e se lembrando de quantas reservas havia contatado, fez outra pergunta. – O que essa reserva de Botsuana tinha de tão interessante? Era famosa?

– Nem um pouco. É uma reserva mediana. As acomodações são meio rústicas. Comida pronta em vez de feita na hora, essas coisas. E os animais podem ser bem esporádicos. Mas eu tinha ouvido falar nos leões de lá. Ou melhor, numa alcateia específica.

– Achei que você visse leões o tempo todo.

– Via, sim – disse ele. – Mas não como aqueles. Tinha ouvido dizer que eles tinham aprendido a caçar e matar elefantes.

– Como é possível leões matarem um elefante?

– Eu não fazia ideia, e na época não acreditei, mas acabei conhecendo um guia que tinha trabalhado lá. Ele me disse que, embora não tivesse chegado a ver um ataque, havia topado com a carcaça de um elefante morto no dia anterior. E tinha ficado claro para ele que leões haviam passado a noite se banqueteando.

Ela estreitou os olhos para ele como quem duvida.

– Talvez o elefante estivesse doente e os leões o tivessem encontrado?

– Foi o que pensei no começo. As pessoas sempre dizem que o leão é o rei da selva, e até *O Rei Leão*, aquele filme da Disney, se baseia nessa mitologia, mas eu sabia por experiência própria que não é isso. Os reis da selva são e sempre foram os elefantes. São imensos e assustadores, dominantes mesmo. Nas centenas de vezes em que vi elefantes se aproximarem de leões, os leões sempre recuaram. Mas, se aquele guia estava certo, soube que era algo que eu tinha de ver com meus próprios olhos. Isso virou uma espécie de obsessão. E com Andrew na faculdade, como eu disse, pensei: por que não?

Ele tomou um gole de vinho antes de prosseguir.

– Quando comecei a trabalhar lá, descobri que nenhum dos guias nunca tinha visto um ataque, mas todos também acreditavam. Porque de vez em quando aparecia uma carcaça. Se aquilo estava acontecendo, era extremamente raro, o que fazia sentido. Mesmo que uma alcateia de leões pudesse abater um elefante, eles sem dúvida prefeririam presas mais fáceis. E durante os meus primeiros dois anos lá, foi só o que vi. A principal fonte de alimento da alcateia eram os animais que eu sempre tinha visto: impalas, javalis, zebras, girafas. Nunca encontrei uma só carcaça de elefante. Mas na metade do meu terceiro ano veio uma seca. Das grandes.

Durou meses, e muitos dos animais morreram ou então começaram a migrar em direção ao Delta do Okavango. Enquanto isso, os leões continuaram lá, e aos poucos foram ficando mais desesperados. Então, no final de uma tarde, quando eu estava guiando um safári, vi acontecer.

– Você viu?

Ele aquiesceu e pareceu voltar ao passado. Ela o observou girar o vinho na taça antes de prosseguir.

– Era um elefante menor, não um dos machos grandes, mas os leões o separaram da manada e começaram a trabalhar. Um de cada vez, quase como uma operação militar. Um deles atacava a perna, o outro pulava no dorso, enquanto o restante cercava o elefante. Meio que foram cansando o animal aos poucos. Também não foi nada violento. Foi muito calmo, muito metódico. A alcateia foi cautelosa, e o ataque todo deve ter levado uma meia hora. Então, quando o elefante já estava enfraquecendo, eles se uniram e vários atacaram de uma vez. O elefante caiu, e depois disso não demorou muito.

Ele deu de ombros e sua voz se tornou mais suave.

– Sei que você talvez esteja sentindo pena do elefante. Mas, no fim das contas, aqueles leões me deixaram impressionado. Com certeza essa foi uma das experiências mais memoráveis da minha carreira como guia.

– Incrível – disse ela. – Você estava sozinho na hora?

– Não – respondeu ele. – Tinha cinco turistas no jipe. Acho que um deles acabou vendendo as imagens que filmou para a CNN. Eu nunca assisti, mas ao longo dos anos seguintes soube de muita gente que viu. Depois disso, a reserva em que eu estava trabalhando foi por um tempo bem concorrida. Mas um dia a chuva voltou e a seca acabou. Os animais retornaram e os leões voltaram às presas mais fáceis. Nunca mais vi aquilo acontecer nem encontrei mais nenhuma carcaça. Ouvi dizer que aconteceu de novo alguns anos depois, mas a essa altura eu não estava mais lá.

Ela sorriu.

– Vou dizer a mesma coisa que lhe disse quando nos conhecemos: você com certeza tem o emprego mais interessante de qualquer um que eu já conheci.

– É, tive os meus momentos – concordou ele, dando de ombros.

Ela inclinou a cabeça.

– E você disse que Andrew foi estudar em Oxford?

Tru aquiesceu.

– Ele com certeza acabou virando um aluno melhor do que eu jamais fui. Incrivelmente inteligente. Tinha um dom para as ciências.

– Você deve ter muito orgulho dele.

– Tenho. Mas na realidade teve mais a ver com ele... e com Kim, claro, do que comigo.

– Como ela está? Continua casada?

– Continua. Os outros filhos dela também já estão crescidos. Ironicamente, ela agora está morando perto de mim outra vez. Depois que me mudei para Bantry Bay, ela e o marido se mudaram para a Cidade do Cabo.

– Ouvi dizer que lá é muito bonito.

– É, sim. O litoral é um espetáculo. Cada pôr do sol lindo.

Ela olhou para a própria taça.

– Nem sei dizer quantas vezes me peguei pensando em você ao longo dos anos. Como você passava os seus dias, o que tinha visto e como estava Andrew.

– Por muito tempo, minha vida não foi tão diferente assim da vida que eu levava antes. Girava basicamente em torno do trabalho e de Andrew. Eu fazia duas, às vezes três saídas por dia na reserva, à noite tocava violão ou desenhava quando estava na selva; e em Bulawayo via meu filho crescer. Vi-o se interessar por trens de brinquedo durante um ano, depois pelo skate, depois pela guitarra elétrica, depois por química, depois pelas meninas. Nessa ordem.

Ela aquiesceu, recordando as fases pelas quais Jacob e Rachel tinham passado.

– Como foram os anos de adolescência dele?

– Como a maioria dos adolescentes, àquela altura já tinha a própria vida social. Amigos, uma namorada durante um ano. Houve uma fase em que eu me sentia quase um dono de hotel quando ele estava em casa, mas soube reconhecer seu desejo de independência e aceitei isso melhor do que Kim. Para ela eu acho que foi mais difícil abrir mão do menininho que ele tinha sido.

– Comigo foi igual – admitiu Hope. – Acho que é coisa de mãe.

– Acho que o momento mais difícil para mim foi quando ele foi embora para a universidade. Ele passou a morar muito longe de casa e eu não conseguia visitá-lo com frequência. Ele também não me queria por lá. Então eu o via nas férias ou entre um semestre e outro. Mas não era a mesma coisa, principalmente quando eu voltava da selva. Me sentia inquieto em Bulawayo. Não sabia direito o que fazer, então quando ouvi o boato sobre os leões simplesmente levantei acampamento e fui para Botsuana.

– E Andrew visitava você lá?

– Sim, mas não com a mesma frequência. Às vezes eu acho que não deveria ter vendido a casa de Bulawayo. Ele não conhecia ninguém em Gaborone, onde ficava o meu novo apartamento, e quando estava de férias queria ver os amigos. E Kim também queria passar algum tempo com ele, claro. Às vezes eu voltava para Bulawayo e ficava num hotel, mas também não era a mesma coisa. A essa altura ele já estava adulto. Jovem ainda, mas eu podia ver que estava começando a própria vida.

– O que ele estudou?

– Acabou fazendo graduação em química e falava em virar engenheiro. Mas depois da graduação começou a se interessar por pedras preciosas, sobretudo diamantes coloridos. Hoje negocia diamantes, o que significa que viaja sempre para Nova York e Pequim. Era um bom menino que se transformou num ótimo rapaz.

– Eu gostaria de conhecê-lo um dia.

– Eu também gostaria disso – disse ele.

– Ele vai ao Zimbábue de vez em quando?

– Quase nunca. Assim como Kim e eu. O Zimbábue está passando por momentos complicados.

– Eu li sobre o confisco das terras. Isso afetou a fazenda da sua família? Tru aquiesceu.

– Afetou. Você precisa entender que existe uma longa história de injustiças cometidas naquele país por homens como o meu avô. Mesmo assim, a transição foi brutal. Como o meu padrasto conhecia muita gen-

227

te no governo, achou que ficaria protegido. Mas um dia de manhã um grupo de soldados e agentes do governo apareceu e cercou a propriedade. Os agentes tinham mandados judiciais que diziam que a fazenda havia sido confiscada, junto com todos os bens da família. Tudo. Meu padrasto e meus meios-irmãos tiveram vinte minutos para catar seus objetos pessoais e foram escoltados para fora da propriedade sob a mira de armas. Alguns dos nossos funcionários protestaram e foram mortos a tiros na hora. E assim, de uma hora para a outra, a fazenda e todas as terras deixaram de ser deles. Não houve nada que pudessem fazer. Isso foi em 2002. Eu já estava em Botsuana, e fiquei sabendo que a situação do meu padrasto piorou bem depressa. Ele começou a beber muito e mais ou menos um ano depois se suicidou.

Hope recordou a história da família de Tru. Parecia-lhe uma história épica e sombria, quase shakespeariana.

– Que horror.

– Foi mesmo. E continua sendo, mesmo para quem recebeu as terras. Essas pessoas não sabiam o que fazer com elas, não sabiam fazer a manutenção dos equipamentos, não conheciam os métodos de irrigação e não fizeram o rodízio de lavouras corretamente. Hoje em dia não se cultiva mais nada lá. A nossa fazenda virou uma favela, e a mesma coisa aconteceu por todo o país. E isso sem falar no colapso da moeda, então você pode imaginar...

Quando ele não prosseguiu, Hope tentou imaginar o resto.

– Pelo visto, você foi embora bem a tempo.

– Mas isso me entristece. O Zimbábue vai ser sempre o meu lar.

– E seus meios-irmãos?

Tru secou sua taça e a pôs sobre a mesa.

– Estão na Tanzânia, os dois. Voltaram a trabalhar com agricultura, mas agora nada é mais como antes. Eles não têm tanta terra, e a que têm não é tão fértil quanto a da antiga fazenda. Mas só sei disso porque eles tiveram de me pedir dinheiro emprestado, e nem sempre conseguem pagar as prestações.

– Que bondade a sua. Ajudar os dois, digo.

– Eles tiveram tão pouca oportunidade de escolher a família em que nasceram quanto eu. Mas, além disso, acho que é o que a minha mãe teria querido que eu fizesse.

– E seu pai biológico? Tornou a se encontrar com ele?

– Não – respondeu Tru. – Falamos por telefone umas duas semanas após eu voltar para o Zimbábue, mas pouco depois disso ele morreu.

– E os outros filhos dele? Você chegou a mudar de ideia em relação a conhecê-los?

– Não – respondeu Tru. – E tenho quase certeza de que eles também não querem me conhecer. A carta do advogado me informando sobre a morte do meu pai deixou isso claro. Não sei os motivos... talvez porque eu seja um lembrete de que a mãe deles não foi a única mulher que nosso pai amou, ou talvez por estarem preocupados com alguma herança, mas eu não vi razão para ignorar a vontade deles. Assim como o meu pai, eles eram completos estranhos.

– Mesmo assim, que bom que você teve oportunidade de conhecê-lo.

Ele voltou o olhar para a lareira.

– Também acho. Ainda tenho as fotos e os desenhos que ele me passou. Parece que faz tanto tempo – disse ele.

– Faz muito tempo, mesmo – retrucou ela baixinho.

– Bastante tempo – disse ele, segurando sua mão, e Hope entendeu que ele estava se referindo a ela.

Sentiu as faces corarem ao mesmo tempo que os dedos dele começavam a acariciar sua pele, um toque dolorosamente conhecido. Como era possível eles terem se reencontrado? E o que estava acontecendo com eles agora? Tru não parecia ter mudado em relação ao homem por quem ela havia se apaixonado, mas isso a fez pensar novamente em quão diferente sua própria vida tinha se tornado. Ele estava tão bonito quanto antes, mas ela podia sentir o peso da idade; ele parecia à vontade na sua presença, mas seu toque provocou nela uma nova onda de emoção. Foi uma emoção avassaladora, quase excessiva, e ela apertou a mão dele antes de soltá-la. Ainda não estava pronta para tanta intimidade assim, mas abriu um sorriso de incentivo antes de consertar as costas.

– Então deixe-me ver se entendi direito. Você ficou em Hwange até... 1999 ou 2000? Depois se mudou para Botsuana?

Ele assentiu.

– Até 1999. Passei cinco anos em Botsuana.

– E depois?

– Acho que para isso eu provavelmente vou precisar de outra taça de vinho.

– Deixe que eu pego. – Ela pegou a taça, foi até a cozinha e voltou um minuto depois. Tornou a se acomodar debaixo da colcha, e pensou que a sala estava ficando bem quentinha. Aconchegante. De muitas maneiras, aquela já tinha sido uma tarde perfeita.

– Certo, em que ano foi isso? – perguntou.

– Foi em 2004.

– E o que aconteceu?

– Eu sofri um acidente – respondeu ele. – Um acidente grave.

– Quão grave?

Ele tomou um gole de vinho sem desgrudar os olhos dos dela.

– Eu morri.

MORTE

Deitado na vala do acostamento na rodovia, Tru podia sentir a vida se esvair. Tinha apenas uma vaga consciência da sua picape capotada com a frente destruída e do modo como um dos pneus ia parando de girar aos poucos; mal reparou nas pessoas correndo na sua direção. Não sabia muito bem onde estava nem o que tinha acontecido, ou por que o mundo estava embaçado. Não entendia por que não parecia conseguir mexer as pernas, ou o que estava causando as implacáveis ondas de dor por todo seu corpo.

Quando finalmente acordou num hospital que não reconheceu, num país inteiramente diferente, não foi capaz de recordar qualquer coisa do acidente. Lembrava-se de estar voltando para a reserva após passar uns dias em Gaborone, mas só soube mais tarde, pela enfermeira, que um caminhão de carga vindo no sentido contrário de repente tinha entrado na frente da sua picape. Tru estava sem cinto, e na colisão fora arremessado pelo para-brisa, fraturando o crânio e indo parar a mais de 10 metros de distância, o que fez outros dezoito ossos se quebrarem, inclusive os dois fêmures, todos os ossos do braço direito, três vértebras e cinco costelas. Desconhecidos o puseram num carrinho de verduras e levaram-no às pressas para a clínica temporária de uma ONG que estava aplicando vacinas num vilarejo próximo. O lugar não tinha nem o equipamento nem os remédios nem os materiais de que Tru precisava. Não havia nem mesmo um médico presente. O chão era de terra batida e o recinto estava repleto de crianças que haviam aprendido a ignorar as moscas ao redor de rostos e membros. A enfermeira, uma jovem sueca sobrecarregada, não tinha a menor ideia de como agir quando entraram com Tru na sala de espera. No entanto, como todos esperavam que fizesse alguma coisa, qualquer coisa, foi até o carrinho e verificou o pulso de Tru. Não havia nada. Verificou a artéria carótida. Nada também. Levou o ouvido até a boca de Tru e procurou a respiração. Não ouviu nem sentiu nada, então correu até sua bolsa para pegar o estetoscópio. Encostou-o no peito dele e escutou atentamente para ver se detectava nem que fosse o mais débil murmúrio, mas não ouviu nada. Então finalmente desistiu. Tru estava morto.

O dono do carrinho de verduras pediu que o corpo fosse colocado em outro lugar, para que pudesse voltar e recolher suas verduras antes que fossem todas roubadas. Houve um bate-boca: uns disseram que ele deveria aguardar a polícia, mas o verdureiro gritou mais alto e a opinião dele venceu. Ele e o pai de uma das crianças tiraram o corpo de Tru do carrinho. Os ossos estalaram e se esmigalharam uns contra os outros quando ele foi deitado num canto, no chão, e a enfermeira cobriu seu corpo com um lençol. As pessoas abriram caminho para o cadáver, mas, tirando isso, o ignoraram. O dono do carrinho de verduras desapareceu na rua e a enfermeira retomou a aplicação das injeções.

Algum tempo depois, Tru tossiu.

Foi levado para o hospital de Gaborone na caçamba da picape de alguém. Do vilarejo, levou mais de uma hora para chegar lá. Quando ele foi recebido, o médico da emergência pensou que não poderia fazer grande coisa. Era um assombro que ainda estivesse vivo. Foi deixado numa maca, num corredor lotado, e os funcionários do hospital ficaram esperando ele morrer. Talvez levasse minutos, pensaram; não mais que meia hora. O sol já estava baixando.

Tru não morreu. Sobreviveu à noite, mas logo contraiu uma infecção. O hospital estava com o estoque de antibióticos baixo e não queria desperdiçá-los. A febre de Tru subiu e seu cérebro começou a inchar. Dois dias se passaram, depois três, e ele continuou suspenso em algum ponto entre a vida e a morte. Andrew a essa altura já tinha sido localizado, graças ao seu nome listado como o contato mais próximo na identidade de Tru, e pegado um avião da Inglaterra para ficar como pai. Alertada por Andrew, Kim também fora de avião de Joanesburgo, onde morava na época. Um resgate aéreo foi providenciado e Tru foi levado para um hospital na África do Sul especializado em traumatismo. De alguma forma, sobreviveu ao voo e recebeu doses cavalares de antibióticos enquanto os médicos drenavam o fluido de seu cérebro. Permaneceu oito dias inconsciente. No nono dia, a febre cedeu, ele acordou e viu Andrew na sua cabeceira.

Passou mais sete semanas no hospital enquanto seus ossos eram endireitados um a um, postos no gesso, e começavam a se consolidar. Em seguida, sem conseguir andar, lutando contra a visão dupla e constantemente afligido por vertigens, foi transferido para um centro de reabilitação.

Passou quase três anos lá.

No chalé, a luz da lareira tremeluziu nos olhos de Hope como se fossem velas, e Tru tornou a pensar que ela continuava tão linda quanto era tanto tempo atrás. Talvez ainda mais. Nas suaves linhas de expressão junto aos seus olhos, ele viu sabedoria e uma serenidade conquistada a duras penas. Seu semblante era repleto de graça.

Ele sabia que os anos não tinham sido fáceis para ela. Embora ela não tivesse falado muito sobre o casamento com Josh, imaginou que estivesse evitando o assunto para poupar não só os sentimentos de Tru, mas também os próprios.

Enquanto isso, ela olhava para ele como se o estivesse vendo pela primeira vez.

– Ah, meu Deus – falou. – Essa... essa é uma das coisas mais terríveis que eu já escutei. Como você sobreviveu?

– Não sei.

– E morreu mesmo?

– Assim me disseram. Eu liguei para a enfermeira da clínica de vacinação mais ou menos um ano após o acidente, e ela jurou que eu não apresentava qualquer sinal vital. Disse que, quando eu tossi, metade dos pacientes no recinto gritou. Isso me fez rir na ocasião.

– Você está tentando ser engraçado, mas essa história não tem graça nenhuma.

– Não mesmo – concordou ele. – Nenhuma. – Ele tocou a têmpora, onde o cabelo havia embranquecido. – Eu sofri um dano cerebral causado pela pancada. Alguns pedaços do meu crânio foram pressionados para dentro do cérebro, e por algum tempo as conexões ficaram todas bagunçadas. Depois que eu finalmente acordei, falava com Andrew ou com os médicos achando que estava dizendo uma coisa, mas na verdade estava dizendo outra totalmente diferente. Eu pensava que estava dizendo "bom dia", mas o que os médicos escutavam era "ameixas choram em barcos". Era extremamente frustrante, e como o meu braço direito estava quebrado em várias partes, eu também não conseguia escrever. Depois de um tempo, as conexões começaram a se rearrumar. Foi um processo lento, mas mesmo quando eu conseguia falar e ser coerente, minha memória tinha falhas ridículas. Eu esquecia palavras, em geral as coisas mais simples. Tinha de dizer "aquele negócio que se usa para comer, aquele troço prateado que a gente segura para espetar a comida" em vez de "garfo". Na época em que isso estava acontecendo, os médicos também não sabiam se a minha paralisia era temporária ou permanente. Ainda havia bastante edema na minha coluna por causa das vértebras quebradas, e mesmo depois de eles colocarem pinos, o inchaço levou um tempão para ceder.

– Ai, Tru... Eu queria ter ficado sabendo – disse ela, e sua voz começou a falhar.

– Não há nada que você pudesse ter feito – apontou ele.

– Mesmo assim – disse ela, encolhendo os joelhos sob a colcha. – Foi na época em que eu estava tentando encontrar você. Nunca pensei em procurar nos hospitais.

Ele aquiesceu.

– Eu sei.

– Queria ter estado ao seu lado.

– Eu não estava sozinho – disse ele. – Andrew me visitava sempre que tinha oportunidade. Kim também aparecia de vez em quando. E Romy. Não sei como ele ficou sabendo o que tinha acontecido. Levou cinco dias de ônibus para chegar ao centro de reabilitação, mas ficou lá uma semana. Só que todas essas visitas eram difíceis para mim. Principalmente no primeiro ano. Eu sentia muita dor, não conseguia me comunicar e sabia que eles estavam tão assustados quanto eu. Sabia que tinham as mesmas perguntas: será que eu algum dia voltaria a andar? Será que conseguiria falar normalmente? Algum dia seria capaz de morar sozinho de novo? Já era tudo difícil o suficiente sem ter de sentir também a preocupação deles.

– Quanto tempo demorou para você começar a melhorar?

– A visão dupla melhorou em um mês, mas tudo continuou terrivelmente fora de foco por mais uns seis meses. Consegui sentar na cama depois de uns três ou quatro meses. Aí veio o movimento nos dedos dos pés, mas como alguns dos ossos das minhas pernas não tinham se consolidado direito, tiveram de quebrá-los outra vez para recolocar no lugar. Houve também as cirurgias no cérebro, na coluna... foi uma experiência que eu não desejo repetir.

– Quando você percebeu que conseguiria voltar a andar?

– Mexer os dedos dos pés foi um bom começo, mas mexer os pés parecia estar demorando uma eternidade. E andar estava fora de cogitação, pelo menos no início. Tive de reaprender a ficar de pé, mas os músculos das minhas pernas tinham atrofiado e meus nervos ainda não tinham voltado a funcionar direito. Eu sentia dores intensas que se irradiavam por todo o nervo ciático. Às vezes dava um passo com apoio, usando barras de um lado e do outro, mas aí não conseguia mais mover a perna de trás. Como se a conexão entre o meu cérebro e minhas pernas tivesse sido interrompida de repente. Em algum momento, por volta de um ano depois do acidente, finalmente consegui atravessar a sala com apoio. Foram só uns três metros, e meu pé esquerdo se arrastou um pouco... mas cheguei a chorar. Foi a primeira vez que comecei a ver uma luz no fim do túnel. Entendi que, se continuasse me esforçando, talvez um dia conseguisse sair da clínica.

– Deve ter sido um pesadelo para você.

– Na verdade, eu tenho dificuldade para me lembrar. Tudo parece tão distante agora... Aqueles dias, semanas, meses e anos meio que se confundem.

Ela o observou.

– Eu jamais teria sabido nada disso se você não me contasse. Você parece ser a mesma pessoa que era naquela época. Reparei que está mancando, mas muito pouco...

– Preciso me manter ativo, o que significa ter uma rotina de exercícios bem rígida. Caminho muito. Ajuda a aliviar a dor.

– Ainda sente muita dor?

– Um pouco, mas os exercícios fazem uma baita diferença.

– Deve ter sido muito difícil para Andrew ver você assim.

– Ele ainda tem dificuldade para falar sobre como eu estava quando me encontrou no hospital em Botsuana. Ou sobre como ficou preocupado durante o voo e enquanto esperava eu recobrar a consciência no hospital na África do Sul. Ele permaneceu ao meu lado durante todo o tempo que passei no hospital. Devo dizer que ele e Kim tomaram decisões inteligentes. Se não tivessem providenciado um resgate aéreo, duvido que eu houvesse sobrevivido. Mas depois que fui para o centro de reabilitação, toda vez que me via, Andrew sempre se mostrava mais otimista do que eu. Como só me encontrava a cada dois ou três meses, para ele a minha melhora estava indo muito depressa. Para mim, claro, a sensação era bem diferente.

– E você disse que passou três anos lá?

– No último eu já não morava mais lá. Ainda fazia várias sessões de fisioterapia por dia, mas era como se tivesse sido solto da prisão. Nos dois primeiros anos, quase não saí da clínica. Ficarei imensamente feliz se não vir mais nenhuma lâmpada fluorescente na vida.

– Eu me sinto muito mal por você.

– Não precisa – disse ele. – Eu estou bem agora. E, acredite ou não, conheci algumas pessoas maravilhosas. O fisioterapeuta, a fonoaudióloga, meus médicos e enfermeiros. Eles foram incríveis. Mas é estranho lembrar esse período, porque às vezes parece que eu fiz uma pausa de três anos na minha vida. De certa forma, foi isso mesmo, eu acho.

Ela inspirou devagar, como se estivesse absorvendo o calor do fogo. Então disse:

– Você é bem mais forte do que eu provavelmente teria sido em relação à coisa toda.

– Na verdade, não. Não pense nem por um segundo que eu saí ileso. Passei quase um ano tomando antidepressivos.

– É compreensível – disse ela. – Você foi traumatizado de todas as formas possíveis.

Durante algum tempo, ficaram os dois olhando para o fogo, os pés de Hope aninhados bem junto das pernas dele debaixo da colcha. Ele tinha a sensação de que ela ainda estava tentando assimilar as coisas que ele havia lhe contado e quão perto eles tinham chegado de se perderem para sempre. Ali, naquele momento, essa ideia lhe parecia inconcebível, um "por um triz" perturbador demais de imaginar, mas, enfim, tudo naquele dia era inconcebível. O fato de eles estarem sentados um ao lado do outro no sofá naquele exato instante parecia ao mesmo tempo surreal e incrivelmente romântico, até a barriga de Tru emitir um ronco audível.

Hope riu.

– Você deve estar faminto. – Ela se livrou da colcha. – Também estou ficando com fome. Que tal um salpicão de frango? Com salada verde? Se preferir, tenho também salmão e camarão.

– O salpicão está perfeito – disse ele.

Ela se levantou.

– Vou começar a preparar.

– Posso ajudar? – indagou Tru, espreguiçando-se.

– Na verdade, eu não preciso de ajuda, mas companhia seria bem-vinda.

Hope ajeitou a colcha sobre o sofá e os dois levaram as taças de vinho até a cozinha. Enquanto ela abria a geladeira, ele se encostou na bancada e ficou observando. Ela pegou a alface romana, tomates-cereja e pimentões de cores diferentes fatiados, enquanto ele refletia sobre o que ela havia lhe contado naquela tarde. As decepções que tivera não haviam se tornado raiva nem amargura, mas sim uma aceitação de que a vida raramente sai do jeito que imaginamos.

Ela pareceu sentir o que ele estava pensando, pois sorriu. Pôs a mão dentro de uma gaveta e pegou uma pequena faca, em seguida uma tábua de corte.

– Tem certeza de que não posso ajudar? – perguntou ele.

– Não vai demorar nadinha, mas que tal você ir pegando os pratos e talheres? Estão no armário perto da pia.

Ele seguiu as instruções, pôs os pratos ao lado da tábua de cortar e ficou olhando-a fatiar os vegetais. Ela então mexeu a salada dentro de uma saladeira e a temperou com um pouco de suco de limão e azeite, depois serviu uma porção em cada prato. Por fim, acrescentou por cima uma colher de salpicão de frango em cada um. Ele havia se imaginado numa cozinha com ela mil vezes nos últimos 24 anos, exatamente daquele jeito.

– *Voilà*.

– Está com uma cara deliciosa – comentou ele, e seguiu-a até a mesa.

Após pousar seu prato, ela fez um gesto em direção à geladeira.

– Quer um pouco mais de vinho? – perguntou.

– Não, obrigado. Duas taças são o meu limite hoje em dia.

– No meu caso, está mais para uma – disse ela. Estendeu a mão para o garfo. – Lembra quando fomos jantar no Clancy's e depois voltamos e tomamos um vinho no chalé dos meus pais?

– Como poderia esquecer? – retrucou ele. – Foi na noite em que nos conhecemos. Você me deixou sem ar.

Ela meneou a cabeça e um leve rubor lhe corou as faces. Curvou-se por cima da salada, e ele fez o mesmo.

Tru moveu a cabeça para a caixa entalhada que estava em cima da mesa.

– O que tem aí dentro?

– Lembranças – respondeu ela, com uma cadência misteriosa na voz. – Mais tarde eu lhe mostro, mas por enquanto vamos continuar falando sobre você. Acho que chegamos a 2007, certo? O que aconteceu depois que você concluiu a reabilitação?

Ele hesitou, como se estivesse tentando pensar no que dizer.

– Arrumei um emprego na Namíbia. Como guia. Um refúgio bem--cuidado e uma reserva imensa, com uma das maiores concentrações de guepardos do continente africano. E a Namíbia é um país lindo. A Costa dos Esqueletos e o deserto de Sossusvlei estão... entre os lugares mais deslumbrantes do planeta. Quando não estava trabalhando nem indo à

Europa visitar Andrew, eu dava uma de turista e explorava sempre que podia. Fiquei nessa reserva até me aposentar e me mudar para o Cabo. Ou melhor, para Bantry Bay. Fica no subúrbio, bem no litoral. Tenho uma casinha com uma vista espetacular. E dá para ir a pé a cafés, livrarias e ao mercado. Eu gosto de lá.

– Já pensou em se mudar para a Europa para ficar mais perto de Andrew?

Ele fez que não com a cabeça.

– Eu vou lá de vez em quando, e o trabalho o leva regularmente à Cidade do Cabo. Se ele pudesse, se mudaria para lá, mas Annette não deixa. A maior parte da família dela mora na Bélgica. Mas a África prende Andrew do mesmo jeito que me prende. É difícil entender se você não foi criado lá.

O olhar dela estava cheio de fascínio.

– A sua vida me soa incrivelmente romântica. Quer dizer, tirando aquele período horrível de três anos.

– Eu levei a vida que quis. Enfim, em grande parte. – Ele passou uma das mãos pelos cabelos. – Você chegou a pensar em se casar outra vez? Depois do divórcio?

– Não – respondeu ela. – Nem namorar eu quis. Fiquei falando para mim mesma que era por causa dos meninos, mas...

– Mas o quê?

Em vez de responder, ela balançou a cabeça.

– Não é importante. Termine a sua história. Agora que se aposentou, o que anda fazendo?

– Pouca coisa. Mas gosto de poder andar por aí sem ter que carregar uma espingarda.

Ela sorriu.

– Você tem algum hobby? – Ela segurou o queixo com a mão, adotando uma pose de menina ao concentrar a atenção nele. – Fora o desenho e o violão?

– Quase todo dia de manhã passo uma hora na academia, e em geral emendo numa longa caminhada ou numa trilha. Também leio muito. Devo ter lido mais livros nos últimos três anos do que nos 63 anteriores somados. Ainda não me rendi a comprar um computador, mas Andrew vive insistindo em que eu preciso acompanhar o mundo.

– Você não tem computador?

– O que faria com um?

Sua incompreensão parecia genuína.

– Sei lá... ler os jornais na internet, comprar algo de que precisa, mandar e-mails. Ficar conectado com o mundo?

– Quem sabe um dia. Ainda prefiro ler o jornal impresso, já tenho tudo de que preciso, e não tem ninguém para eu mandar um e-mail.

– Você sabe o que é Facebook?

– Já ouvi falar – admitiu ele. – Como disse, eu leio jornal.

– Eu tive um perfil no Facebook por alguns anos. Para o caso de você querer entrar em contato comigo.

Ele não respondeu na hora. Em vez disso, ficou olhando para ela e pensando no que dizer, sabendo que não estava pronto para lhe contar tudo ainda.

– Eu pensei em tentar procurar você – falou por fim. – Mais vezes do que você pode imaginar. Só que não sabia se você ainda era casada com Josh, se tinha se casado outra vez ou se estava interessada em ter notícias minhas. Não queria atrapalhar a sua vida. E, sério, de qualquer jeito eu não sei se teria muito talento com um computador. Ou com o Facebook. Como é que os americanos dizem? "Cães velhos não aprendem truques novos"? – Ele sorriu. – Ter um celular foi um grande passo para mim. Mas só comprei para Andrew poder me encontrar quando precisasse.

– Você não tinha celular?

– Nunca senti que precisasse de um até recentemente. Na selva não tem sinal e, além disso, a única pessoa que me ligava era Andrew.

– E Kim? Você ainda fala com ela?

– Ultimamente, não muito. Andrew agora está crescido, então não temos tantos motivos para nos falar. E você? Ainda fala com Josh?

– Às vezes – respondeu ela. – Talvez demais.

Tru fez uma expressão intrigada.

– Uns meses atrás, ele sugeriu que nós tentássemos outra vez. Ele e eu, digo.

– Você não se interessou?

– Nem um pouco – respondeu ela. – E fiquei um tanto chocada que ele tenha tido a audácia de sugerir.

– Por quê?

Enquanto terminavam de comer, Hope dividiu com ele mais detalhes sobre Josh. Os casos extraconjugais e as batalhas do divórcio, o casamento e o divórcio posteriores dele, e como a vida o havia maltratado. Tru escutou, detectando apenas um resquício da angústia que todas aquelas ações de Josh deviam ter provocado nela, e pensou consigo mesmo como aquele homem era bobo. O fato de Hope ter conseguido perdoá-lo lhe pareceu notável, mas, enfim, era apenas mais uma coisa que ele admirava nela.

Os dois se demoraram à mesa da cozinha, preenchendo as lacunas e respondendo a perguntas sobre o passado um do outro. Quando finalmente levaram a louça para a pia, Hope ligou o rádio e deixou a música tocando na cozinha enquanto eles voltavam para o sofá. A lareira ainda acesa lançava no recinto uma luz amarela. Tru a observou se sentar e ajeitar a colcha em torno de si, e pensou que não queria que aquele dia terminasse nunca.

Até ficar sabendo que Hope tinha deixado uma carta na Almas Gêmeas, Tru às vezes pensara ter morrido duas vezes na vida, não uma só.

Ao retornar para o Zimbábue, em 1990, tinha passado um tempo com o filho, mas recordava se sentir anestesiado em relação ao mundo, mesmo que estivesse jogando futebol, cozinhando, ou vendo TV com Andrew. Quando voltava para a selva, trabalhar com os turistas era uma distração, mas ele nunca conseguia deixar de pensar nela. Quando parava o jipe nos safáris para os turistas poderem fotografar qualquer animal que estivessem observando, às vezes a imaginava no banco da frente ao seu lado, maravilhando-se com aquele mundo da mesma forma que ele ainda se maravilhava com o mundo que eles haviam habitado brevemente juntos.

O mais difícil era à noite. Ele não conseguia se concentrar por tempo suficiente para desenhar nem para tocar violão. Tampouco socializava com os outros guias. Em vez disso, ficava deitado na cama olhando para o teto. Depois de algum tempo, seu amigo Romy ficou preocupado a ponto de comentar, mas demorou muito para Tru conseguir se forçar até mesmo a dizer o nome de Hope.

Levou meses para retomar seus hábitos normais, mas mesmo quando isso aconteceu sabia que não era mais como antes, não inteiramente. Antes de conhecer Hope, acontecia-lhe sair com mulheres; depois dela, perdeu qualquer vontade de fazer isso. E esse sentimento nunca mudou. Era como se essa parte dele, o desejo de uma companhia feminina ou a centelha de atração humana, houvesse ficado para trás, nas areias da praia de Sunset Beach, na Carolina do Norte.

Foi Andrew quem finalmente o fez retomar o desenho. Durante uma das visitas de Tru a Bulawayo, o filho lhe perguntou se estava bravo com ele. Quando ele se agachou para perguntar o que o fazia pensar uma coisa dessas, o menino balbuciou que não ganhava um desenho havia meses. Tru prometeu recomeçar a desenhar, mas na maior parte das noites, quando levava o lápis ao papel, era Hope quem retratava. Em geral a recriava a partir da lembrança de algo de seu tempo juntos: a imagem dela a encará-lo enquanto ele segurava Scottie no colo, naquele primeiro dia na praia, ou quão linda ela estava na noite do jantar de ensaio do casamento. Só depois de avançar bastante num desenho de Hope era que ele voltava a atenção para algo que desconfiava que fosse agradar ao filho.

Os desenhos de Hope demoravam não dias, mas semanas para ficarem prontos. Tru descobriu dentro de si um desejo de fazê-los corresponder perfeitamente às suas lembranças, de capturar aquelas imagens com precisão e cuidado. Quando ficava enfim satisfeito, guardava o desenho e começava outro. Ao longo dos anos, esse projeto se transformou numa espécie de compulsão, talvez a alimentar uma crença inconsciente em que recriar com perfeição a imagem de Hope de alguma forma a traria de volta. Ele fez mais de cinquenta desenhos detalhados, cada um documentando uma lembrança diferente. Ao terminar, colocou-os na ordem, uma crônica do tempo que tiveram juntos. Então começou a fazer os desenhos correspondentes de si mesmo, ou de como imaginava que ela o houvesse visto naqueles mesmos momentos. No final, mandara encadernar tudo num livro, os desenhos de si próprio nas páginas da esquerda, os de Hope nas da direita, mas nunca o havia mostrado a ninguém. Terminara no ano seguinte ao que Andrew partira para a faculdade. Levara quase nove anos para completá-lo.

Esse era outro motivo que o tinha feito perder boa parte do sentido da vida à medida que o século avançava. Ele andava pela casa para cá e para lá sem nada para fazer, folheava o livro todas as noites e refletia sobre o fato de que todo mundo que tinha importância na sua vida se fora. Sua mãe. Seu avô. Kim, e agora Andrew. Hope. Ele estava sozinho, pensou, e continuaria assim para sempre. Foi um período difícil, talvez tanto quanto a sua recuperação do acidente viria a ser, só que de um jeito diferente.

Botsuana e a caça aos leões, como ele costumava dizer na época, tinham lhe feito bem; mas ele sempre mantinha o livro de desenhos à mão, entre seus bens mais preciosos. Depois do acidente, o livro era a única coisa que ele de fato desejava, mas não quis pedir a Andrew que fosse buscá-lo. Nunca havia contado ao filho sobre a existência do objeto e não queria mentir para ele nem para Kim. Em vez disso, pediu à ex-mulher que todas as suas coisas em Botsuana fossem empacotadas e armazenadas num guarda-móveis. Ela assim fez, mas ele passou a maior parte dos dois anos seguintes com medo de que o livro de algum modo tivesse se perdido ou sido danificado. A primeira coisa que fez após sair do centro de reabilitação foi uma curta viagem a Botsuana. Contratou alguns jovens para ajudá-lo a abrir caixa após caixa até encontrar o livro. Tirando a poeira, estava em perfeito estado.

Mas a compulsão de reviver em imagens os dias que os dois tinham passado juntos começou a perder força não muito depois disso. Para o seu próprio bem, ele sabia que não poderia continuar sonhando que um dia tornariam a ficar juntos. Não fazia ideia de que, por volta dessa mesma época, Hope estava tentando encontrá-lo.

Se tivesse sabido, apesar dos ferimentos ainda não de todo curados, pensou consigo mesmo que teria movido mundos e fundos para ir ao encontro dela. E houvera um momento em que tinha chegado perto de fazer exatamente isso.

O crepúsculo desceu suavemente sobre Carolina Beach.

Hope e Tru, com braços e pernas se tocando de vez em quando, continuaram sentados no sofá, conversando, sem ligar para a luz que caía conforme iam mergulhando cada vez mais fundo na vida um do outro. As taças de vinho, vazias havia tempo, foram substituídas por canecas de chá e as generalidades cederam lugar aos detalhes íntimos. Ao encarar o perfil dela nas sombras que iam se espichando, Tru mal conseguia acreditar que Hope estava mesmo ali com ele. Ela era e sempre tinha sido o seu sonho.

– Tenho uma confissão a fazer – começou ele, por fim. – Tem uma coisa que eu não lhe contei. Sobre algo que aconteceu antes de eu aceitar o emprego na Namíbia. Queria ter contado antes, mas quando você me disse que tentou me encontrar...

– O que foi?

Ele olhou para a própria caneca.

– Eu quase voltei para a Carolina do Norte. Para procurar você. Foi logo depois de terminar minha reabilitação. Comprei a passagem, fiz as malas e cheguei a ir até o aeroporto. Mas quando chegou a hora de passar pelo controle de segurança... eu não consegui. – Ele engoliu em seco, como se estivesse recordando a própria paralisia. – Sinto vergonha de dizer que, no final, eu simplesmente... andei de volta para o carro.

Hope demorou alguns segundos para entender.

– Quer dizer que, quando eu o estava procurando, você também estava tentando me encontrar?

Ele aquiesceu, sentindo a garganta seca, sabendo que ela estava pensando nos anos que os dois tinham perdido, não uma vez só, mas duas.

– Eu não sei o que dizer – falou ela devagar.

– Não acho que eu tenha alguma coisa para dizer, a não ser que isso me parte o coração.

– Ai, Tru – disse ela, com os olhos marejados. – Por que você não embarcou no avião?

– Eu não sabia se conseguiria encontrar você. – Ele balançou a cabeça. – Mas a verdade é que tive medo do que iria acontecer se encontrasse. Ficava imaginando que finalmente veria você num restaurante, na rua ou, quem sabe, no quintal da sua casa. Você estaria de mãos dadas com outro homem, ou rindo com seus filhos, e depois de tudo pelo que eu havia passado, parte de mim sabia que eu não conseguiria suportar. Não que eu não quisesse que você fosse feliz, porque eu queria. Quis isso para você todos os dias nestes últimos 24 anos. Mas eu sabia que eu não estava feliz. Sentia que faltava uma parte de mim, e sempre faltaria. E tive muito medo de fazer alguma coisa em relação a isso, e agora que ouvi você me contar sua vida, tudo em que consigo pensar é que eu deveria ter tido mais coragem no momento mais importante. Porque isso significaria que eu não teria perdido os últimos oito anos.

Quando ele terminou de falar, Hope olhou para longe, então afastou a colcha. Levantou-se do sofá e foi até a janela da frente. Seu rosto estava na sombra, mas ele viu o brilho molhado de suas bochechas reluzir sob o luar.

– Por que o destino parece sempre conspirar contra nós? – indagou ela, virando-se para olhá-lo por cima do ombro. – Você acha que existe algum plano maior, que não conseguimos nem imaginar?

– Não sei – respondeu ele, com a voz rouca.

Os ombros dela afundaram muito de leve e ela virou de costas outra vez. Ficou olhando pela janela sem dizer nada, até por fim dar um longo suspiro. Voltou para o sofá e se sentou ao lado dele.

De perto, pensou ele, seu rosto estava igual a todos os desenhos que ele tinha feito dela.

– Eu sinto muito, Hope. Mais do que você pode imaginar.

Ela enxugou as faces.

– Eu também.

– E agora? Você precisa de um tempo sozinha?

– Não – respondeu ela. – Essa é a última coisa de que eu preciso agora.

– Tem algo que eu possa fazer por você?

Em vez de responder à pergunta, ela chegou mais perto e tornou a ajeitar a colcha sobre as pernas. Estendeu a mão para a dele, e ele a segurou, deliciando-se com a maciez da pele dela. Alisou os ossos delicados como os de um passarinho, maravilhado ao pensar que a última mulher cuja mão havia segurado fora ela.

– Quero que você me conte como ficou sabendo da minha carta – pediu ela. – A que eu deixei na Almas Gêmeas. Aquela que finalmente permitiu que nos encontrássemos de novo.

Tru fechou os olhos por um instante.

– É difícil explicar de um jeito que faça sentido, até mesmo para mim.

– Como assim?

– Porque tudo começou com um sonho – disse ele.

– Você sonhou com a carta?

– Não – respondeu ele. – Sonhei com um lugar... um café... um lugar que existe de fato, descendo a ladeira da minha casa. – Ele deu um sorriso saudoso. – Vou lá quando estou querendo ver gente, e a vista do litoral é fantástica. Em geral levo um livro e passo algumas horas à toa lá durante a tarde. O dono me conhece, e não se importa que eu fique. – Ele se inclinou para a frente e apoiou os cotovelos nos joelhos. – Enfim, um dia de manhã eu acordei com a consciência de que acabara de sonhar com esse lugar, mas, ao contrário de muitos sonhos, a imagem não fugiu. Continuei a me ver sentado diante de uma mesa, como se estivesse me vendo num filme. Estava com um livro, e havia um copo de chá gelado em cima da mesa, duas coisas que são parte comum da minha vida. Era de tarde e fazia sol, o que também é típico. Mas, no sonho, lembro-me de reparar num casal entrando e indo se sentar numa mesa próxima. Eles estavam estranhamente fora de foco, e eu não conseguia entender o que conversavam, mas mesmo assim sentia uma necessidade urgente de ir falar com eles. Simplesmente sabia que eles tinham alguma coisa importante a me dizer, então eu me levantava da mesa e começava a ir até lá, mas a cada passo que eu dava a mesa deles parecia ficar mais distante. Lembro-me de sentir um pânico cada vez maior por causa disso, porque eu tinha de falar com eles, e foi nessa hora que de repente acordei. Não foi exatamente um pesadelo, mas passei o resto do dia um pouco desestabilizado. Uma semana depois disso, fui ao café.

– Por causa do sonho?

– Não – respondeu ele. – A essa altura, eu já tinha esquecido o sonho. Como falei, vou lá com frequência. Tinha almoçado tarde, e estava tomando um copo de chá gelado e lendo um livro sobre as guerras dos bôeres. Nesse instante, um casal entrou no restaurante. Quase todas as outras mesas estavam vagas, mas eles foram se sentar bem ao meu lado.

– Mais ou menos como no sonho – disse ela.

– Não – disse ele, balançando a cabeça. – Até esse momento, estava tudo *exatamente* como no sonho.

Hope se inclinou para a frente; a luz da lareira suavizava seus traços. Lá fora, a noite foi se adensando na janela, cada vez mais escura, à medida que Tru continuava sua história.

Assim como todo mundo, Tru já tivera sensações de *déjà vu* no passado, mas no instante em que ergueu os olhos do livro sentiu o sonho da semana anterior lhe voltar à mente com total clareza. Por um instante, foi como se o mundo tremeluzisse nas bordas, quase como se ele estivesse de volta ao sonho.

No entanto, ao contrário do sonho, agora podia ver o casal com nitidez. A mulher era loura e magra, bonita, e tinha seus 40 e poucos anos; o homem, sentado à frente dela, era alguns anos mais velho, alto, com os cabelos escuros, e usava um relógio de ouro que cintilava ao sol. Tru se deu conta de que também podia escutá-los e concluiu que devia ter captado subliminarmente trechos da conversa dos dois, o que o fizera erguer os olhos do livro. Eles estavam falando sobre os safáris que iriam fazer, e ele os ouviu mencionar planos de visitar não apenas o Kruger, uma imensa reserva na África do Sul, como também Mombo Camp e Jack's Camp, ambos em Botsuana. Estavam tecendo considerações sobre as acomodações e os animais que poderiam ver, temas que ele ouvira serem debatidos milhares de vezes ao longo dos últimos quarenta anos.

Tru não reconheceu o casal. Sempre tivera boa memória para rostos, mas aquelas pessoas eram desconhecidas. Não havia nenhum outro motivo para que se interessasse por elas, mas mesmo assim ele não conseguiu desviar os olhos. Não por causa do sonho. Era alguma outra coisa, e foi só quando se concentrou na suave cadência do sotaque da mulher que sentiu um choque de reconhecimento que fez a sensação de *déjà vu* retornar com força, ao mesmo tempo que se misturava às suas lembranças de outro tempo e de outro lugar.

Hope, pensara ele na hora. A mulher falava exatamente como Hope.

Nos anos desde sua visita a Sunset Beach, ele tinha conhecido milhares de turistas. Alguns eram da Carolina do Norte, e havia em seu sotaque algo de singular se comparado ao dos outros estados do sul, talvez uma entonação mais suave das vogais.

Aquele casal tinha algo importante para lhe dizer.

Antes mesmo de se dar conta de ter se levantado da cadeira, Tru já estava na mesa deles. Em geral, jamais cogitaria interromper o almoço de dois desconhecidos, mas, como uma marionete controlada por outra pessoa, sentia não ter escolha.

– Com licença – falou. – Detesto interromper, mas vocês por acaso são da Carolina do Norte? – perguntou ao casal.

Se o homem ou a mulher se incomodaram com a sua súbita aparição junto à mesa, não demonstraram.

– Sim, na verdade nós somos, sim – respondeu a mulher. Ela abriu um sorriso de expectativa. – Já nos conhecemos?

– Eu acho que não.

– Então como é que o senhor sabe de onde nós somos?

– Reconheci o sotaque – respondeu Tru.

– Mas o senhor claramente não é de lá.

– Não – disse ele. – Sou do Zimbábue. Mas uma vez passei um tempo em Sunset Beach.

– Que mundo pequeno! – exclamou a mulher. – Nós temos casa lá. Quando foi a sua visita?

– Em 1990 – respondeu Tru.

– Bem antes da nossa época – disse ela. – Faz só dois anos que compramos a casa na praia. Meu nome é Sharon Wheddon, e este é meu marido, Bill.

Bill estendeu a mão e Tru a apertou.

– Tru Walls – falou. – Ouvi vocês falando sobre Mombo Camp e Jack's Camp. Antes de me aposentar, eu era guia de safári, e posso garantir que as duas reservas são espetaculares. Em Mombo vocês vão ver muitos animais. Mas as duas são diferentes. Jack's Camp fica no Kalahari, que é um dos melhores lugares do mundo para avistar suricatos.

Enquanto ele falava, a mulher olhava para ele com a cabeça levemente inclinada e um leve franzido de concentração na expressão. Abriu a boca, então fechou-a antes de se debruçar sobre a mesa.

– O senhor disse que o seu nome é Tru Walls e que é do Zimbábue? E que era guia de safári?

– Isso.

Sharon se virou de Tru para o marido.

– Você se lembra do que encontramos na última primavera? Quando estávamos na casa de praia e fomos dar aquele longo passeio? E eu fiz uma brincadeira porque estávamos indo para a África?

Enquanto ela falava, Bill começou a menear a cabeça.

– Agora estou me lembrando.

Sharon encarou Tru com uma expressão radiante.

– Já ouviu falar na Almas Gêmeas?

O comentário deixou Tru subitamente tonto. Quanto tempo fazia desde que ele ouvira alguém dizer o nome da caixa de correio? Embora fosse um lugar que ele houvesse recordado mil vezes ao longo dos anos, até então era algo que sentia, de certo modo, pertencer apenas a ele e a Hope.

– A caixa de correio, a senhora quer dizer? – indagou, meio engasgado.

– Isso! – exclamou Sharon. – Eu não acredito! Amor, você acredita nisso?

Bill balançou a cabeça, aparentemente tão assombrado quanto a mulher, enquanto ela batia palmas de tão animada.

– Quando o senhor foi a Sunset Beach, conheceu uma mulher lá chamada... Helen? Hannah? – Ela enrugou a testa. – Não, Hope... É isso, não é?

249

O mundo ao redor da mesa ficou embaçado e o chão pareceu subitamente movediço.

– Conheci – gaguejou Tru por fim. – Mas vocês parecem saber alguma coisa que eu não sei.

– Talvez seja melhor o senhor sentar – disse Sharon. – Tinha uma carta na Almas Gêmeas sobre a qual eu preciso lhe contar.

Quando ele concluiu a história, a escuridão havia tomado a casa e a lareira era a única fonte de luz. Ele podia distinguir com dificuldade o débil som da música que vinha do rádio na cozinha. Os olhos de Hope brilhavam à luz da lareira.

– Dois dias depois, eu estava aqui, na Carolina do Norte. É claro que eles não se lembravam de tudo na carta... O mais importante é que não sabiam a data nem sequer o mês em que você estaria aqui... mas o meu nome e o meu histórico bastaram para eles lembrarem o básico.

– Por que não começou a me procurar assim que chegou?

Ele passou alguns segundos calado.

– Você acredita que, na semana que passamos juntos, nunca chegou a me dizer o sobrenome de Josh?

– É claro que eu disse – falou ela. – Devo ter dito.

– Não – disse ele, com um sorriso quase triste. – Não disse, não. E eu nunca perguntei. Também não sabia os sobrenomes das suas irmãs. Nem me dei conta disso até voltar para a África. Não que na época fizesse diferença, claro. E depois de 24 anos sem sobrenomes, eu não tinha muita coisa em que me basear. Sabia seu sobrenome de solteira, mas logo descobri que Anderson é bem comum, mesmo na Carolina do Norte. Além do mais, não fazia ideia de onde você estava morando, ou mesmo se tinha sequer ficado neste estado. Lembrava que Josh era cirurgião ortopédico, e devo ter ligado para todas as clínicas e hospitais ortopédicos daqui até Greensboro perguntando sobre médicos chamados Josh, mas não deu em nada.

Ela uniu os lábios.

– Então como é que você teria me encontrado anos atrás? Quando quase embarcou no avião?

– Na época, eu não tinha pensado em nada disso. Mas imagino que provavelmente teria contratado um detetive particular. E, se você não aparecesse até o final do ano, era isso que eu pretendia fazer. Mas... – Ele sorriu. – Eu sabia que você viria. Sabia que iria encontrá-la na Almas Gêmeas, porque era lá que você tinha dito que estaria. Acordei todos os dias de setembro pensando que aquele poderia ser o dia.

– E todos os dias foram uma decepção.

– Sim – disse ele. – Mas também ficava mais provável que o dia seguinte fosse o certo.

– E se eu tivesse decidido vir em julho ou em agosto? Você não tinha medo de que nos desencontrássemos?

– Na verdade, não – respondeu ele. – Não pensei que você fosse querer me encontrar no verão por causa de todos os turistas. Desconfiava que fosse escolher um dia mais parecido com aquele em que visitamos a caixa de correio, quando teríamos alguma privacidade. O outono ou o inverno pareciam mais prováveis.

Hope abriu um sorriso tristonho.

– Você sempre me conheceu, não é?

A resposta de Tru foi pegar sua mão e beijá-la.

– Eu acreditei em nós.

Ela se sentiu enrubescer de novo.

– Quer ler a carta?

– Ainda está com ela?

– Eu tenho uma cópia – disse Hope. – Está naquela caixa em cima da mesa.

Quando ela começou a se levantar, Tru ergueu a mão para impedi--la. Ele então se levantou e foi pegar a caixa entalhada na cozinha. Estava a ponto de colocá-la em cima da mesa quando Hope balançou a cabeça.

– Não – disse ela. – Ponha aqui no sofá. Entre nós dois.

– Está pesada – comentou ele, tornando a se sentar.

– Foi feita no Zimbábue – disse ela. – Abra. A carta está no fundo.

Tru abriu a tampa. Por cima, viu o convite de casamento, e tocou-o com um olhar de indagação; por baixo do convite estavam os desenhos, bem como a carta que ele lhe escrevera. No fundo havia um envelope, liso, sem nada escrito. Ele ficou estranhamente afetado com a visão dos desenhos e das cartas.

– Você guardou – murmurou, quase sem acreditar.

– Claro – respondeu ela.

– Por quê?

– Você não sabe? – Ela tocou seu braço delicadamente. – Mesmo quando me casei com Josh, eu continuava apaixonada por você. Sabia disso quando pronunciei meus votos. Meus sentimentos por você eram apaixonados, mas... tranquilos. Porque foi assim que você fez com que eu me sentisse durante a semana que passamos juntos. Em paz. Estar com você foi como voltar para casa.

Tru engoliu em seco para tirar o bolo da garganta.

– Para mim foi a mesma coisa. – Ele encarou a carta. – Perder você foi como sentir a terra desabar debaixo dos meus pés.

– Leia – disse ela, meneando a cabeça para o envelope. – É curta.

Tru recolocou os outros objetos dentro da caixa antes de tirar a carta do envelope. Leu-a devagar, revirando cada palavra na mente, ouvindo a voz dela em cada linha. Sentiu o peito encher e quase transbordar de emoção contida. Quis beijá-la nessa hora, mas não o fez.

– Tenho uma coisa para lhe dar.

Ele se levantou e foi até a mesa de canto perto da porta. Colocou a mão dentro da bolsa de lona e pegou o livro dos desenhos que tinha feito. Voltou para o sofá e o entregou a ela. *Almas Gêmeas*, diziam as letras douradas gravadas na capa.

Hope olhou para ele, para o livro e de novo para ele, e a curiosidade então a venceu. Tru se acomodou ao seu lado enquanto ela passava os dedos pelo título.

– Estou quase com medo de ver o que é – falou.

– Não tenha medo – instou ele, e Hope por fim abriu o livro.

Na primeira página havia um desenho dela no final do píer, um lugar em que ele nunca a vira. Era um desenho que parecia captar tudo em relação a ela, mas como não tinha nenhum papel na história dos dois, ele o considerava uma espécie de folha de rosto.

Ficou calado enquanto Hope virava a página e estudava à esquerda uma imagem dele andando pela praia e à direita a imagem de si mesma andando atrás dele, um pouco mais longe. Dava para ver Scottie correndo em direção à duna.

As páginas seguintes retratavam os dois na primeira manhã em que haviam se falado; nos desenhos, ele estava segurando Scottie no colo, e a preocupação dela era evidente na sua expressão aflita. As duas páginas seguintes os mostravam caminhando de volta até o chalé; a essas seguiam-se desenhos deles dois tomando café no deque dos fundos. As imagens se fundindo como uma série de quadros num filme. Hope demorou bastante para chegar ao fim. Quando finalmente acabou, ele notou o risco de uma lágrima no rosto dela.

– Você desenhou tudo – disse ela.

– Sim – respondeu ele. – Enfim, eu tentei. É para você.

– Não – disse ela. – Isto aqui é uma obra de arte.

– Somos nós – retrucou ele.

– Quando foi que você...?

– Eu levei anos.

Ela tornou a alisar a capa com a mão.

– Eu não sei o que dizer. Mas você não pode me dar este livro. Isto... isto aqui é um tesouro.

– Eu sempre posso fazer outro. E, desde que terminei, vinha sonhando com o dia em que a veria de novo para poder lhe mostrar como você sempre morou na minha alma.

Ela continuou a segurar o livro no colo, apertando-o como se nunca mais o quisesse soltar.

– Você pôs até aquela hora na praia depois de eu contar que Josh tinha me pedido em casamento, quando me deu um abraço...

Ele esperou até ela encontrar as palavras certas.

– Nem sei dizer quantas vezes pensei nisso – disse ela, em voz baixa. – Durante a caminhada, fiquei tentando encontrar um jeito de lhe contar e estava muito confusa e com medo. Já podia sentir o vazio começando a se formar, porque sabia que íamos nos despedir. Mas eu queria que fosse do nosso jeito, seja lá o que isso pudesse significar, e a sensação que me dava era que Josh tinha roubado isso de mim...

Ele pôde ouvir o tom de súplica na sua voz.

– Eu achei que entendesse como magoei você naquele dia, mas ver o desenho do seu rosto naquele momento é terrível. A sua expressão... o jeito como você se contraiu...

A voz de Hope estremeceu e ela não completou a frase. Tru engoliu em seco, admitindo a verdade do que ela dizia. Aquele tinha sido um dos desenhos mais dolorosos do livro todo, um desenho do qual ele tivera de se afastar mais de uma vez.

– E aí sabe o que você fez? Não discutiu, não ficou bravo, nem exigiu nada. Seu primeiro instinto foi só me abraçar, isso sim. Para me reconfortar, mesmo que devesse ter sido o contrário. Eu não merecia, mas você sabia que eu precisava daquilo. – Ela lutou para manter o controle. – Foi isso que eu senti estar perdendo quando me casei com Josh... alguém que me reconfortasse diante das situações mais difíceis. Então hoje, na caixa de correio, quando eu estava em choque e sem a menor ideia do que dizer ou fazer, você me abraçou outra vez. Porque sabia que eu tinha a sensação de estar caindo num precipício e precisava que você me segurasse. – Ela balançou a cabeça com tristeza. – Não sei se Josh algum dia me abraçou desse jeito... com total empatia. Isso me lembrou outra vez de quanta coisa eu abri mão quando entrei no carro naquele dia e fui embora.

Ele a observou sem se mexer, então finalmente pegou a caixa e a pôs na mesa. Pousou a mão sobre o livro de desenhos que havia feito, soltou-o da mão dela e o pôs ao lado da caixa, então a envolveu nos braços. Hope se encostou nele. Ele beijou suavemente seus cabelos, igualzinho a como tinha feito tanto tempo antes.

– Eu estou aqui agora – sussurrou. – Nós estávamos apaixonados, mas não era a hora certa. E nem todo o amor do mundo pode mudar o tempo.

– Eu sei – disse ela. – Mas acho que teríamos ficado bem juntos. Acho que teríamos feito um ao outro feliz... – Ele a viu fechar os olhos antes de tornar a abri-los devagar. – E agora é tarde demais – disse ela, num tom desolado.

Tru usou um dedo para erguer delicadamente o queixo de Hope. Ela o encarou, mais linda do que qualquer mulher que ele já tivesse visto. Ele chegou mais perto, e seus lábios se uniram. Sua boca estava quente e ávida.

– Nunca é tarde demais para abraçar você – murmurou ele.

Levantando-se do sofá, ele a segurou pela mão. A lua havia nascido e lançava pela janela um facho prateado que competia com a claridade dourada da lareira. Ela se levantou bem devagar e ele beijou a mão que estava segurando. Lentamente, puxou-a para si. Enlaçou-a e sentiu os braços dela se unirem em volta do seu pescoço. Ela pousou a cabeça no ombro dele, sua respiração tocou-lhe a clavícula e ele pensou consigo mesmo que aquilo era tudo que sempre quisera. *Ela* era tudo que ele sempre quisera. Soubera isso desde o instante em que a conhecera; sabia desde então que jamais haveria outra.

Da varanda, ouviu o tilintar distante de um sino de vento. O corpo de Hope ondulava junto ao seu, acolhedor e cálido, e ele se rendeu a tudo que estava sentindo.

Hope abriu a boca sob a de Tru e uniu sua língua à dele. Estava quente, úmida, e a sensação era a mesma depois de todo aquele tempo, atemporal, primitiva. Ele apertou os braços em volta dela, colando o corpo dela no seu. Sua mão percorreu-lhe as costas e os cabelos, então voltou a lhe acariciar as costas. Ele havia esperado tanto por aquilo, revivido aquilo em tantas noites solitárias. Quando o beijo terminou, Hope apoiou a testa no peito dele e sentiu o corpo começar a tremer.

Ele a ouviu fungar e, alarmado, percebeu que ela estava chorando. Quando se afastou, ela se recusou a olhar para ele. Em vez disso, manteve a cabeça enterrada em seu peito.

– O que houve? – perguntou ele.

– Eu sinto muito – disse ela. – Sinto muito, muito. Queria nunca ter deixado você. Queria tê-lo encontrado antes, queria que você tivesse embarcado naquele avião...

Havia algo na sua voz, um medo que ele não esperava.

– Eu estou aqui agora – falou. – E não vou a lugar nenhum.

– Agora é tarde – disse ela, e sua voz falhou. – Eu sinto muito, mas agora é tarde demais. Eu não posso fazer isso com você.

– Está tudo bem – sussurrou ele, sentindo pela primeira vez o pânico se insinuar. Não sabia qual era o problema; não sabia o que tinha feito para deixá-la daquele jeito. – Eu entendo por que você precisou ir embora. E você tem dois filhos maravilhosos... Hope, está tudo bem. Eu entendo a escolha que você fez.

– Não é isso. – Ela balançou a cabeça, as palavras carregadas de um profundo cansaço. – Mesmo assim, agora é tarde demais.

– Que história é essa? – perguntou ele, segurando-a pelos braços e recuando o corpo. – Não estou entendendo o que você está tentando me dizer. Por favor, Hope, fale comigo.

Desesperado, ele tentou encará-la.

– Eu estou com medo... e não tenho a menor ideia do que dizer para os meus filhos...

– Não há do que ter medo. Tenho certeza de que eles vão entender.

– Não vão, não – disse ela. – Eu lembro como foi difícil para mim.

Tru sentiu um arrepio percorrer seu corpo. Forçou-se a respirar fundo.

– Eu não estou entendendo.

Hope começou a chorar mais ainda, com grandes soluços arquejantes que a fizeram se agarrar a ele para não cair.

– Eu estou morrendo – disse ela, por fim. – Tenho ELA, como o meu pai, e agora estou morrendo.

Ao ouvir essas palavras, Tru sentiu a mente se esvaziar e tudo que conseguiu pensar foi nas sombras projetadas pelo fogo e no modo como elas pareciam quase vivas. As palavras de Hope pareceram ricochetear dentro dele... *Tenho ELA, como o meu pai, e agora estou morrendo.*

Fechou os olhos para tentar transmitir força, mas seu corpo parecia estar enfraquecendo. Ela o apertava, sussurrando.

– Ah, Tru... eu sinto tanto... É tudo culpa minha...

Ele sentiu uma pressão atrás dos olhos e tornou a ouvir a voz dela.

Estou morrendo... Ela havia lhe contado como o declínio do pai fora devastador; tinha dito que ele emagrecera tanto nos últimos meses que ela conseguia carregá-lo até a cama. Aquela era uma doença cruel e implacável, que acabara roubando até o ar que ele respirava. Tru não soube o que dizer enquanto Hope se balançava e soluçava colada nele, e só com muito esforço conseguiu se manter de pé.

Para além das janelas, o mundo estava negro. Era uma noite fria, mas Tru sentia mais frio ainda. Passara a vida inteira esperando por Hope e acabara encontrando-a, mas em breve ela lhe seria roubada outra vez. Não sabia o que pensar e sentia uma dor por dentro. Ele tornou a recordar a última linha do bilhete que tinha lhe escrito depois que ela o convidara para ir à Almas Gêmeas pela primeira vez,

Com você como guia, imagino que eu vá ter uma surpresa.

Não soube por que essas palavras surgiram na sua mente nem o que poderiam significar naquele momento; elas também não pareciam fazer sentido. Hope era o seu sonho, era tudo que ele sempre quisera, e acabara de lhe contar que estava morrendo. Tru se sentiu prestes a se estilhaçar enquanto os dois continuavam abraçados, aos prantos, e os ruídos soavam, abafados, dentro do casulo da casa silenciosa.

DIA APÓS DIA

– Eu sabia que estava com a doença antes mesmo do primeiro exame – disse Hope.

Ela havia demorado algum tempo para parar de chorar, e quando suas lágrimas enfim cederam, Tru enxugou o próprio rosto também. Ele fora até a cozinha preparar mais chá e levara-lhe outra caneca quando ela já estava sentada no sofá. Tinha os joelhos erguidos e estava enrolada na colcha.

Segurando a caneca com as duas mãos, ela falou:

– Lembrei o que meu pai me contou, de como era no comecinho. Só uma sensação geral de cansaço, como um resfriado, mas que nunca melhorava. Fui eu quem sugeriu o diagnóstico para minha médica, mas ela foi cética. Porque a ELA em geral não é transmitida geneticamente. Só um caso em cada dez envolve hereditariedade. Mas quando fui fazer os exames e os resultados demoraram a sair, eu já sabia.

– Quando você descobriu?

– Em julho do ano retrasado. Então faz um pouco menos de um ano e meio. Fazia só seis meses que eu estava aposentada, e estava animada para começar uma vida nova. – Então, sabendo qual seria a pergunta seguinte dele, ela arrematou. – Meu pai durou um pouco menos de sete anos. E eu acho que estou ligeiramente melhor do que ele estava, pelo menos por enquanto. O que eu quero dizer é que acho que a doença está avançando mais devagar do que no caso dele, mas posso sentir que está pior agora do que quando eu descobri. Tive dificuldade para chegar à Almas Gêmeas hoje de manhã.

– Não consigo imaginar como é enfrentar algo assim, Hope.

– É um horror – admitiu ela. – E eu ainda não pensei num jeito de contar às crianças. Como eles eram muito novinhos quando meu pai morreu, nem lembram dele. Também não lembram como foi difícil para a família. Eu sei que, quando eu finalmente contar, eles vão reagir do mesmo jeito que eu reagi. Vão ficar apavorados e passar o tempo todo me vigiando, mas não quero que eles se coloquem em compasso de espera por minha causa. Eu tinha 36 anos quando descobri sobre o meu pai, mas eles ainda estão começando a vida. Eu não quero isso... quero que eles vivam a própria vida. Mas, depois que souberem, vai ser impossível. O único motivo pelo qual eu não fiquei arrasada quando meu pai adoeceu foi que os meninos eram novinhos e precisavam de toda a minha atenção. Eu não tive escolha. Mas já contei como foi com meu pai... como foi difícil vê-lo morrer.

– Contou, sim – Tru aquiesceu.

– Esse foi um dos motivos que me fizeram deixar a carta na caixa de correio no ano passado. Porque eu me dei conta de que...

Quando ela não completou a frase, Tru estendeu a mão e segurou a sua.

– Você se deu conta de que...?

– Eu me dei conta de que, embora fosse tarde demais para nós dois, talvez não fosse tarde demais para lhe pedir desculpas, e eu precisava fazer isso. Porque eu vi você em pé na rua e simplesmente segui em frente. Tive de conviver com isso, o que talvez já seja uma punição suficiente, mas... parte de mim também queria o seu perdão.

– Você sempre teve o meu perdão – disse ele, pondo a outra mão por cima da dela e ninando-a feito um passarinho machucado. – Eu escrevi isso na minha carta... Conhecer você foi algo que eu teria feito mil vezes se tivesse a oportunidade, mesmo sabendo que precisaria terminar. Eu nunca senti raiva de você por causa da sua escolha.

– Mas eu magoei você.

Ele se inclinou mais para perto e ergueu uma das mãos para tocar-lhe a face.

– O sofrimento é o preço que pagamos pelo amor – falou. – Aprendi isso com a minha mãe e quando Andrew foi embora. É assim que as coisas são.

Hope ficou em silêncio enquanto refletia sobre o que Tru acabara de lhe dizer. Ergueu os olhos para ele.

– Sabe qual é a pior parte? – indagou, numa voz contida. – De saber que se está morrendo?

– Não faço ideia.

– Os seus sonhos também começam a morrer. Quando recebi o diagnóstico, uma das primeiras coisas que me passaram pela cabeça foi que isso significava que eu provavelmente jamais seria avó. Ninar um bebê até ele dormir, brincar de colorir na mesa de piquenique ou então dar banho. Coisas pequenas, coisas que nem sequer aconteceram e talvez jamais aconteçam, era dessas que eu parecia mais sentir falta. O que reconheço que não faz sentido, mas não posso evitar.

Tru ficou calado pensando no que ela acabara de dizer.

– Quando eu estava no hospital, senti a mesma coisa – falou, por fim. – Eu sonhava em fazer trilhas pela Europa ou começar a pintar, então fiquei superdeprimido ao me dar conta de que talvez não conseguisse realizar nenhuma dessas coisas. Mas o mais louco é que, depois que eu melhorei, as trilhas e a pintura não me interessavam mais. Acho que é da natureza humana querer o que talvez não possamos ter.

– Eu sei que você tem razão, mas mesmo assim... eu queria muito ser avó. – Ela conseguiu dar uma pequena risada. – Imaginando, é claro, que Jacob e Rachel tenham filhos. O que duvido que vá acontecer num futuro próximo. Eles parecem adorar a própria independência.

Tru sorriu.

– Eu sei que você disse que a caminhada hoje de manhã foi difícil, mas na volta você parecia bem.

– Eu estava me sentindo bem – concordou ela. – Às vezes é assim. E fisicamente me sinto bem quase o tempo todo, contanto que não exagere. Não acho que tenha havido muita mudança nos últimos tempos. Quero acreditar que me conformei. É revelador, porque torna mais fácil decidir o que é importante para mim e o que não é. Eu sei como quero gastar meu tempo e o que preferiria evitar. Mas ainda tem dias nos quais sinto medo ou tristeza. Principalmente pelos meus filhos.

– Eu também sentiria. Quando estava internado, a expressão aterrorizada de Andrew sentado ao meu lado quase me partia o coração.

– Por isso guardei segredo até agora – disse ela. – Nem as minhas irmãs sabem. Nem minhas amigas.

Ele se aproximou e encostou a testa na dela.

– Fico honrado que tenha dividido isso comigo – sussurrou.

– Pensei em contar mais cedo – confessou ela. – Depois que você me contou do acidente. Mas o momento estava tão bom que eu não quis que terminasse.

– Ainda não terminou – disse ele. – Eu prefiro estar aqui com você a estar em qualquer outro lugar. E, apesar do que me contou, hoje foi um dos melhores dias da minha vida.

– Você é um homem muito doce, Tru. – Ela abriu um sorriso triste. – Sempre foi.

Ela ergueu um pouco o rosto para lhe dar um beijo suave, e o contato com os fios da barba dele lhe causou uma sensação de *déjà vu*.

– Sei que você disse que duas taças de vinho são o seu limite, mas eu acho que gostaria de tomar mais uma. Quer me acompanhar? Tem outra garrafa na geladeira.

– Eu pego – disse ele.

Enquanto ele estava na cozinha, Hope esfregou o rosto com um gesto cansado, mal conseguindo acreditar que finalmente havia revelado o seu segredo. Detestara contar aquilo para Tru, mas depois de ter pronunciado as palavras uma vez, sabia que conseguiria repeti-las. Para Jacob, Rachel e as irmãs. Para as amigas. Até mesmo para Josh. Mas nenhum deles reagiria como Tru, que de alguma forma tinha aliviado seus temores, nem que fosse por um momento.

Ele voltou da cozinha com duas taças e lhe entregou uma. Assim que se sentou, ergueu o braço, e ela se aninhou ali. Durante algum tempo, os dois ficaram sentados em silêncio, os olhos fixos no fogo. Hope sentia a mente girar com todos os acontecimentos do dia: a volta de Tru, o livro de desenhos, contar-lhe seu segredo. Era quase coisa demais para processar.

– Eu deveria ter embarcado naquele avião – disse Tru quebrando o silêncio. – Deveria ter me esforçado mais para encontrar você.

– Eu também sinto que deveria ter me esforçado mais – disse ela. – Mas saber que você pensou em mim durante todos esses anos é muito importante.

– Para mim também. Assim como hoje... É tudo que eu sempre sonhei.

– Mas eu estou morrendo.

– Eu acho que você está vivendo – disse ele, com uma firmeza surpreendente. – E dia após dia, isso é tudo que qualquer um de nós pode fazer. Eu não posso garantir que vá estar vivo daqui a um ano ou daqui a um mês. Ou mesmo amanhã.

Ela deixou a cabeça repousar no braço dele.

– É isso que as pessoas dizem, e sei que tem um fundo de verdade. Mas é diferente quando você sabe com certeza que só tem um determinado tempo de vida. Se eu for tirar pelo meu pai, tenho cinco anos, talvez cinco anos e meio. E o último não vai ser muito bom.

– Daqui a quatro anos e meio eu vou ter 70.

– E daí?

– Sei lá. Qualquer coisa pode acontecer, e é justamente esse o ponto. O que eu sei é que passei os últimos 24 anos sonhando com você. Querendo segurar sua mão, conversar e fazer o jantar, deitar do seu lado à noite. Eu não tive a vida que você teve. Fiquei sozinho, e quando soube da sua carta entendi que estava sozinho porque estava esperando por você. Eu te amo, Hope.

– Eu também te amo.

– Então não vamos perder mais tempo. Finalmente chegou a nossa hora. Sua e minha. Pouco importa o que o futuro reserva para qualquer um de nós.

– O que você está dizendo?

Ele beijou o pescoço dela suavemente e ela sentiu um frio na barriga, do mesmo jeito que sentira tanto tempo antes. Ajeitando alguns fios de cabelos dela atrás da sua orelha, ele seguiu murmurando.

– Case comigo. Ou então não case, apenas fique comigo. Eu me mudo para cá, e podemos morar onde você quiser. Podemos viajar, mas não precisamos. Podemos cozinhar juntos, ou então comer fora sempre. Para mim não importa. Eu só quero abraçar você, e amá-la a cada suspiro que você ou eu venhamos a dar. Não me importa quanto tempo dure e não me importa quão doente você fique. Eu só quero você. Pode fazer isso por mim?

Hope o encarou, atordoada, antes de finalmente abrir um sorriso.

– Está falando sério?

– Eu faço qualquer coisa que você quiser – disse ele. – Contanto que seja do seu lado.

Sem dizer nada, Hope segurou a mão de Tru, se levantou do sofá e o levou até o quarto. E nessa noite eles se redescobriram, e seus corpos se moveram ao ritmo da lembrança de outro tempo, ao mesmo tempo conhecidos e delicadamente, inacreditavelmente novos. Quando terminaram, ela ficou deitada ao lado dele, olhando-o com o mesmo contentamento profundo que via nos seus olhos. Tinha passado a vida inteira com saudades daquele olhar.

– Eu gostaria disso – sussurrou ela por fim.

– Gostaria de quê? – indagou ele.

Ela chegou mais perto e o beijou no nariz, depois na boca.

– Eu gostaria de me casar com você – sussurrou.

EPÍLOGO

Tive dificuldade com o final da história de Tru e Hope. Não queria catalogar a prolongada luta contra a ELA nem as muitas maneiras como Tru tentou facilitar o seu declínio. Escrevi, porém, um capítulo suplementar sobre a semana dos dois em Carolina Beach, e sobre a conversa dela com os filhos, o casamento dos dois em fevereiro do ano seguinte e o safári que fizeram na lua de mel. Concluí com uma descrição de suas idas anuais à Almas Gêmeas, onde eles deixaram o envelope dentro da caixa para que outros pudessem partilhar sua história. No fim das contas, porém, descartei as páginas que tinha escrito, pois nas minhas conversas com eles ficou claro que a história que queriam dividir era simples: eles se apaixonaram, passaram anos separados, mas acharam um jeito de ficar juntos outra vez, em parte devido à magia relacionada à Almas Gêmeas. Não quis me desviar do caráter de conto de fadas da história deles.

Mesmo assim, a narrativa não me parecia completa. Meu lado escritor sentia que a vida de Tru tinha uma lacuna dos anos anteriores ao seu reencontro com Hope. Por isso, nos meses anteriores à publicação, liguei para Tru e perguntei se ele concordava que eu fosse mais uma vez ao Zimbábue. Queria encontrar Romy, um homem que desempenhara um papel pequeno e quase insignificante na história de Tru e Hope.

Romy, agora aposentado, morava num vilarejo em Chegutu, no norte do Zimbábue, e a viagem constitui uma história em si. Havia muitas armas nessa parte do país, e fiquei com medo de ser sequestrado, mas por acaso o motorista que eu contratei tinha bons contatos nas tribos que controlavam a região e garantiu minha passagem em segurança. Só estou comentando isso por ser um lembrete da falta de lei que agora impera num país que considero um dos lugares mais notáveis do planeta.

Romy era magro e grisalho, e tinha a pele mais escura do que a maioria dos outros moradores do vilarejo. Faltava-lhe um dente da frente, mas, assim como Tru, ele ainda se movia com uma agilidade surpreendente. Conversamos sentados num banco feito de blocos de cimento e do que um dia tinha sido a caçamba de uma picape. Depois de me apresentar, falei-lhe sobre o livro que havia escrito e expliquei que estava com esperança de conseguir mais informações sobre o seu amigo Tru Walls.

Um sorriso se espalhou lentamente pelo rosto de Romy.

– Quer dizer que ele a encontrou?

– Eu acho que eles encontraram um ao outro.

Romy se curvou para a frente e pegou um graveto no chão.

– Quantas vezes o senhor esteve aqui no Zimbábue?

– Esta é a minha segunda visita.

– Sabe o que acontece com as árvores depois que os elefantes as derrubam? Sabe por que ninguém vê árvores caídas no chão por toda parte?

Fiz que não com a cabeça, intrigado.

– Cupins – disse ele. – Eles devoram tudo. É bom para a selva, mas ruim para qualquer coisa feita de madeira. Por isso este banco é feito com blocos de cimento e metal. Porque os cupins comem, comem, comem sem parar.

– Não sei muito bem o que o senhor está tentando me dizer.

Romy apoiou os cotovelos nos joelhos ossudos e se inclinou para junto de mim, ainda com o graveto na mão.

– Tru estava assim quando voltou dos Estados Unidos... como se estivesse sendo devorado por dentro. Sempre gostou de ficar sozinho, mas havia piorado... Estava sempre sozinho. Ficava no quarto desenhando, mas não me mostrava mais os desenhos. Passei muito tempo sem saber qual era o problema, só que no mês de setembro ele tornava a ficar triste.

Romy partiu o graveto ao meio e deixou os pedaços caírem no chão.

– Então, numa noite de setembro, uns cinco anos depois da viagem aos Estados Unidos, eu o vi sentado do lado de fora. Ele estava bebendo. Eu estava fumando um cigarro e fui me sentar com ele. O rosto dele... eu nunca o tinha visto daquele jeito. Perguntei: "Tudo bem?" Ele não respondeu.

Como não me mandou embora, sentei-me ao seu lado. Depois de algum tempo, ele me passou um gole. Sempre tinha bons uísques. A família dele era rica, sabe? Depois de algum tempo, ele me perguntou qual era a coisa mais difícil que eu já tinha feito. Respondi que não sabia, que a vida era cheia de coisas difíceis. Por que ele queria saber? Ele disse que sabia qual era a coisa mais difícil que tivera de fazer, e que nada nunca seria maior do que isso.

Romy soltou um suspiro chiado antes de prosseguir:

– Não foram as palavras... foi o jeito como ele falou. Era tanta tristeza, tanta dor, como se os cupins tivessem roído a alma dele. E então ele me contou sobre a viagem aos Estados Unidos... e sobre a mulher. Hope. Eu já amei algumas mulheres na vida – falou, com um sorriso. Mas então o sorriso se apagou. – Quando ele falou, eu soube que nunca tinha amado ninguém daquele jeito. E quando ele me contou como se despediu... Ele chorou como uma pessoa destruída. E eu senti o coração dele doer dentro de mim também. – Ele balançou a cabeça. – Depois disso, sempre que o via, eu pensava: ele ainda está sentindo aquela dor, só está escondendo.

Romy se calou e por algum tempo ficamos apenas sentados juntos, vendo o crepúsculo cair sobre o vilarejo.

– Ele nunca mais falou no assunto. Aí eu me aposentei e passei muito tempo sem ver Tru, só fui vê-lo depois do grande acidente. Fui visitá-lo no hospital. O senhor sabe do acidente?

– Sei – respondi.

– Ele estava horrível, horrível mesmo. Mas os médicos disseram que estava bem melhor do que antes! Como ele misturava as palavras com frequência, eu falei bastante. E estava tentando ser alegre, contar piadas, então perguntei se ele tinha visto Jesus ou Deus quando morreu. Ele abriu um sorriso triste, um sorriso que quase me partiu o coração. "Não", me disse ele. "Eu vi Hope."

Quando voltei do Zimbábue, peguei o carro e fui até a praia onde Tru e Hope moram atualmente. Tinha levado quase um ano na pesquisa e na redação do livro, e relutava em me intrometer mais uma vez na vida deles. Apesar disso, peguei-me passando junto à linha d'água em frente ao seu chalé. Não os vi.

Era o meio da tarde. Segui andando pela praia, acabei chegando ao píer e o percorri até o final. Havia um punhado de pessoas pescando, mas encontrei um lugar no canto. Fiquei olhando para o mar, sentindo a brisa nos cabelos, sabendo que escrever a história deles tinha me transformado.

Fazia meses que não via nem um nem outro e estava com saudade. Reconfortei-me pensando que eles estavam juntos. Mais tarde, quando passei em frente ao chalé pela segunda vez, na volta, meus olhos foram atraídos para a casa deles. Ainda não havia sinal dos dois.

Já estava ficando tarde e o céu era uma mistura de violeta, azul e cinza, e no horizonte a lua havia começado a subir do mar, como se tivesse passado o dia escondida no leito do oceano.

A noite começou a se adensar, e eu me peguei novamente sondando a praia. Podia ver a casa deles ao longe e, embora a praia em boa parte tivesse esvaziado, vi Tru e Hope saindo. Meu coração se alegrou ao vê-los e tornei a pensar nos anos que eles tinham passado separados. Pensei no futuro deles, nas caminhadas que não fariam e nas aventuras que jamais viveriam. Pensei em sacrifício e em milagres. E pensei também no amor que sempre haviam sentido um pelo outro, como estrelas no céu diurno, invisíveis, mas sempre presentes.

Eles estavam no pé da rampa, a que Tru estava construindo na primeira vez que o encontrei. Hope estava em sua cadeira de rodas com um cobertor sobre as pernas. Em pé ao seu lado, Tru pousava uma das mãos no seu ombro. Esse gesto simples continha uma vida inteira de amor, e senti a garganta apertada. Quando continuei a olhar, ele deve ter sentido minha presença ao longe, pois se virou na minha direção.

Cumprimentou-me com um aceno. Embora eu tenha acenado de volta, sabia que aquilo era uma espécie de despedida. Apesar de considerá-los amigos, eu duvidava que fôssemos voltar a nos falar.

Tinha chegado a hora deles, enfim.

NOTA DO AUTOR

Caro leitor,

Embora meus romances em geral respeitem algumas normas esperadas (geralmente são ambientados na Carolina do Norte, incluem uma história de amor, etc.), a cada livro tento variar temáticas, personagens ou recursos de maneiras interessantes. Sempre adorei o recurso literário da "autoinserção", no qual o próprio autor faz uma aparição numa obra de ficção – às vezes como um narrador autobiográfico pouco disfarçado, como Vonnegut em *Matadouro 5*, ou de modo apenas incidental, como o personagem de Stephen King em *A Torre Negra: Volume VI*, cujo diário inteiramente ficcional tem um papel na história (e cuja morte é mencionada no romance como um evento ocorrido em 1997). Um de meus escritores prediletos, Herman Wouk, escreveu um romance aos 97 anos, *O Legislador*, no qual ficcionalmente se envolve numa desastrosa tentativa de fazer um filme em Hollywood apesar da oposição de Betty, sua mulher na vida real. Esse dispositivo de várias camadas, de "história dentro da história" envolvendo o autor, sempre me pareceu intrigante – o equivalente em literatura dos pintores do Renascimento, que de modo travesso se inseriam nos próprios quadros. Espero que você concorde que o prefácio e o epílogo que escrevi na primeira pessoa acrescentaram uma dimensão interessante àquilo que é, sob outros aspectos, uma história clássica de um amor não vivido.

Embora minha "descoberta" da história de Tru e Hope seja inteiramente fictícia, a inspiração e o cenário da história foram tirados diretamente das minhas próprias experiências. A primeira vez que estive na África foi em 2010, e nessa viagem me apaixonei perdidamente pelos países que tive a sorte de visitar – pelas paisagens espetaculares, pelas fascinantes e variadas culturas, pela história política turbulenta e pela curiosa sensação de atemporalidade que experimentei lá. Desde então voltei à África várias vezes, explorando a cada vez regiões diferentes e visitando um ambiente selvagem que vai desaparecendo depressa. Essas viagens foram nada menos que um divisor de águas e expandiram meu conhecimento de lugares muito distantes da minha pacata existência na Carolina do Norte. Em cada uma delas, conheci dezenas de guias de safári cujo extenso conhecimento e cujas histórias de vida fascinantes proporcionaram matéria-prima para minha criatividade e acabaram me inspirando a criar um personagem cujo destino se entrelaçava e era governado pela vida que ele tivera ao ser criado na África.

Carolina Beach também tem um lugar especial no meu coração, uma vez que muitas vezes busquei abrigo nos seus prazeres simples e restauradores quando estava precisando de introspecção ou de cura. Na baixa temporada, em especial, suas praias varridas pelo vento e seus descontraídos residentes são o antídoto perfeito para os estresses da vida: longas caminhadas por grandes extensões desertas de areia, refeições simples em estabelecimentos despretensiosos e o rugido incessante das ondas do mar. Recomendo a qualquer um à procura de uma alternativa mais tranquila para o típico balneário de férias.

Por fim, a Almas Gêmeas: ela de fato existe, na reserva natural de Bird Island, perto de Sunset Beach, Carolina do Norte. Como veterano escritor de cartas, fui naturalmente atraído por essa solitária caixa de correio que serviu como locação principal para a minha história. Talvez um dia você também encontre um jeito de visitar esse lugar pitoresco e compartilhar suas ideias e histórias...

Nicholas Sparks

AGRADECIMENTOS

Para mim, a criação de qualquer romance é meio parecida com o que imagino ser o parto: um processo repleto de expectativas, medo, uma exaustão opressiva e, no final de tudo, exaltação... experiência que fico grato por não ter de suportar sozinho. Ao meu lado em cada passo do caminho, da gestação ao choro do nascimento, está minha agente literária de muitos anos, Theresa Park, que além do incrível talento e inteligência tem sido a minha melhor amiga nos últimos 25 anos. A equipe da agência Park Literary & Media é, sem sombra de dúvida, a mais impressionante, competente e visionária do ramo: Abigail Koons e Blair Wilson são os arquitetos da minha carreira internacional; Andrea Mai encontra formatos inovadores para parcerias minhas com varejistas como a Target, a Walmart, a Amazon e a Barnes & Noble; Emily Sweet administra minhas numerosas incursões por mídias sociais, licenciamentos e parcerias de marca; Alexandra Greene oferece um apoio jurídico e estratégico essencial; e Peter Knapp e Emily Klagett garantem que minha obra siga sendo relevante para um público leitor em constante evolução.

Ao longo de décadas, houve muitas mudanças na editora que lançou todos os meus livros desde *Diário de uma paixão*, mas nos últimos anos tenho sido grato por ter meu trabalho promovido pelo CEO do Grupo Editorial Hachette, Michael Pietsch. O editor Ben Sevier e a diretora editorial Karen Kosztolnyik, da Grand Central Publishing, foram dois acréscimos recentes porém bem-vindos à equipe, e trouxeram consigo ideias fresquinhas e uma energia renovada. Sentirei falta do vice-presidente de vendas no varejo Dave Epstein, que, junto com seu chefe Chris Murphy e com

Andrea Mai, da PLM, ajudou a forjar a estratégia de varejo dos meus últimos títulos. Dave, eu lhe desejo muitos dias tranquilos de pescaria na sua aposentadoria. Flag e Anne Twomey, vocês trazem magia e elegância para todas as capas dos meus livros, ano após ano. A Brian McLendon e a minha extremamente paciente assessora de imprensa Caitlyn Mulrooney-Lyski, agradeço por cuidarem com tanto carinho das campanhas de marketing e publicidade dos meus livros; e obrigado a Amanda Pritzker, cujas atenção e colaboração efetivas com a equipe da Park Literary eu valorizo muito.

Minha relações-públicas de longa data na PMK-BNC, Catherine Olim, é minha destemida protetora e conselheira sem rodeios, e valorizo muito a sua opinião. As magas das mídias sociais Laquishe Wright, a "Q", e Mollie Smith me ajudam a manter contato diário com meus fãs e me incentivaram a encontrar minha própria voz neste mundo em constante mutação da comunicação virtual; sou grato por sua lealdade e sua orientação ao longo dos anos.

Em minhas incursões no cinema e na TV, tenho a mesma impressionante equipe de representantes há mais de vinte anos: Howie Sanders (agora da Anonymous Content), Keya Khayatian, da UTA, e meu dedicado advogado de entretenimento, Scott Schwimer. (Scottie, espero que você goste do seu homônimo neste livro!) Qualquer autor teria sorte em ter seus projetos em Hollywood gerenciados por esse time dos sonhos.

Por fim, à minha equipe de casa: Jeannie Armentrout; minha assistente, Tia Scott; Michael Smith; meu irmão Micah Sparks; Christie Bonacci; Eric Collins; Todd Lanman; Jonathan e Stephanie Arnold; Austin e Holly Butler; Micah Simon; Gray Zurbruegg; David Stroud; Dwight Carlblom; David Wang; minhas contadoras Pam Pope e Oscara Stevick; Andy Sommers; Hannah Mensch; David Geffen; Jeff Van Wie; Jim Tyler; David Shara; Pat e Billy Mills; Mike e Kristie McAden; aos amigos de longa data, entre eles Chris Matteo, Paul DuVair, Bob Jacob, Rick Muench, Pete DeCler e Joe Westermeyer; à minha família estendida, que inclui Monty, Gail, Dianne, Chuck, Dan, Sandy, Jack, Mike, Parnell e todos os meus primos, primas, sobrinhos e sobrinhas; e, por fim, a meus filhos, Miles, Ryan, Landon, Lexie e Savannah... Todos os dias, e a cada suspiro, eu faço uma prece de gratidão pela presença de vocês na minha vida.

CONHEÇA OS LIVROS DE NICHOLAS SPARKS

O melhor de mim
O casamento
À primeira vista
Uma curva na estrada
O guardião
Uma longa jornada
Uma carta de amor
O resgate
O milagre
Noites de tormenta
A escolha
No seu olhar
Um porto seguro
Diário de uma paixão
Dois a dois
Querido John
Um homem de sorte
Almas gêmeas
A última música
O retorno
O desejo
Primavera dos sonhos

Para saber mais sobre os títulos e autores da Editora Arqueiro,
visite o nosso site e siga as nossas redes sociais.
Além de informações sobre os próximos lançamentos,
você terá acesso a conteúdos exclusivos
e poderá participar de promoções e sorteios.

editoraarqueiro.com.br

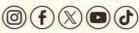